猿與鳥

二百五十年後的幻想
另一類的科學思維

第四冊

陳永騰 著

文學叢刊
文史哲出版社印行

國家圖書館出版品預行編目資料

猿與鳥 / 陳永騰著. -- 初版. -- 臺北市：文史哲, 民 97.11
頁： 公分. --（文學叢刊；206）
ISBN 978-957-549-816-0 (全套：平裝)

1.科幻易理小說

857.7　　97019990

文學叢刊 206

猿與鳥（全四冊）

著者：陳永騰
出版者：文史哲出版社
http:// www.lapen.com.tw
e-mail：lapen@ms74.hinet.net
登記證字號：行政院新聞局版臺業字五三三七號
發行人：彭正雄
發行所：文史哲出版社
印刷者：文史哲出版社
臺北市羅斯福路一段七十二巷四號
郵政劃撥帳號：一六一八〇一七五
電話886-2-23511028・傳真886-2-23965656

全四冊定價新臺幣一二八〇元

中華民國九十七年（2008）十二月 BOD 初版再刷

ISBN 978-957-549-816-0

猿與鳥 二百五十年後的幻想 另一類的科學思維 (四) 目次

第三十五象　巡弋冷星操作神器整備戰 異波攪擾星艦危機遭大害

第一幕　思維曲變

啓易四年十二月二十日，眾人已經航行到冥王星附近。武器製造已經上軌道，除了賀嘉珍之外，大家在睡眠時間，都會被趕回『養畜籠』。賀嘉珍、袁毓真、蔣婕妤三人練習操作龍族神器。其他人繼續整備。

賀嘉珍駕駛翩狼，袁毓真駕駛天象，蔣婕妤駕駛礎曜，在宇宙戰艦外模擬演練。三人坐在龍族神器的駕駛艙內，都感覺自身擺脫了牲畜低賤的本質，與龍族特級思維學者同等級。但是三人這段時間，雖然在勤物機那學習了神器的結構，卻都還無法辦到，思維『曲變』的層級。所以駕駛起來，難以應付複雜的狀態。

袁毓真在天象的駕駛艙內，頭暈目眩地打開三方通訊，視訊版投影出賀嘉珍與蔣婕妤的臉象。袁毓真喘著說：「這種東西太複雜了，除了記憶程序之外，竟然還要『全方位訊息感應』。妳們兩人抓到端倪了嗎？」

蔣婕妤的駕駛艙是液態卵包，用大腦訊息發聲，也能模擬出動作表情，苦著臉搖頭說：「以爲熟記了操作手續，然後用神經系統直接感應整個機體就行了，沒想到若不能改變前一分鐘的感應認知，快速自我調整，整個機體就飄蕩而不聽使喚。」

賀嘉珍說：「出發前，主人不是說過嗎？現在是我們訓練思維『曲變』能力的時候。只有想辦法克服自己的思維慣性，至少建置一個虛擬曲變結構，才能做出精神感應駕駛。努力吧！不然今天回到『養畜籠』，大家都要受罰了。」

袁毓真苦臉，手扶了一下眼鏡說：「妳現在跟邦邦主人睡覺，又不用回到養畜籠。他應該在床上親自教導過妳吧？」

賀嘉珍皺眉頭怒目說：「你在胡扯些什麼！你在胡說我可要翻臉喔！」袁毓真馬上轉而嚴肅地說：「對不起，我說錯話了。」

賀嘉珍立刻改變思維慣性，轉而開心地說：「其實我倒很想當主人的伴侶，然後當你們的女主人，只可惜主人牠跟鳥類同源，而我跟猿猴同源。『猿與鳥』演化分歧相差很遠，我沒辦法下蛋。主人倒是希望將來，你跟我生一個小孩。多繁殖一些牲畜。」袁毓真與蔣婕妤都頗感驚訝，賀嘉珍的思維慣性，已經越變越快，可以很快速就建立新的思維路徑，且可以靈活地轉變配線，而作出最接近『適當』的選擇。蔣婕妤說：「嘉珍姐太厲害了，我們受龍族思維訓練這麼久，竟然程度還比較差。」賀嘉珍說：「我也在努力當中，你們可別鬆懈喔。」

袁毓真苦笑道：「感覺這像是人格分裂。」賀嘉珍答道：「人格分裂是『律變』結構扭曲的現象。而『曲變』結構所謂的改變慣性，卻擁有一個智慧維繫體。千萬別弄混淆了。」

三人繼續進入感應模式。

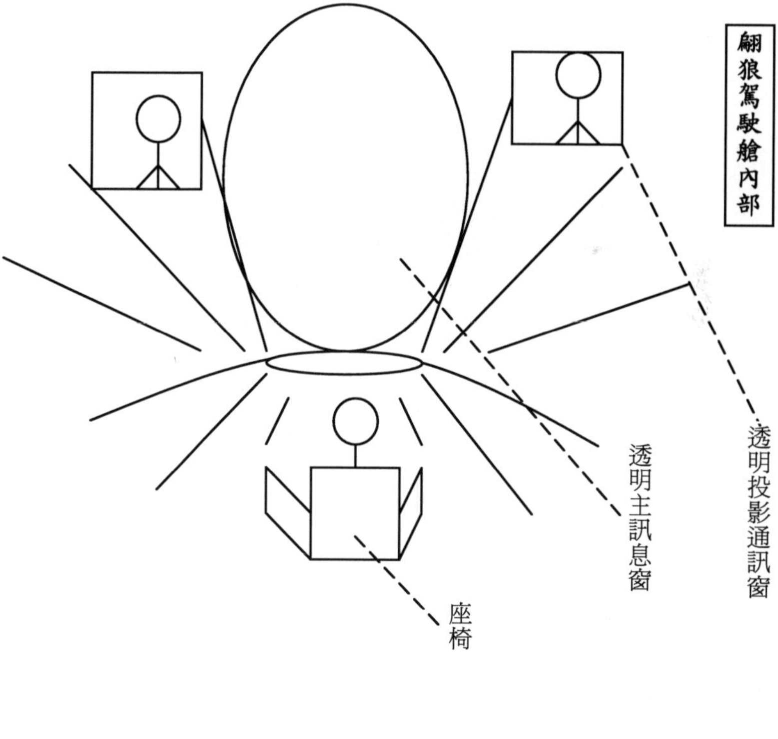

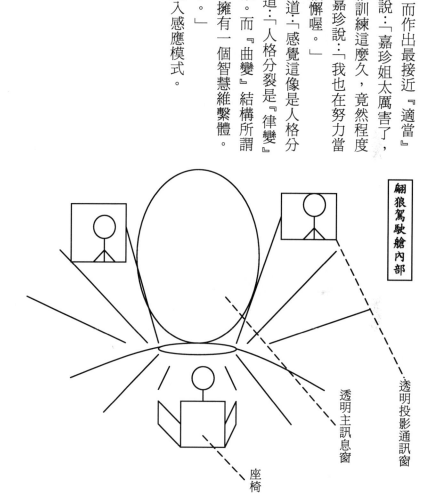

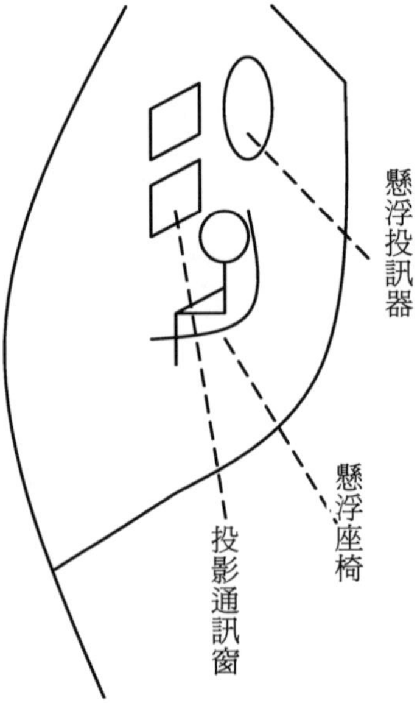

天象駕駛艙內部

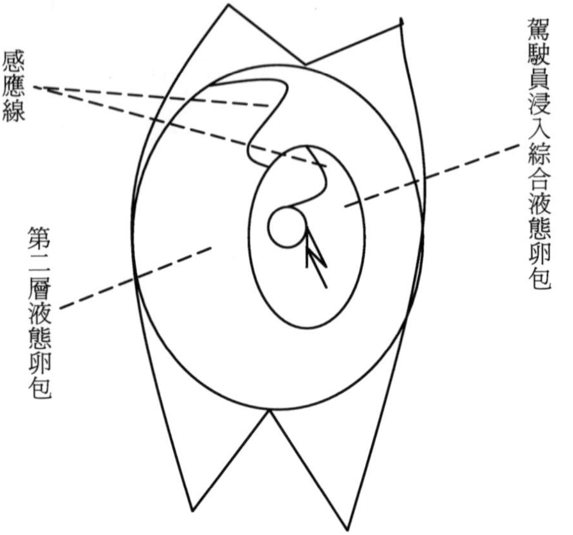

礎曜駕駛艙內部

啓易五年一月二日。

經過多天的學習與進步，三人終於能操作神器。然而因爲人類的智能結構比龍族的智能結構脆弱，思維的『曲變』結構，僅只是模擬狀態，三人操作完畢之後，就會昏沉無神，若有所失，需要邦邦的藥物協助。

邦邦看了三個人的思維結構圖，頗爲滿意，從律變到易變到曲變到奇變，三人都有進入到曲變的能力了。

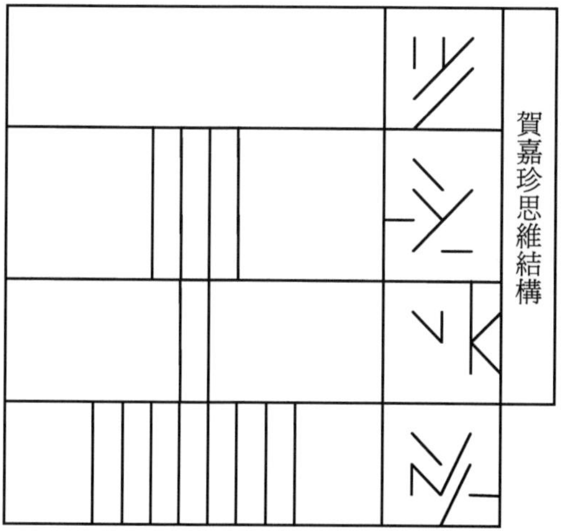

賀嘉珍思維結構

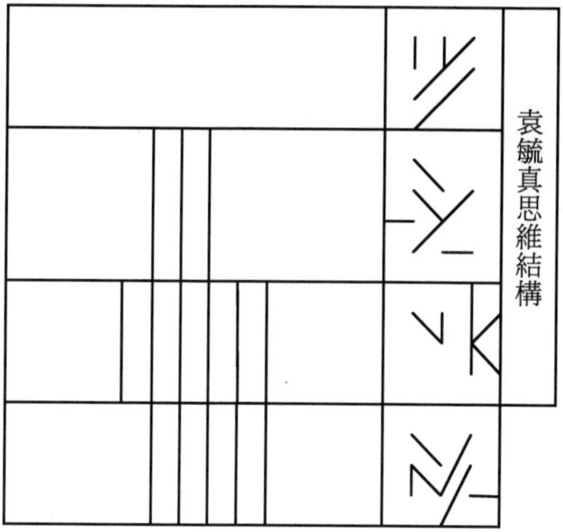

袁毓真思維結構

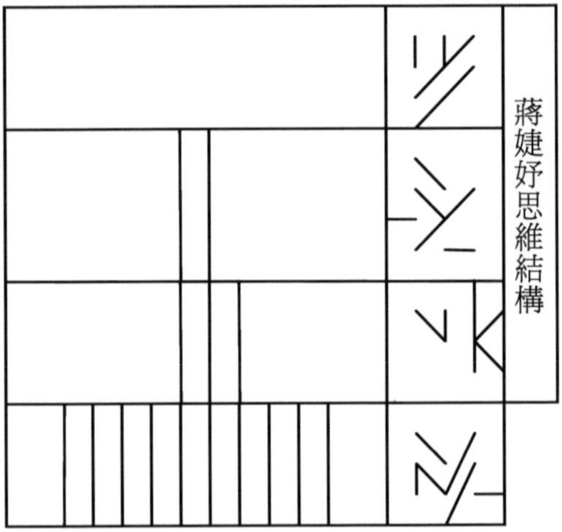

第二幕　異星感應波

一月三日，養畜籠。

今天雖然是休假，眾人不用工作，但是包括賀嘉珍在內，都被邦邦關在狹小的養畜籠中，不能出去。

大家都精神飽滿，史塔莉與賀嘉珍在一旁看書，談玉琰、李韻怡、廖香宜三人與袁毓真在閒聊。蔣婕妤、蔣媛妤、姜麗媛、黃敏慧、歐陽玉珍、何佩芸在打打鬧鬧，嘻嘻哈哈。

折騰了半天，賀嘉珍才命令眾人安靜，蔣媛妤嘆口氣說：「大姐，都被關在這裡沒事情做，好無聊喔。」賀嘉珍答道：「妳們比我還早一年住在這，不該早就習慣了嗎？」姜麗媛說：「是該習慣了，但除了幫主人做事，還真的沒有任何娛樂。不禁讓人想念起，龍族戰爭以前的生活。」眾女子也都頗爲感慨。

蔣婕妤看了賀嘉珍手上的書，書名叫做『次易原理深究』，問：「這本書不像是兩百五十年前原作者寫的，是誰寫的呢？」答道：「作者妳也見過，但妳可能忘記了。」追問：「什麼時候見過？」答道：「先前你們打敗匪徒，救我的時候，我身邊不是有一個三十多歲的男人嗎？就是他寫的。」

蔣婕妤嘆口氣，然後大聲說：「確實忘記了，這段時間除了袁毓真，我們這些女孩還真的把其他男生的長相都忘光啦！」然後轉面瞪著袁毓真說：「恭喜你！奸計得逞！」他苦笑著說：「我哪來什麼奸計？」

賀嘉珍說：「人類文明的規範，對我們已經失去意義，假設妳們想要有男女關係，邦邦主人不會反對，別在時間路線完成之前生小孩就好。」眾女孩一陣嘻嘻哈哈，袁毓真則瞪大眼。蔣婕妤半瞇眼說：「我們在一起洗澡一年多，對他是不害羞了，但是我們不想便宜他！」袁毓真急忙說：「哪有什麼便宜？人類最原始的娛樂就是這個，現在這麼悶，還矜持什麼呢？嘉珍大姐說的太好了！我忍耐很久了！」

姜麗媛輕輕打他一耳光說：「閉嘴！」但是袁毓真還是心中小鹿亂撞，搖晃了一下頭說：「誰願意第一個跟我發生性關係，我就娶她當老婆！」眾女還聽了各有表情，一陣喧鬧。李韻怡皺眉頭說：「第一個？難道你還想有第二個啊？」袁毓真急忙搖頭說：「不！不！一個就好！一個老婆就夠！但是要現在！快點啦！現在都什麼時代啦！人類都要滅亡啦！」大家似乎沒贊成也沒反對，不過誰也不想在眾目睽睽之下辦這種事情。廖香宜笑著對史塔莉說：「忍耐許久，獸性終於爆發。」袁毓真對著她說：「胡說，這是人的本性！生命的意義在創造宇宙繼起之生命啊！不然人類就要絕種啦！」

忽然養畜籠內的電鈴聲響起，響出三短聲，代表邦邦命令眾人到指揮室集合。賀嘉珍微笑著對袁毓真說：「你的生命意義，得以後再說了。」

眾人出了養畜籠，克莉絲蒂娜與夢彤也走出停放間，一同與眾人前往指揮室。到了指揮室，所有人下跪匍伏，聽邦邦的指示。

邦邦說：「妳們記得之前在地球的南極，找到一艘宇宙太空艙嗎？」本來眾賤畜與邦邦答話，是要按照階級順序來，最優先是十二號的賀嘉珍，然後從一號開始排序。但是賀嘉珍沒有經歷過南極歷險，所以由袁毓真回答。答道：「我們都還記得，閒聊的時候都會回顧過去的經歷。」

邦邦說：「本來在卡哩嗚嗚沉沒之前，我就打算放棄那艘太空艙。但是它又極具研究價值，所以我把它安置在『天帝』的儲物艙內。半個『交曲』之前，那艘太空船通訊系統，竟然運作了起來。我偵測到遠方星系，發出不明的穿梭空間的訊息，對太空艙有所指示。我為了慎重起見，命令勤務機把太空艙放置在『絲嚕噹噹』的底層隔離室，並派龍族兵器看守。雖然壓制了船艙的躁動，但它竟然發射許多複雜的訊息波，感染了整艘戰艦的運行。我下令將之摧毀，並把殘骸丟到外太空中。但是那些訊息波段好像有生命一樣，攻破了『絲嚕噹噹』的核心電腦，我不得不把高效能龍族電腦系統的電源全部關閉，現在連自動兵器都不能使用了。只有把妳們招喚過來，商量看怎麼對付這情況。」眾人頗感驚訝，竟然有龍族技術都克服不了的困難。

袁毓真問：「這是外星病毒嗎？主人可想到什麼對策？」

邦邦說：「現在狀況都搞不清楚，談何對策？我只感應到這些怪波段，還在戰艦內，利用戰艦的其他複雜系統，四處亂竄，預謀什麼事情。目前只能先把人類的武裝集中，保存應付的力量。」李韻怡說：「啓稟主人，我們是否把新造好的『十大名曲』與『十大名劍』也動員起來？」邦邦快速地下往上開閉眼瞼說：「好，這些人類的電腦系統是全封閉的，複雜的波段系統侵入不了，讓他們按照先前的組織，全部集中在指揮室！賤畜三號四號，去把他們都帶來。」談玉琰與李韻怡磕頭遵命。

不一會兒，兩人就把十大名曲與十大名劍都帶來了，並按照先前的製造組織表編組武裝。李韻怡仍舊紅衣服，長辮於後，雙手食指套金屬光砲，帶領『高山流水』與『廣陵散』，前者配備『承影劍』，後者配備『魚腸劍』。姜麗媛著黃色女漢服，纏髮於上，手持衝鋒槍，率領『平沙落雁』與『梅花三弄』，前者配備『純鈞劍』，後者裝備『龍淵劍』。黃敏慧著藍色女漢服，雙髻髮型，手持步槍，指揮『十面埋伏』與『夕陽簫鼓』，前者配備『干將劍』，後者配備『莫邪劍』。談玉琰著綠色女漢服，纏髮垂髻，手持短衝鋒槍，腿上有短火箭筒，帶領『漁樵問答』與『胡笳十八拍』，前者裝備『泰阿劍』，後者配備『赤霄劍』。廖香宜仍舊白衣服，長髮飄逸，雙手食指套金屬光砲，指揮『漢宮秋月』與『陽春白雪』，前者裝備『湛瀘劍』，後者裝備『軒轅劍』。而蔣媛妤、歐陽玉珍、何佩芸、史塔莉，帶齊龍族的工具箱，當作工程部隊。賀嘉珍、袁毓真、蔣婕妤三人，爲指揮組，在邦邦主人身邊，克莉絲蒂娜與夢彤爲指揮組的護衛。一時之間，指揮室整裝二十四個，人與機器人混編的戰鬥部隊。邦邦特別命令裝備『軒轅劍』的『陽春白雪』，不可以發射生態包，不然又會重蹈先前在卡哩嗚嗚上的麻煩。而其他的武器使用，也得非常謹慎，不能破壞宇宙戰艦的設施。

第三幕　異度空間戰場

替代戰艦核心智能的一台勤務機，回報邦邦說：「檢測不出外星訊息的核心在哪裡，也沒有網狀系統分布，全然是一片凌亂但卻有目的性地，侵占整艘戰艦，似乎把戰艦當作生命復活的軀殼。」

邦邦聽了聒聒大叫：「到底什麼外星怪物？只要是，一定有模式可循！一定得消滅它，不然戰艦就淪陷啦！」這唯一還運作的勤務機，只好繼續監測與計算。蔣婕妤問：「主人是否先猜測，萬一整艘戰艦被怪波段同化成它的軀殼，將會有什麼狀況？」邦邦竟一時也答不上來。賀嘉珍說：「啓稟主人，您也是來自外星，見識較廣，應該可以猜得出，這是屬於哪一類的外星怪東西。」邦邦回答道：「龍族的祖先雖然受到外星生物改造過，也在外星演化，但是從結構上嚴格來說，我們也算是地球生物！跟人類有相同的生命區間！宇宙之大無奇不有，但除了人類之外，這幾代的龍族，就再也沒見過異類的智能生物，只有間接發現外星生物的遺跡。用波段入侵物質體的這種生命方式，我還是第一次見到過！我很怕它是真正的外星智能生命，是改造我們龍族祖先的外星人！」

袁毓真說：「啓稟主人，在設計武器期間，我曾經胡思亂想過生命方式。跟這很類似，波段入侵軀體後，引導物質的自擇方式，改造爲生命的母體之軀，最後才是誕生真正要出現的生命體。不知道這種猜測，是否可以當作參考？」

邦邦的大腦運轉結構比人類完整得多，袁毓真的啓發，馬上就想到應對之策，快速開閉眼睛說：「猜得好！我能推測這傢伙的核心在哪裡了！用波段儲存生命的訊息還只是其次，關鍵在於，該波段可以誘導物質體的自擇方式，只要這物質體有複雜的系統支援，那麼就會被逐漸改變其自擇方向。侵佔整艘戰艦還只是第一步，最後連我們也會被侵占，然後才是誕生出它們的真面目！」

全部的人聽了都汗毛豎立，頗為恐懼。

邦邦接著說：「代表這怪東西，與我們常見的系統不同，是破解了部份的變易體結構的超科技。它的核心體，一定藏在與我們相對映的另外一個時空區間中，引導我們被消滅。必須要進入該區間，先把核心破壞掉，這一切自然就能停止了。」賀嘉珍問：「這推論準確嗎？」邦邦聒聒道：「八九不離十！假若不是這種模式，就無法解釋波段在戰艦中，不斷變換頻率的現象！」又問：「我們該怎麼破壞它？」

邦邦不斷搖晃大腦袋，代表集中精神去思考，約略三分鐘後，開口道：「有辦法了，利用先前玩過的『虛擬無窮力』！在九宮幻方當中建立『時空互聯窗』，攻入它的核心把它消滅掉！」轉而對袁毓真說：「賤畜一號，帶領快速反應組，與所有機器人部隊，到幻方虛擬間，我會把時間與空間，轉制成你可以觀察的狀態，只要是發現異端型態的生命，立刻摧毀。」袁毓真問：「若成功之後，我們可以安全退回來嗎？」邦邦說：「幻方程式，只有在執行目的達到之後，才會停止。所以只有消滅光它們，你才回得來，總之看到會動的東西就要消滅。快點執行命令，不然我們都完蛋啦！」

於是袁毓真帶領快速反應組五女子，與眾機器人，衝到了九宮幻方間，邦邦則在指揮室啓動幻方程式，將之連通，以空間為封閉體，而時間為開放體的區間當中。

出發的六人與十二台機器人，掉落到一片光幕塑造的平地上，所有人都爬起來後，只見四周一望無際。談玉琰開口道：「這裡到底是哪啊？」袁毓真搖搖頭說：「與我先前看到的九宮幻方不同。韻怡，妳知道這是哪裡嗎？」李韻怡也搖頭說：「不知道，隱藏在光波內的東西，時空狀況到底是怎樣，應該要問你思維辨析組。」袁毓真才想到龍族科學理論，時間與空間本身就是相對映的，而共同有一個本元。倘若眾人存在於時間單向前進，運轉空間自由分佈型態，那麼存藏在光波內的生命體，必然是空間單向前進，運轉時間自由分佈的型態。兩者之間有共通轉換的方式，所以相對論的推理才能夠存在。

袁毓真大腦中，快速理解之後說：「只要等待一下，用時間前進來當作空間前進，這些怪物就會出現。」

人類相對論概念

兩相對移動座標系 x，y，z 與 x`，y`，z`
$x - ct=0$　$x'-ct'=0$ 所以 $(x'-ct')=\lambda(x-ct)$ 故 $(x'+ct')=\mu(x+ct)$
令 $a=\lambda+\mu/2$　$b=\lambda-\mu/2$，可得 $x'=ax-bct$ 與 $ct'=act-bx$，
推得 $x=bc/a$。兩空間座標之間速度為 v，則 $v=bc/a$。
若 $t=0$，則 $x'=ax$ 若 $\triangle x'=1$ 則 $\triangle x=1/a$。合併前式，
$x'=a(1-v^2/c^2)x$，$\triangle x'=a(1-v^2/c^2)$，可得 $a^2=1/(1-v^2/c^2)$
將 a，b 等常數替代，$x'=(x-vt)/\sqrt{(1-v^2/c^2)}$　$t'=t-(v/c^2)x/\sqrt{(1-v^2/c^2)}$
以上為 x 與 x`軸上，時空事件規範。$y=y'$，$z=z'$。

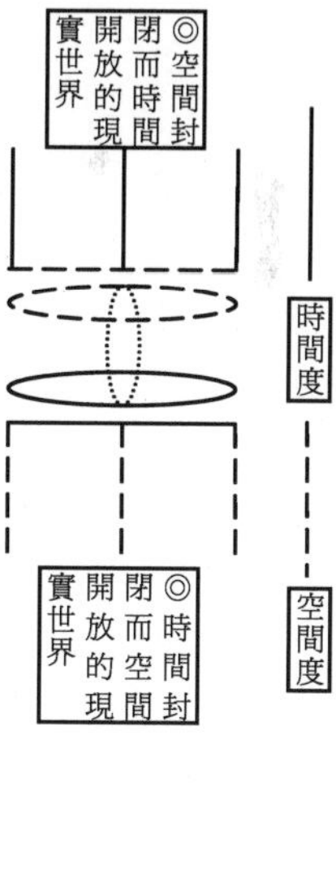

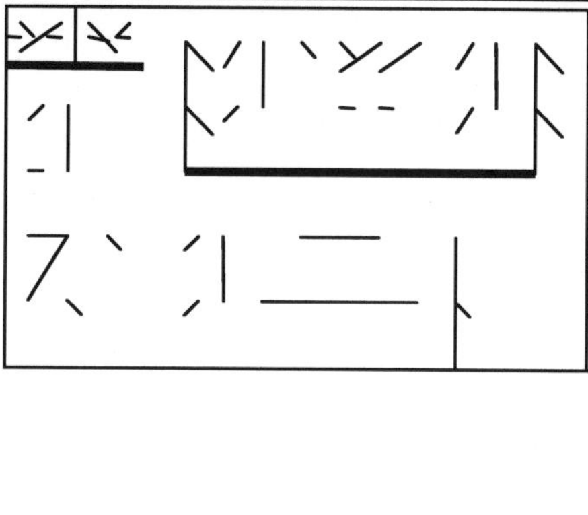

龍族解構，這相對論可以成立的原因

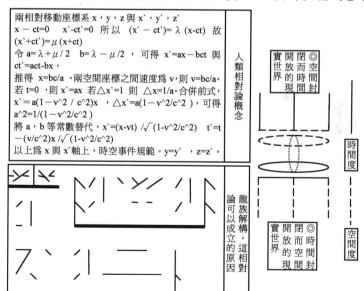

第四幕　時間怪物

果然，等待了些微時刻，一片光幕開始變色，從紅色系變到藍色系，再從藍色系變回來，最後出現一片綜合白光。周邊隱隱出現一群怪狀生命物體，如同濛霧散去而漸漸顯現的物體。

等眾人都看清之後，大驚失色，而怪狀生命體也全部乖叫不止。十二台機器人圍成一圈，武裝向外，六人站在圈內也都持武器向外，四周至少有三十隻怪狀生命體，菱頭而細長似竹竿的身軀，底下是密密痲痲的觸鬚，撐著一顆橢圓球。

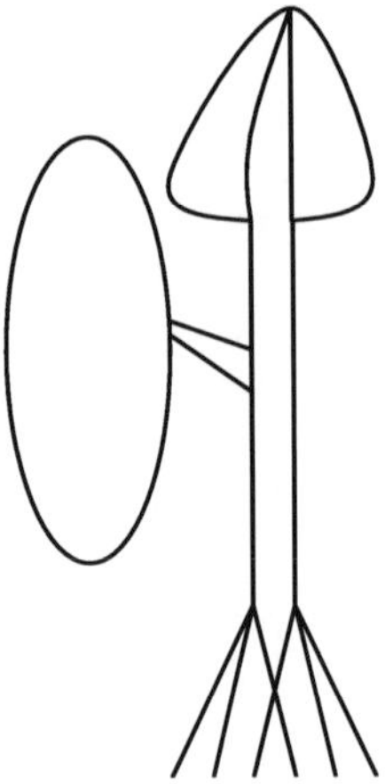

時間開放空間封閉世界中的怪物

怪狀生命體似乎也一片躁動，竟然能說出，袁毓真等人聽得懂得語言，可見幻方程式不止建立了『時空互聯窗』，相互乃至可以溝通。一隻怪物發出聲音說：「不會吧？『空間怪物』竟然能夠到我們的世界來！這太誇張啦！」另一隻怪物也懷疑說：「被時間封閉的怪物，怎麼可能會知道我們的存在？到底出了什麼問題？」袁毓真回答道：「你們是被空間封閉的怪物，又怎麼會知道我們宇宙戰艦的存在？竟然敢用光波形式，來入侵我們的戰艦體！主人要我來討伐你們！」

一隻怪物發出尖銳的叫聲說：「竟然還能理解我們之間溝通模式！可見這物種知道『無窮力』的秘密，跟我們一樣，找得到時間與空間之間的共通本元！佈置兵戰系統！」所有怪物同時向上旋轉跳躍，這一片一望無際的光幕，忽然出現豎立的光板。這頗類似在地球時，受元首大人命令當使節，對龍族求和遇到的迷宮障礙，不過這裡的迷宮，牆板豎立後，頂上也出現了一光板，封閉眾人出處。而剛才聽怪物所云，必然這些怪物也如龍族一般，除了知道時空本元體，也透析無窮力的方程式。袁毓真朝頂上開一離子槍，只破了一個小洞，馬上又補回去。

袁毓真雖然知道怎麼回事，但是面臨又要硬碰硬，急得手足無措說：「怎麼辦？怎麼辦？」廖香宜笑說：「緊張什麼？按照分組去搜尋，看到一個打一個啊！」袁毓真慌了神問：「怎樣分組？」廖香宜拍了他一下頭說：「你傻啦！要不要我代替你指揮？」袁毓真點點頭說：「好好，妳來指揮！」廖香宜看了周圍後說：「怪物眾多，甚至可能有附屬的武器系統，每人現在帶領所屬的兩台機器人，然後兩人一組。每一台機器人，都要幫忙記憶路徑，毓真大哥與韻怡留在原地，與其他兩組人馬保持通訊聯絡。」

調度有方，袁毓真頻頻點頭，但是機器人廣陵散開口說：「我剛才已經試驗過了，這裡沒有辦法使用空間中的無線電波通訊。所以無法保持相互之間的通訊聯絡。」袁毓真正想問為何不能使用，忽然姜麗媛高聲地哈哈大笑，嘴巴裂得大大，頗失身為美女的儀態。眾人看了她，她則強忍著笑意搖頭說：「沒有，只是看到一隻犀牛頭說人話，感覺很滑稽。當我無聊，別管我。」廣陵散說：「我的外貌是毓真大哥設計的，要笑就笑他。」袁毓真說：「好啦別開玩笑啦，我猜必然是這裡本身不具備空間廣泛度，只是幻方程式，轉制而讓我們感受到空間度，所以沒有辦法使用無線電波，而周圍的材質都無法做路標記號，那麼我們只能靠機器人的記憶，然後以此地為中心，按照香宜的分組，四處去消滅怪物。」

於是三組人馬，分不同的方向，在迷宮中搜尋怪物。

袁毓真與李韻怡轉了好幾個彎，忽然面前出現怪狀生物，怪狀生物分化出一大堆橢圓體，朝眾人發射圓光彈。機器人高山流水首先被打中，斷了一隻手臂。眾人又閃回彎道內躲藏，但是怪物火力不減。袁毓真怒道：「快反擊啊！」於是高山流水右手詭砲，與肩上銜接的『承影劍』，率先轉彎出去開火。廣陵散持盾砲與『魚腸劍』，更跳前面助射，克莉絲蒂娜與夢彤都變制離子砲，在其背後助射。一場激烈地互射，怪物被打成兩節，消失在空間中，分化出來的橢圓體也消失。但是廣陵散也被炸碎，剩下一顆犀牛頭。

令克莉絲蒂娜，從廣陵散的頭部拿出中央處理器後，袁毓真揀起掉落在地上的『魚腸劍』，便問：「怪物被打敗之後，怎麼馬上就消失無蹤了？」李韻怡說：「虧你還是思維辨析組，這就像是用時間廣泛性，來看我們的死亡，我們死後不也就被時間所銷蝕無蹤嗎？更別說那些理論上可以出生，但實際上沒有出生的人，也算是時間廣泛性的一份子。我們死後，剩下的屍骸只是空間物質的分布，並不具備生命的意義。所以死亡後跳出幻方程式，相互無法接觸對方的屍體。」袁毓真笑了一下說：「妳還蠻聰明的哩。」話才說完，轉角四周又出現怪物分化出現的橢圓體，掩護更多的怪物從四面八方包圍過來。除了所剩的三台機器人立刻開火迎戰，李韻怡也左跳又閃，猛發指光炮，袁毓真持衝鋒槍與『魚腸劍』，躲在克莉絲蒂娜身後，雙手架在她雙肩上，探頭猛射。一場混戰結果，怪物全部被消滅，高山流水與夢彤也都被炸毀，李韻怡身中一炮，全身衣服焦煙地倒地。袁毓真趕緊跳出來摟住她，緊張地大喊說：「妳怎麼樣啦？千萬別死啊！」李韻怡喘口氣說：「沒事，只是感覺全身痲痲的。」克莉絲蒂娜說：「這些怪物的武器與我們認知的不同，無法辨識其物理性質，不過似乎對機器的傷害，比對生命體的傷害還要大。所以機器人一中彈便毀，人類還能支撐。」袁毓真繼續摟住她說：「看韻怡衣服焦煙的樣子，我看也不能支撐多少火力。」

李韻怡輕輕打了他一耳光說：「我的衣服都焦黑了，快把你的上衣脫給我穿啦。」這代表她沒事，於是脫了上衣給她披上。然後對克莉絲蒂娜說：「妳趕快拆掉高山流水與夢彤的中央處理器，然後我們撤回原點座標去。要是連妳都毀了，我們就會迷路。」

第五幕　求和

姜麗媛與黃敏慧這一組，來到一大廣場，走到中間時，忽然出現十幾道活動式的光板，往返移動，很快就把兩女子與眾機器人，困在活動面板中。

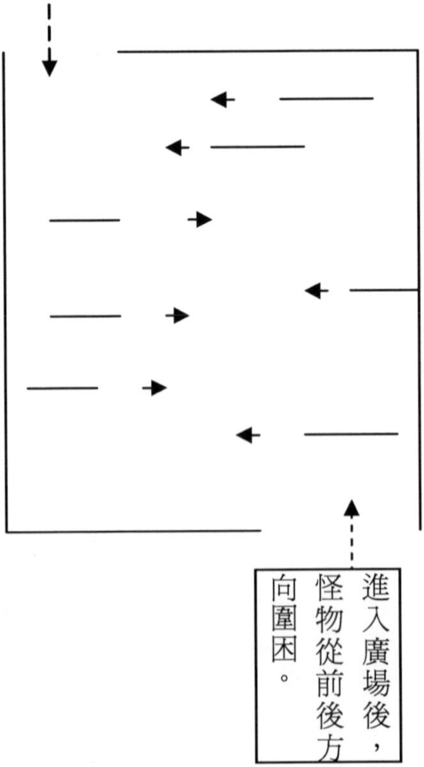

姜麗媛大喊說：「哇！要眼花撩亂啦！」夕陽簫鼓說：「先別亂，依照我戰術方程式模擬，

我們陷入這當中，代表前後都會有武力進攻。」果然話才說完，前後都出現怪物，分化出橢圓體，在最底層橫列，配合往返的移動光板，往中間猛射圓光彈，黃敏慧大罵：「機器人烏鴉嘴！」於是開始閃躲混戰。夕陽簫鼓與十面埋伏，兩機器人貼在一起，使用『干將劍』與『莫邪劍』的合璧火力。梅花三弄放出『龍淵劍』，變形拆解，護衛姜麗媛持衝鋒槍向前射擊。平沙落雁持『鈞純劍』伸縮金屬傘砲座，與自身的鍋砲開火，護衛黃敏慧持步槍向後反攻。

這往返光板果然降低了人與機器人的聯合火力，而兩邊怪物的圓光彈卻早已經算好光板互通中的空隙軌跡，很快地，平沙落雁與梅花三弄都被打毀，夕陽簫鼓大喊說：「衝到底線去打！」於是與十面埋伏各衝一邊，一場混亂四射，兩台機器人也都毀了。而黃敏慧與姜麗媛全身衣物都焦黑，兩女子很快也就意識到，怪物的火力可以很輕鬆毀掉機器人，但是對生命體無可奈何，只感覺一陣麻。兩女子持槍各衝一邊，猛烈掃射，一下就掃光所有的怪物，活動光板就全部消失了。

姜麗媛說：「全身衣服焦黑黏黏的，感覺很噁心。」黃敏慧說：「我們快把機器人的中央處理器都拆走，不然袁大哥會責怪我們。」姜麗媛說：「還管他啊？沒有機器人帶路，我們找不到原點座標！」剩下一顆龍頭的梅花三弄說：「我的感應器還沒壞，我來帶路。」姜麗媛看了呵呵大笑說：「又是一顆動物頭說話。」

談玉琰與廖香宜這一組，同樣來到往返活動板，但狀況比姜麗媛與黃敏慧還要複雜。是左右向與前後向都有活動板，而怪物從四面入口同時開火。廖香宜機智聰明，看到這陣勢，就想起之前在地球上，對付袁毓真時，使用的動態切割戰術。在怪物分化橢圓體時，就大喊說：「這是動態切割，四台機器人衝向四方底線！壓住陣腳！」下令後，魚橋問答持『泰阿劍』遙控飛行武器於頭上，趁間衝向前陣開打。胡笳十八拍配備『赤霄劍』雙控飛行砲座，趁間衝到後陣混戰。漢宮秋月裝備『湛瀘劍』發射激光砲與分析機器人，抵達左陣開戰。陽春白雪以『軒轅劍』猛發離子砲，衝到右陣交火。怪物們對於她的反應迅速頗爲震動，源源不絕地來此地增援，一場乒乓大混戰，機器人全軍覆沒。談玉琰與廖香宜困在中央，一人衝鋒槍與火箭筒，一人雙手指光炮，仍然衝不過交錯的面板。忽然怪物停止了一切活動面板，廣場恢復空盪，但是兩女還來不及反應，四面就飛來圓光彈，同時擊中兩女子。兩女子手上武器全毀，衣服焦煙，全身酥麻，兩女子都以爲自己將死，同時跪在地上然後交錯趴下去。好幾隻怪物圍了上來，談玉琰搖搖頭爬起來說：「好像沒事也。」廖香宜也爬起來說：「是啊！感覺好像只是觸電一下。」怪物們同時發出尖銳的叫聲，然後同時向後跳。

一隻怪物大喊：「不准動！不然集中所有火力打，妳們再強也會死！」兩女見到武器都毀了，只好站起來高舉雙手。廖香宜說：「這是我們投降的表示。」

忽然這怪物身後，一個拳頭飛過來，把這怪物當場打倒，怪物消失而亡。原來是袁毓真，袁毓真對廖香宜與談玉琰說：「別聽這怪物吹牛，牠們的武器只能打機器，對血肉之軀無可奈何。而且身體很弱，一拳就可以幹掉一個。」李韻怡也一個飛踢過來，打死了一個怪物。怪物們四散逃竄，袁毓真大喊：「抓住牠們！」

於是在場四人一人追一個怪物，各自抓到一隻押解回來。廖香宜手上的怪物急忙喊著說：「等等，別殺我們，我們妥協，我們求和。」袁毓真說：「你們入侵我們的戰艦，不宰掉你們，死的就是我們了。」黃敏慧手上的怪物說：「只要放了我們，我們就馬上撤走，從此再也不接觸『空間路線』啦！」這一辭，讓四人都頗感熟悉。袁毓真手上怪物說：「給我立刻下降光板！」

於是光板下降，在不遠處看見姜麗媛與黃敏慧，兩女也趕過來，知道了這一切情況。李韻怡抓著怪物說：「我主人說，一定要殺光你們，我們才能脫離幻方程式。」怪物回答：「這是誤解！只要我們停止一切『空間路線』的運動，你們的戰艦就沒事！請相信我們的誠意。」姜麗媛皺眉說：「不能放，萬一這些笨竹竿欺騙我們，那怎麼辦？」黃敏慧聽到後笑了出來。

廖香宜手上的怪物說：「你們空間生物，所謂的欺騙，對我們來說是時間不同的虛逝路徑，相互覆蓋。這不會發生到你們空間生物身上的啦！」

五女子都聽不懂怪物說什麼，轉頭看袁毓真，袁毓真也搖頭說：「我不懂你說什麼東西，反正你這竹竿的話，我很難相信。誰叫你們要入侵我們的生存空間，而且還是在太空戰艦上！」他手上怪物大喊說：「你們才是真的笨生物！真搞不懂你們怎麼會用『無窮力』建制『時空互聯窗』的！時間體與空間體之間，是不可能建立欺騙模式的！」廖香宜手上的怪物說：「他們這些空間生物聽不懂，我們換另外一種方式解釋啦！」李韻怡手上的怪物說：「至少有兩個理由，不能夠殺我們。第一，你們要回到自己的地方，需要我們解除方程式，才能夠回去。第二，我們可能就是另外一個面象的你們！」姜麗媛說：「你這一扯，我們更糊塗！快給我解釋清楚！」牠接著回答道：「先解釋第一點，我們生存在空間封閉而時間開放，的宇宙區間，可以選擇無窮的時間模式與虛逝路徑，卻很難改變空間分佈。你們剛好相反，空間可以任你選擇分佈或型態展現方式，但是很難去操作時間的流程。所以你們感受我們的世界物質現象，只是光波直線前進，我們感受你們世界物質現象，只是厚度比粒子都還薄的『版線』延展。本來兩者是不會接觸的，只是我們先啓動了交觸口，你們繼而用幻方程式查找我們，才會有共通的接觸情境！所以一定要我們先撤交觸口，你們的幻方程式才會停止，才會回到你們原來的時空相對位置。再解釋第二點，你們是時間封閉下，相對空間出現的生命，我們則剛好相反。會在這裡相會，極有可能我們生命結構，架構在同一本元結構上。剛才你打死了我幾個同類，那麼代表你們的過去歷史上，或未來歷史上，有些生命不該死而死，有些生命不該活而活，歷史會出現偏軌，而且這些生命，可能都是高智慧型生命！假設繼續這樣下去，影響到兩邊的宇宙倫理系統，就會有可能改變你們的存在，或是你們未來的命運。」

眾女子看了看袁毓真，但他也不知道該如何做主，他手上怪物說：「空間生物這麼可怕！我們也不想再來啦！快點放我們走，你們得回到剛開始來的原點，讓我們送你們過去！」袁毓真此時才想到該怎麼試探對方，於是說：「好，我先放手，但是其他人別放，帶我到原點去！蒂娜，把損毀的機器人中央處理器回收！其他人跟他到原點去。」

怪物底部觸鬚緩緩前進，或是用跳躍，帶眾人到原點，然後袁毓真問梅花三弄說：「你計算一下，這裡是不是我們出現的原點。」梅花三弄過了幾秒鐘答道：「正確，就是我們的原點。」克莉絲蒂娜回來之後，怪物說：「該放我同類了吧？我們劃定這一區間，解除時空互聯窗。」於是袁毓真點頭示意，其餘女子就放手，袁毓真說：「還得承諾馬上要離開我們的戰艦，假設你們撒謊，我們還有其他人會過來找你們。」怪物一陣扭動說：「我們一定會離開的，到現在還沒搞清楚，時間與空間對映之間，不可能建立說謊模式。就像你現在若是說謊，對我來說，也會變成，是很清楚前因後果地『坦承之言』。」袁毓真還有點迷糊，追問：「還有一個問題，那就是……」這問題還沒問，這些怪物就消失了，一行人全部回到戰艦上的九宮幻方間。

時間怪物終於離開，對邦邦與眾人的時間路線有何影響？眾人又是否已經準備好回地球執行時間路線？欲知後事如何，且待下象分解。

第三十六象　對映問題重審宙陣定新跡　熒惑對陣神器大戰震寰宇

第一幕　宙陣缺陷

啓易五年一月三日夜晚。

六人都回到九宮幻方間，一看四周，都是支離破碎的機器人零件。袁毓真笑了一下說：「我們好像真的搞不清楚狀況，宇宙之大真是無奇不有。」六人與僅存完整的機器人克莉絲蒂娜，回到指揮室，拜見邦邦主人，把一切經過都報告。

戰艦內怪異的波段確實也消失了，邦邦平心靜氣聽了之後，兩手同心指尖合握，若有所思，輕聲地說：「牠們說的沒錯，時間型態沒有辦法欺騙空間型態，反之亦然。兩者只要相互建立，某程度的封閉狀態，對映的另一個感官世界，就會出現新的法則規範。」

賀嘉珍也是若有所思，邦邦問她：「妳在想什麼，老實說出來。」賀嘉珍磕頭稱是，然後說：「說我們是存在於空間開放，而時間封閉體系內的世界，但是我們本身的空間型態，也存有時間成分的作用，並不是我們設計宙陣系統的完全值轉換。」這一說邦邦就懂了，開口道：「我知道妳在想什麼了，我也正在思考這問題。今天大家都辛苦了，全部去自由休息，明天再回養畜籠。」

這代表今晚到明晚之間，大家可以自由在戰艦休假，不用關在狹小的養畜籠。於是眾人到絲嚕噹噹的宇宙觀景台，煮了一頓豐盛的大餐，搭配龍族特製的飲料，放鬆心情，觀景閒聊，女孩們都嘻嘻哈哈相互扯淡。袁毓真對剛才賀嘉珍對邦邦說的時空問題，有些想不透，問賀嘉珍說：「我們遇到的『時間怪物』，跟宙陣系統扯上了什麼關係？妳跟邦邦主人想了些什麼？」賀嘉珍答道：「你與我存在於感官認知的空間中，實際上都有時間在作用，我們才能存在。你之所以長成這種型態，原因是有過去時間累積的演化因素。所以一定程度的時間封閉作用，才會規範出一定程度的空間倫理。而你們遇到的『時間怪物』，剛好相反，當牠們要突破這種範疇，就會在我們的感知世界，觸碰到我們！我們要執行時間路線，就如同那些怪物要執行空間路線一樣，必然會觸礁另外一個形下世界。而主人製造的宙陣系統，是從宇陣系統改變過來的，龍族與我們存在於同一個空間倫理下，執行空間路線容易，可以很容易地把空間值開放設定。但執行時間路線就困難了，不可能把時間值開放設定，不然我們會觸礁到哪一個『怪異虛逝世界』中，就很難說了。宇陣系統可以不在乎，些微時間作用，造成的空間跳躍偏差，但是宙陣系統卻不能不在乎，些微的空間作用，造成的時間跳躍偏差。不然我們就很可能掉入，完全陌生的宇宙倫理中。」

袁毓真想了十幾分鐘，問了一大堆問題，最後吃著東西，喝了一口龍族藍顏色的飲料，才想通賀嘉珍擔心什麼，拼命點頭說：「啊！我終於知道了。」其他女子雖然都聽不懂，卻也很注意他們之間的對話，蔣婕妤說：「既然想通了，就告訴我！」袁毓真說：「現在是開心的時間，透過紅外線窗，好好欣賞冥王星黯淡的景色。我們應該就快要回地球去，建立宙陣系統啦！」「好也！」眾女子一陣歡欣鼓舞。

第二幕　兩大攔截波

一月五日，地球大氣層外。

超級戰艦溯哈達達，已經收到龍族太陽系訊息網

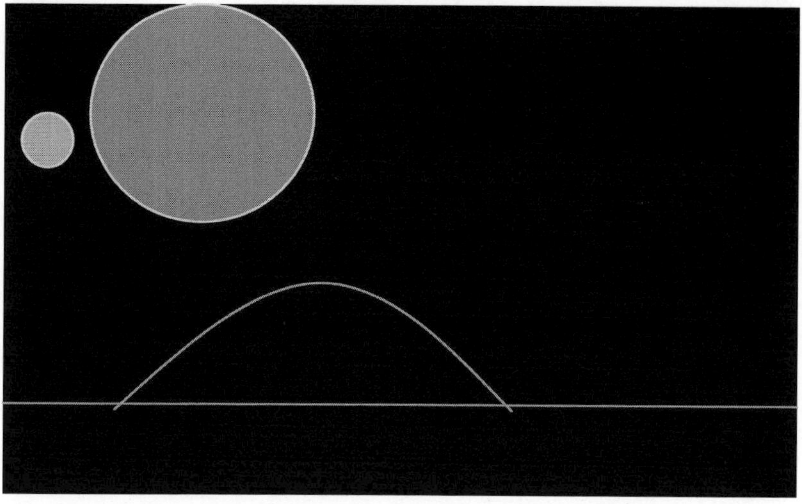

的消息，報告邦邦控制的戰艦絲嚕噹噹，開始向內太陽系高速飛來。溯哈達達總指揮絲哩，立刻通知火星宇陣系統，招來了大批龍族武裝部隊。同時釋放大批的戰鬥兵器，重新來到地球。

早在去前十月中旬，這艘超級戰艦就已經巡弋於地球外圍，並把人類的迷你衛星都掃光，頗類似上一次戰爭的前奏曲，全人類再次震恐。元首大人不斷求和，但是龍族都沒有回應，國內秩序與小股割據勢力都無法解決，又花大錢幫助世界各國重建，而龍族再次降臨卻拿不出辦法，輿論一浪高過一浪，要求無能的元首大人滾下台。元首大人最後憂憤成疾，死在住所，由趙仰德暫時接替元首大人之職。不過在龍族大軍再次逼近下，仍然是爭權奪利，內鬨不止。

絲哩又再次收到趙仰德發來的求和聲明，表示人類各國的領袖一致同意，讓人類降爲龍族的附庸，完全服從命令，只希望能夠生存下去。

天麟的駕駛者泚嘞問：「審判庭對人類的求和，有什麼判決？」絲哩說：「認爲人類滅絕之勢已定，主張不予理睬，繼續建立防範邦邦入地球的防線。」宗冰駕駛者哦芊說：「若是長久拖延不理睬，人類懷疑恐懼，乃至於挑起戰爭事端，並不是不可能。我建議應該與人類的領袖秘密談判，告知他們我們來此的目的。畢竟我們同人類戰爭之時，雖然戰局一面倒向我們勝利，但我們損失也不算少，不能小看人類被逼急時的戰爭潛力。」

絲哩說：「我認同他們有這潛能，但人類沒有這膽子對我們挑起戰爭。一個已經快要滅絕的物種，內部仍然相互傾軋，還對多數個體繼續製造謊言，不會有多大的威脅。反倒我們不能讓人類知道，龍族內部發生了矛盾，不然這物種必然會想辦法，勾搭到邦邦那邊。邦邦尋找人類幫忙，教導人類龍族的知識型態，我們也都見過，只是少數個體，就已經能造成阻礙，況乎整個人類物種？」

龜闔駕駛者唬啦說：「邦邦重新衝向地球，代表已經重新整理戰備，且精密謀劃。當初九九星球強大的防衛，最後都給牠有機可趁，況乎現在我們兩邊都潛藏危機？若一定要攔阻牠走時間路線，倒是可以向審判庭提議，在時間路線執行之時，我們也建立宙陣系統，給予附加的干擾。這才是攻其不備，打中邦邦計畫外的弱點。」

絲哩思考了一會兒，快速開閉眼瞼說：「可行！那就請審判庭核准，並且擬定這一項計畫。然後主動出擊，這樣邦邦成功的機會就很低了。」泚嘞說：「除了地球外圍與月球外圍，我認爲火星外圍也要部署部隊，邦邦極可能有很完整的曲變思維能力，若牠能克服前置投射的質量結構體技術，讓人類穿著太空防護衣在那邊轉置，那邊也可能成爲，宙陣系統轉置的前哨星球。」

一月十一日。

邦邦與眾人已經把機器人都修復，重新調整的宙陣系統也以妥當，並且邊演習邊前進，特別繞開木星的龍族觀測站，來到火星外側的小行星帶附近。遭遇了大批的龍族宇宙用自動兵器。邦邦立刻下令，不只出動大批的龍族自動兵器，還命令賀嘉珍、袁毓真、蔣婕妤駕駛翩狼、天象、礎曜三架神器迎戰。

三人駕駛座機飛在太空中，看到前方點點閃光，雙方的宇宙自動兵器已經先大打出手，蔣婕妤雖在黑暗的液態封包內，但是腦神經通過傳輸線，聯通礎曜的視覺感應器，如同睜眼在一全玻璃駕駛艙內運作，感應訊息螢幕與其他二人一樣，對賀嘉珍說：「這是頭一次用大型兵器在宇宙作戰，好恐懼喔。」賀嘉珍坐在厚膠板透明窗內，全身斜躺在駕駛座，無線連接器貼滿了她特製的駕駛衣，能感應她想要的一舉一動，儀器就配合運作，她開口道：「這三架神器，主人讓我們演練過很多次了，把這當作先前的訓練就好。集中精神，迅速建構思維型態，聯通神器的感應迴路，才能做到人機一體。其他雜念都不要有！」袁毓真懸浮於橢圓駕駛艙內，頭上的懸浮橢圓感應器，聯通了他全身神經，用感應器說：「真難以想像，我們要作龍族特級思維學者的事情。現在才知道，人類的精神思維非常多雜質，受了自身文明嚴重的污染，總是會觸及雜念。」賀嘉珍說：「現在別想這麼多，全力打垮敵方的進攻。」

兩邊的自動兵器，正打得難解難分，三台神器忽然投入戰圈，三人的主感應面板都清楚標示，哪一些是我方的自動兵器，哪一些是敵方的自動兵器。袁毓真使出天象六大武器中的『百圓分護』，天象頂端的圓球塔，甩出大量的子圓球，每個小圓球都連續發射激光砲，朝敵兵器四散猛射，一下就轟掉了十幾台敵方兵器。賀嘉珍的翩狼跳入另外一個戰圈，使出五大兵器中的『縮退隱刃』，兩延伸線的菱體交叉構組了暗色頓砲，被打中的兵器都被擠壓成碎片，敵方十數台自動兵器頓時毀壞。蔣婕妤也使用了礎曜七大武器中的『元振拍』，曳光彈從大頭的兩眼膠體出震動射出，二十多台自動兵器都爲之瓦解。

敵方的自動兵器見狀，迅速調整戰術隊伍，分化出三隊專門對付三台神器，抵死不退後。每三台一組，三組一個攻擊波，在宇宙的立體空間中，分三方九向猛烈射擊。三台神器各自被圍困，機體激烈震盪。天象使出『赤花紛降』，兩邊金屬弧板，四向射擊彩光波，把進攻的自動兵器打退。礎曜使出『璇方組』，機體忽然相互分離，變成九宮立體分布，對上下四方六個方位，發射密集激光砲，也打垮了自動兵器進攻。翩狼使出『散勢編彈』，下體圓珠球發猛發擴散菱彈，去而又回，兩觸隨之助射，也把所有靠近的兵器打垮。

三人都感到，龍族的神器果然不同凡響。

第三幕　三人戰一龍

敵方自動兵器且戰且走，已經被邦邦這邊的自動兵器壓制過去。蔣婕妤說：「神器果然是神器，威力比一般兵器強得多。」袁毓真有些忘形，笑著說：「哈哈，敵方的兵器已經不敢靠近我們啦！」

才開心沒多久，忽然轟過來一砲集束彩光彈，天象

龍族宇宙用自動兵器

雙弧板險些來不及釋放護盾阻擋。轟了一陣震盪，把天象打出幾公里外。三人感應波收到訊息，一條龍族的聲音，經過神器快速翻譯，聽到牠說：「邦邦，你的對手是我！」這正是璇樞的駕駛者咕秧。視覺感應，則出現另一台陌生且巨大的神器，璇樞。

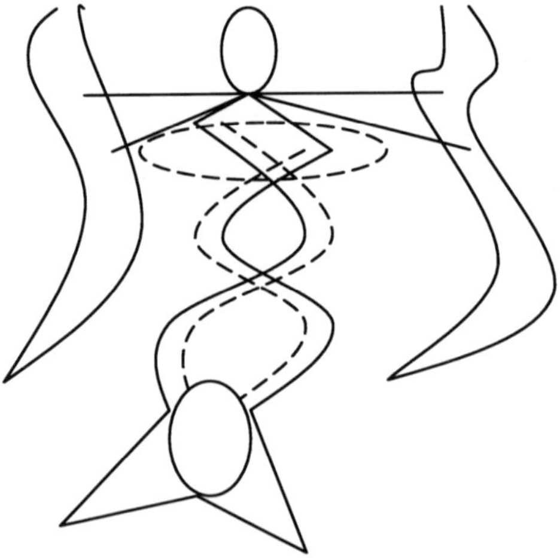

龍族十大神器之一：璇樞

三人見狀震驚，不敢發出任何聲息波，忽然又聽咕秧說：「不對！怎麼同時出現三架神器運動？這生物感應波……這感應波不是龍族的！快報上名來！」三人仍舊不敢回應。同時一發狠，三台神器迅速飛行，並發射武器反擊。天象發射『雙曲巨焰』，底部三菱角內的兩夾角，伸展出圓珠，發射兩道光砲。翩狼發射『照體雷光』，兩觸菱體合璧，發射強光罩彈。礎曜發射『坤波段』，中心橢圓體連續射出機械干擾波，降低敵方的機動能力。

咕秧見狀，快速操作璇樞閃避，並且連發數發螺旋彎曲砲，猛打翩狼。第一發擊中，造成機體重大震盪，好險抵擋了下來。第二發之後蔣婕妤迅速操作礎曜，建置光護盾，替賀嘉珍抵擋火力。

袁毓真對另外兩人通訊說：「快跟我來！撤退！」三台神器同時往母艦方向高速移動。咕秧從竊聽波段中聽到人類的聲音，大喝：「什麼！邦邦竟然讓人類這種低等生物，來操作龍族的神器！反正龍族神器將再造，就把你們給毀了！賤種生物！」繼續追擊過去。

三台神器結隊逃奔，後頭猛發砲火追打，忽然散開往三方向，咕秧操作璇樞追著天象而來。本來三人打算讓他陷入中央火力圈，立體方向三方射擊，如同剛才龍族自動兵器的戰術，但是卻直撲移動力最弱的天象而來，並且發射大量的追蹤菱彈，如此則預定的三角射擊無法展開。袁毓真怒目看著，懸浮橢圓投影在前方的訊息板，咬牙切齒道：「狡猾的傢伙！」

忽然礎曜與翩狼出現在左右後側，礎曜猛發『坤波段』，暫時降低了璇樞的移動力。袁毓真抓緊機會，跳入預定的射擊距離，展開三方射擊。天象發射『紅蓮巨波』，頂部圓球塔發射巨大的紅蓮光束。礎曜發射『乾波段』，動搖璇樞的防護能力，翩狼發射『段體切刃』閃閃光束刃攻擊而來。璇樞被困在中央火力圈內，左抵又擋，一肢節受到重創。咕秧見狀不好，啓動所有能量，發射『分化引數』，忽然出現大批的小型戰鬥機體，掩護牠衝出火力圈，小型戰鬥機體順勢迎戰，三人反而被動了。

袁毓真一急之下，使用『仙菱歸元』，大量的雷光彈四散於周圍，形成螺旋飛舞，這專門就是用來對付，蜂蟻群攻的敵人，把群攻的小戰鬥機體消滅。翩狼使用『束體環刃』，兩觸快速旋轉光波刃，圍著機身周圍四散旋轉，也攻破了小戰鬥機體進犯。礎曜發射『短定砲』，這破類似天象的『百圓分護』，在四周圍繞大量懸浮短砲座，以群攻戰群攻，也打退了小機體的進犯。然而璇樞已經脫困，旋轉了一臂，連續光砲打來，非常精準快速。三人不甘好不容易搶到的優勢溜走！立刻組織反擊，天象擋在最前面使用『千螢川聚』，眾多光彈合體而成強光砲，遠射反擊。礎曜發射『落象束』，大量的圓光砲形成條狀射去，至少有七條砲道，且砲道彎曲而無法預料。翩狼則繼續使用『段體切刃』。咕秧簡直不敢相信，人類竟然能夠靈活地操作龍族神器，怕馬失前蹄，不得不釋放更多的小機體以火力斷後，本機快速撤離。礎曜使出最後一招『弧動道』，連續發出像流星般，立體拋物線的光砲道，把大量逼近的璇樞子機體都摧毀。

三人看到璇樞已經遠遁逃去，袁毓真呵呵笑道：「也不是很難對付哩，龍族操作的能力也不過如此！」

話才剛說完，忽然三人都聽到訊息傳來：「那就再來一個不過如此！」然後三台神器的裝甲都受到轟擊。趕緊快速閃避，回神一看，原來是最後一台亮相的神器宗冰。

龍族十大神器之一：宗冰

這一台神器，組成的鍛體結構，與其他九台神器都不同，四肢各自都是由兩線性系統操控，可組合爲一而成爲完整機器體，也可分散而成性質差異的座機，形成相互支援的兩作戰線性體系。賀嘉珍喊說：「小心！這戰鬥機體，有點像次易原理中，雙錐卦，兩體系相互激盪且相互支援，構組整體演變模式。我們得用其變卦系統找尋作戰契機！」

宗冰駕駛者哦芊，從衣裝閃著條狀淡藍色，就知道是一條母龍，透過翻譯系統聽了之後說：「地球六千七百萬年的時間，果然不是白過。當初吃我們祖先糞便或殘羹的賤種生物，竟然演化成能操作神器的生物。而且還能透過某種獨特的思維型態，理解神器運轉方式。難怪當初進攻地球，龍族也頗有損傷。不過這並不是你們這些賤種生物的普遍現象，人類滅絕是肯定了！」袁毓真怒而大喊說：「人類滅亡也不關我的事，妳少廢話！」於是立刻開火反擊，雙方神器再次大打出手。

第四幕　後備戰線

三台神器先前交戰自動兵器群，又才好不容易擊退璇樞，機體都頗有損傷，現在又得迎戰型態極爲特殊的宗冰，三人都頗感吃力。宗冰的彈道或光砲系統，閃光四射，見之在前又忽而在後，三人都最後都縮在一起，靠著蔣婕妤座機礎曜，釋放光盾避彈。但是礎曜的光盾非常損耗能源，所以越打越弱。

賀嘉珍右手食指與中指向後一扯，螢幕馬上拉出五大武器的列表，然後跳出光盾外，發射『散勢編彈』，彈雨交錯發射，把企圖逼進且切斷三人合作的宗冰暫時逼退，搶到說話時間，集中精神用保密頻道：「再這樣下去我們肯定完蛋，我殿後，你們快撤退！」兩人收到後，立刻駕機逃遁，往母艦的方向撤退。賀嘉珍猛發『照體雷光』，邊打邊退。哦芊見此當然不肯放棄追擊，使出『隱顯互濟波』，把翩狼打成重傷，兩觸線被炸斷一根，痛楚感沿著精神感應線傳入賀嘉珍大腦，賀嘉珍尖叫一聲，差點暈了過去。

哦芊說：「妳這低賤的生物，能讓我們龍族神器，跟妳一起毀在這宇宙，也算死得真有價值了。」於是感應傳輸拉出武器表，準備使用宗冰最強的重砲『錯交錐弧』，把翩狼轟成碎片。此時袁毓真也感到賀嘉珍危險，正返身要使出『雙曲巨焰』，以掩護翩狼，但是另外一台神器率先衝來，用機體本身質量衝擊，撞上宗冰，使之『錯交錐弧』打偏。

原來這是邦邦的座機天帝，變形成藍鳳凰型態的機體，快速衝來救援。邦邦喊道：「哦芊！你的對手是我！」三人同時露出笑容。邦邦又喊：「賤畜十二號，沒有我的命令妳豈能死？你們三隻賤畜！都快撤退回母艦！」賀嘉珍點頭稱是，於是三人快速駕機離開。

宗冰回頭就與天帝交火，天帝又變形回戰鬥機體，猛發『五彩光波』，把宗冰節節逼退。哦芊說：「可恥的叛龍！今天我就要收拾你！」邦邦回答：「那就以實力來見真章！」兩機交錯混戰，哦芊沒想到邦邦的思維編組能力，完全不輸給特級思維學者，把天帝快速的性能，操作得淋漓盡致。交戰十幾分鐘，已經有些屈居守勢。忽然又衝來兩台神器，正是天后與圜洸，協助宗冰兩面駢殺，機體十分貼近，天帝不得不放出副武器座，持著一伸縮銑刃劍，近身揮動，抵擋貼身進攻。這正是三隻龍族，要用來削弱天帝快速機動的性能，使出的殺手鐧。

本來三比一的優勢，現在反成為一比三的劣勢，邦邦難以招架，集中火力發射『乍影雷光』，變形之後逃竄，大敗而歸。命令絲嚕噹噹宇宙戰艦，釋放大量的自動兵器，以及發射艦砲助戰，才把三台追兵擊退。

十大神器的主武器

天帝：五彩光波、神穿霆矛、乍影雷光、溯合影雷、鳳浴翼翔、龍怒焚燹九重天。
天后：五彩光罩彈、下陷翻彈、重力引彈、聚影神波、五閃情洸罩。
天象：紅蓮巨波、百圓分護、雙曲巨焰、千螢川聚、赤花紛降、仙菱歸元。
天麟：鱗能聚氮砲、八旋大車輪、十六轉大兵炫、三十二體亂波象、六十四段追振鎚。
璇樞：束彩穿振、分化引數、閃道錯鑄。
宗冰：隱顯互濟波、錯交錐弧、雙曲映橢砲、釐積溯微。
翩狼：縮退隱刃、散勢編彈、照體雷光、段體切刃、束體環刃。
龜鬮：八重引砲、瀰天堅護、核動勁彰。
圜洸：雙羨詭砲、弦銑動鼓、稜光威大千。
礎曜：元振拍、璇方組、坤波段、乾波段、短定砲、落象束、弧動道。

這場小行星帶之戰，以邦邦與眾人的失敗告終，四台神器都有受傷，自動兵器更是損失過半，只能往宇宙深空遁逃，投入後備一切動能與資源去整修。絲嚕噹噹指揮室內，邦邦似乎頗不高興，坐在談玉琰的背上，其餘人跪在周圍額頭不敢抬起。邦邦怒斥說：「賤畜一號二號十二號，你們操作神器的表現還是太差，不然這次的突破戰役，應該要勝利的！真是氣死我了，我要狠狠處罰你們！」三人匍伏蜷縮，不敢出一言反駁。

不過邦邦畢竟是思維結構比較完整，較能克制情緒的物種，很快就冷靜下來，緩頰說：「罷了，人類能有這種表現，已經是可圈可點。現在都想想看怎樣突破龍族的警戒網，拿出辦法出來！不然我們又得遠遠遁逃，時間路線好不容易準備到這程度，不能再拖延嘞！」袁毓真說：「先前主人您，不是已經計畫好，萬一失敗就改用戰艦為主力當作誘餌，所有人攜帶必要物品，駕駛神器與紅二號暗渡地球嗎？」邦邦說：「我重新思維過，這方案不可行，首先是我收到間諜兵器發回來訊息，敵方總指揮絲哩，在地球大氣層外部署大量的防衛武力，我們赤身裸體衝入地球非常危險。第二，失去了戰艦，就算到了目的地八百萬年後，生活就很艱難了。況且我還要防備一件事情……」忽然停頓了一下，賀嘉珍問：「防備何事？」邦邦說：「他們也有宙陣系統的理論，雖然沒有我設計的進步，但是用來干擾我的進程，還是可能的，地球外圍如此重兵，月球上也佈滿大批的地面自動兵器，牠們必然想得到這一點。總之現在你們也幫忙思考辦法。」

沉靜片刻，蔣婕妤說：「到八百萬年後，一定要在地球嗎？若是戰艦還在，在其他穩定的星球也可以設宙陣。」邦邦上下嘴彙相互敲擊，這代表龍族兼有『同意與反對』的複合情感。邦邦說：「事情不是那麼簡單，首先，若在環境惡劣的地方設立宙陣，先期投射過去的人就很危險！而我現在沒有宇陣資源，也不能抵擋大批的龍族防衛軍，所以九九星球，或是母星等穩定的星球也不能考慮。還有，若選擇火星，該星球還沒詳盡探測，不見得找得到建立宙陣系統的資源……除非……冒另外一種危險……」一聽有新危險，袁毓真頗為緊張，趕緊問：「有何危險？」邦邦說：「火星沒有氧氣，沒有足夠的大氣壓，更沒有明顯的飲用水與食物，不時還有沙塵暴，其重力程度微弱，你們也不見得適應。在那裡建立宙陣轉移，會加入很多空間因素的干擾。投射時間點不見得準確，而被投射者到了數百萬年後的火星上，得在所攜帶極有限的生存資源中，尋找建立宙陣的資源。倘若建立不起來，那麼一切都完蛋。倘若戰艦在跟進的時候，受到干擾而誤差了些微時間，投射者就得枯死在火星上。只要些微誤差，就會有梯瀑影響，戰艦就會慢個好幾年才到，你們能在火星上靠自己待幾年？」

賀嘉珍說：「機器人不能使用，非得用生命體，而地球現在被龍族重兵控制，以我們目前的力量，根本打不過去。兩害相權，我建議集中一切力量，就在火星投射。」邦邦左思右想，終於點頭說：「那就冒險吧！用探測的疑兵在地球牽制，以防止敵方主力來援，然後突然繞道打擊火星。快速在火星建立宙陣投射，然後等待戰艦去接你們！我會非常小心，把跟進的誤差降到最低點，務求不差『五交曲』的時間。」

於是一行人重新計畫，緊急修復戰力，預定重整戰備，從宇宙激降，攻佔火星，然後從火星建立宙陣跳躍點。

一月十六日。把四台神器修復，自動兵器也達到一次戰役的基本數量。但是資源都已經耗盡，這只能是求必勝的一戰，於是重新計算軌道，再次往火星挺進。

第五幕　熒惑防禦陣

眾人擠在養畜籠橫七豎八睡著，而袁毓真卻看著窗景睡不著，賀嘉珍推開壓在自己身上睡著的史塔莉，走到窗景旁問：「明天就到達預定空域了，怎麼還不快點睡？」袁毓真喘口氣說：「我們要是戰敗，不是死亡就是流浪宇宙，要是戰勝，從此就得離開我們的時代。所以無論勝敗，我們都跟家鄉永別，這怎麼睡得著？」賀嘉珍微笑著說：「往好處想吧！主人到了未來之後，又會回到現在，變成更高等的智慧生物，甚至可以與全體物種同壽。我們到時候也變成有靈魂的高等生物，然後回到這裡，不就像衣錦還鄉嗎？」袁毓真瞪大眼看著她，笑著說：「妳還相信這一套啊？我認爲那是主人偏執，才繼續保護這神話來套我們。自從我看見『時間怪物』之後，就不信牠穿越時間就能有靈魂的這一套。」賀嘉珍低頭不語。

袁毓真又接著說：「其實邦邦主人經過上次事件，發現空間封閉而時間開放的曲度，當中的『生物』竟然也會滅亡，就已經知道自己在做一件行不通的事情。只是牠花費了這麼多，不做下去，牠不甘心罷了。最多證明自己，是能夠挑戰時間跳躍的龍族特級思維學者而已。對我來說，也只是看看人類滅亡之後的遙遠未來，是什麼樣的情境而已。」賀嘉珍長噓一口氣，自動摟住他說：「好啦，你說的對，我們睡吧。」

次日，眾人依照新的作戰計畫，集合在指揮室，特別不用下跪，聽取最後的作戰簡報。邦邦也已經察覺，自從『時間怪物』事件之後，至少袁毓真對宇宙生命觀念有所改變，意識到靠著穿越時間塑造靈魂是不可能的，只是把眾人馴化得很徹底，才沒有生變。但怕這在關鍵時刻成爲變數，爲了提振士氣，宣布說：「等穿越時間成功之後，我會改裝一間太空艙，讓裡面成爲豪華的生活環境，每個人都會有一間自己的套房，而且會替你們主辦婚禮。酬謝你們這段時間的努力！」眾女子聽了歡欣鼓舞，袁毓真也露出笑容。

於是三人駕駛神器，帶領一隊自動兵器，先行埋伏在火星外一定距離的黑暗空域。邦邦駕駛天帝與一隊自動兵器，切入火星與地球之間，作出進攻地球之態，絲嚕噹噹則由李韻怡與廖香宜操作，帶領另一隊陸空自動兵器，準備趁間突降火星一處。其餘眾女子穿上嚴密的太空衣，都在降落艙，帶領十大名曲等機器人與龍族陸戰自動兵器，準備登陸火星建立宙陣系統。

戰鬥果然先從邦邦這裡打響，火星、月球與地球外圍的龍族部隊立刻包圍過來，出現了天后、璇樞、龜闔三大神器與眾多自動兵器。雙方混戰成一團，龜闔駕駛者唬啦說：「邦邦，你現在逃不掉啦！」邦邦嘶啦嘶啦笑著說：「就憑你們這三台也想抓到我？恐怕還早！」咒哩說：「絲哩總指揮，早料到你的戰略意圖，自己假裝突擊地球防衛圈，實際上派你手下的賤畜，在火星建立宙陣系統。所以其他三台神器與大隊兵馬，早已經往火星去抓你訓練的賤畜！你的時間路線完蛋啦！」邦邦發現自己的戰略意圖，已被絲哩看穿，邊戰鬥邊怒道：「少說廢話，來打啊！」咕秧說：「邦邦的思維語言，真的越來越像人類，污染了龍族的純淨，豈能不消滅你？」邦邦這邊的自動兵器經過特殊調整設計，與天帝配合無間，所以三台神器與眾多自動兵器，雖然佔有數量的優勢，一時間竟然還打不下來。

另外一邊，收到邦邦已經交戰的訊息，賀嘉珍、袁毓真、蔣婕妤三人，駕駛著神器，帶領眾多自動兵器往火星進發，三人的耳朵只傳來細微的，神器裡宇宙推進器聲音。一顆紅色的星球，慢慢在三人眼前越來越大，三人相互通訊，而絲嚕噹噹上的李韻怡與廖香宜也加入通訊列表。

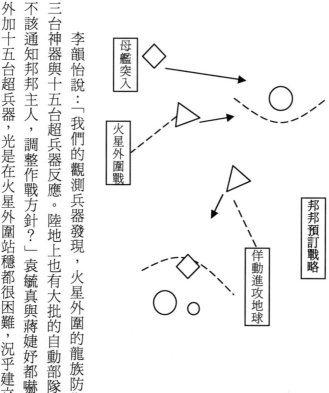

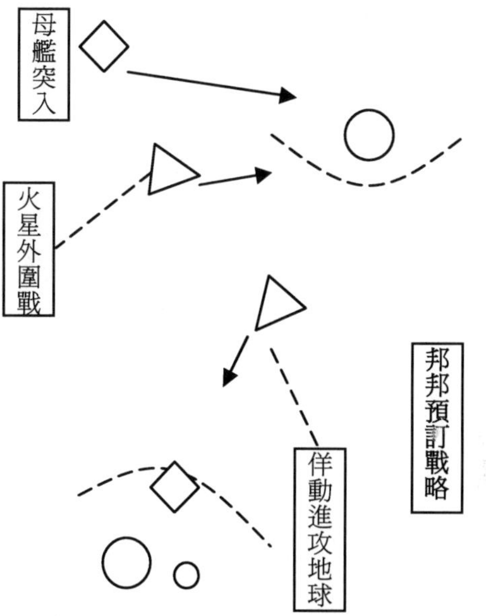

李韻怡說：「我們的觀測兵器發現，火星外圍的龍族防衛部隊，數量還非常龐大，且有三台神器與十五台超兵器反應。陸地上也有大批的自動部隊埋伏。我看這場仗很難打啦！該不該通知邦邦主人，調整作戰方針？」袁毓真與蔣婕妤都嚇一跳，三台神器已經夠恐怖，還外加十五台超兵器，光是在火星外圍站穩都很困難，況乎建立穩定的宙陣系統，讓眾人換裝，參與轉移？這簡直是不可能的任務。

賀嘉珍在駕駛艙內，對著通訊面板說：「現在若是作遠程通訊，必然讓對方截取，況且邦邦主人現在正在奮戰，沒有辦法再作戰略性的調整。我們作戰策略的虛實，已經被對方猜中，現在只能打硬仗！韻怡、香宜，妳們快駕駛絲嚕噹噹與我們會合，握緊一股力量，往火星上敵方最脆弱的一點突擊佔領。」李韻怡與廖香宜同時點頭道：「遵命！」然後轉而對袁毓真與蔣婕妤說：「等等我們三台神器，戰略集中而戰術分散，充分發揮所屬自動兵器的協助。」兩人也點頭稱是。

率先與三人接觸的是泚嘞駕駛的天麟，以及六台超兵器。這六台超兵器型態各異，都由中級思維學者駕駛，但一見就知道是龍族科技的先進作戰兵器，體積並不比神器小，只是性能較差，但駕駛者若把戰力發揮到極限，並不會輸給神器。三人這邊自動兵器數量有限，不敢讓自動兵器先戰，遂集中精神讓神器身先士卒，僅領著貼身編組的自動兵器，就與敵方先行交火。

袁毓真大喝一聲駕機，直撲天麟而去，先是遠程砲『紅蓮巨波』，再來就是近身『百圓分護』，並與自動兵器配合，四面八方射擊天麟。泚嘞駕機忽左忽右，拼命閃躲。然後釋放『八旋大車輪』，數發圓碟光盤來回衝撞，天象不得不揮動副兵器，兩弧型雙臂或砍批，或張開護盾抵擋，兩邊混戰數十回合，泚嘞只打掉天象身邊的兩台自動兵器而已，但天象仍然動力十足，火力接繼不減。泚嘞大驚說：「人類駕駛者！把你的面目傳訊給我！我倒想看哪一個人類有這能力，把神器操作得如此熟練！」袁毓真立刻傳訊過去，一人一龍都看到了對方。袁毓真大喊說：「我們只是要建立宙陣系統，你快讓開！不然身爲龍族特級思維學者，死在我這低劣的人類手上，那真是丟臉啦！」泚嘞呼道：「狂妄！讓你見見真本事！」於是使出『十六轉大兵炫』，更多的小光圈四散打來，袁毓真動力全開，指示自動兵器快速閃躲，自己抽動右手列出武器表，使出『仙菱歸元』，以火力戰火力，竟然抵銷了天麟的射擊。

另外一邊，賀嘉珍與蔣婕好，合併所屬自動兵器，與神器一守一攻，迎戰六台超兵器的圍攻。礎曜一馬當先，猛張護盾抵擋超兵器的火力，不只保護賀嘉珍的翩狼，也保護眾多隨戰的自動兵器。賀嘉珍則火力全開，快速繞到上空佔據射擊位置，抽動右手手指拉出武器列表，連發『散勢編彈』與『段體切刃』，把六台超兵器逼散開，然後帶領所屬自動兵器奮力拼殺。兩邊火力交錯，都打亂了陣形，形成大混戰，一台超兵器撞到了翩狼，賀嘉珍一個快速反應動作，使出『束體環刃』，摧毀了一台超兵器。然而其駕駛者乘坐脫離艙，脫離了爆炸的機身。蔣婕好的礎曜，正在使用副兵器雙刃光刀，抵擋超兵器的近身圍攻。賀嘉珍所屬的自動兵器衝過來救援，把敵方進攻陣形打亂，蔣婕好趁勢發射主武器『元振拍』，當場也擊落一台超兵器，駕駛者雖也脫出爆炸機體，卻讓剩下四台超兵器的龍族駕駛者非常驚訝，本以爲靠龍族的超強思維反應，用超兵器就可以壓制住人類操作的神器。但如此看來，這兩人已經被邦邦訓練成，具備思維曲變者。四台超兵器急忙發射交錯火力，掩護兩個脫離艙的同伴，一同撤出戰場。蔣婕好還想要率領所屬自動兵器追擊，賀嘉珍急忙通訊大喊：「婕好，不准追！

快撤回來！」蔣婕妤及時省悟，點頭道：「遵命。」

於是兩女操作神器，靠近戰艦，準備掩護衝入火星大氣層。都已經可以透過窗外看見，火星表面的最高火山，然而此時衝來九台超兵器與宗冰、圜洸兩台神器。李韻怡說：「不好！嘉珍大姐，這是主力部隊，妳們打不過她們！」賀嘉珍說：「已經沒有退路了，我與婕妤死戰到底，妳們快點衝入便是。」說罷兩台神器各自率領所屬二十多台自動兵器，迎戰過去。

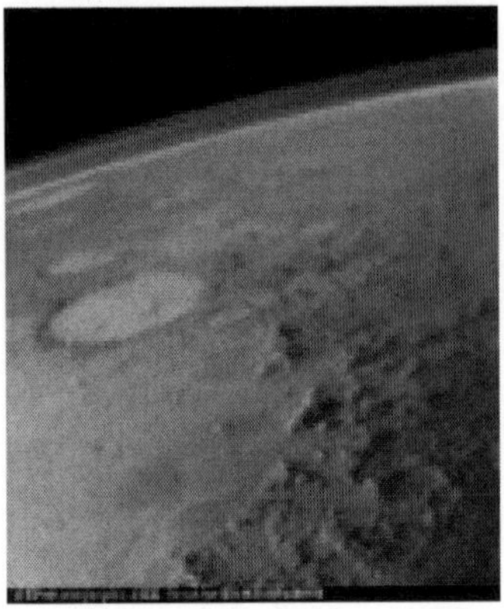

李韻怡與廖香宜懸浮在絲嚕噹噹指揮塔上，面對著懸浮橢圓操控儀，陷入難以抉擇之境。李韻怡說：「不能讓嘉珍姐她們陣亡，但若不趁現在突入，母艦有失則全盤皆輸。該怎麼辦啊？」廖香宜說：「我們的敵方，不止這些龍族部隊。必須以保護嘉珍姐她們爲優先，不然就算建立宙陣系統，缺少了思維辨析組的主力，挑戰時間隧道中，我們一樣會失敗。立刻通知袁大哥不要戀戰，快速來援，我們則分兩梯次，放出所有空戰預備隊！戰艦則繞到空域側面，對敵方的預備轉圜空域，發射艦砲干擾。」李韻怡點頭同意。於是釋放出第一梯預備隊，一百五十架自動兵器，跟在賀嘉珍這一隊的後面。

邦邦與眾人都陷入苦戰，能夠成功建立宙陣系統嗎？建立宙陣系統之後又將面臨什麼挑戰？欲知後事如何，且待下象分解。

第三十七象　連翻惡戰脫離時序入宙陣　二元對映本元眞知難料義

第一幕　熒惑外圍戰

袁毓真收到了李韻怡的通知，也想抽身支援賀嘉珍與蔣婕妤，但是泚嘞駕駛的天麟緊纏不放，頗難抽開身，演變成一場追逐戰。駕駛座透明訊息板，訊息更替越來越快，以致最後都用直覺反應作戰。

袁毓真知道，就所屬三十多台自動兵器，擋不住天麟多久，而這隻龍族的智能與技術都在自己之上，一對一遲早會慘敗，賀嘉珍那邊自顧不暇，不能以鄰爲壑把這痲煩帶過去，於是賭出一招定輸贏的拼死戰術。快速下達『死亡進攻』的訊息指示。眾自動兵器四散，天象忽然在空間中一個大翻轉，使出『百圓分護』，天麟放出副武器，光刃快速砍掉圍於四周的移動圓球砲座，然後眾自動兵器一擁而上，近距離射擊，以連環進攻。淮嘞也不怕這招，使出『三十二體亂波象』，眾自動兵器被幾何旋轉的光圈一一打毀。袁毓真連環出招，天麟才解決第二波進攻，天象的『紅蓮巨波』緊接而來，淮嘞的思維結構早已精算出，再『三十二體亂波象』之後，立刻就發出『六十四段追振鎚』，一圓尖狀金屬穿破『紅蓮巨波』的火力，但是天象竟然揮舞雙臂，繼砲火衝來。轟隆一聲，一臂斷裂，另外一臂奮力一揮，終於近身砍中天麟主機體，兩神器都發出激烈震盪，錯身而過。這一連串進攻與反進攻，竟在不到三十秒鐘內連環發生。讓原本會僵持激戰數小時的戰鬥，就在這一瞬之間定出結果。

兩機錯身而過後，淮嘞與袁毓真都受到一陣震動，接著就是激烈的痛感，各自的訊息板面，都顯示神器損傷狀況。天象斷了一臂，感應器損毀三分之一，宇宙重力調整器失衡，勉強運轉，維持駕駛員判斷，主武器兩樣不能使用，有爆炸的危機，速度大減。天麟的兩腿斷裂，各系統損傷過半，能量槽破裂外洩，主武器只剩下一樣使用。兩機都飄蕩了十幾秒，駕駛員各自應付自身爆裂的危機。

兩機同時又翻身，淮嘞控制住座機後，率先發射『鱗能聚氮砲』，但是都失去準頭，天象得以遁逃閃躲。袁毓真邊逃竄邊通訊說：「這位龍族閣下，沒有必要這樣逼人太甚吧！再打下去，那就兩敗俱傷！」淮嘞說：「我是龍族特級思維學者，豈有敗給人類的道理！今天一定要宰掉你這低等生物！」袁毓真知道自己座機無力再戰，苦臉大喊說：「好啦好啦！你已經贏了，我現在不就在逃嗎？我最發狠的殺招也被你破解啦！饒我一命可以吧？」天麟實際上機體也嚴重受損，若勉強把動力槽調整到戰鬥狀態，就有解體的危機。洮嘞其實非常驚訝，人類不僅能操作龍族神器，竟也能發揮如此強大的思維戰鬥力，大大改變先前牠對人類的理解，不禁大喊說：「報上你的人類姓名！」袁毓真一字一頓地大喊說：「袁、毓、真！」洮嘞說：「能突破自身物種的慣性藩籬，與我戰成平手，也算是一奇，今天我算是大開眼界。袁、毓、真，『自擇示義』！」尤其再說他名字時，捨棄翻譯器的發聲，用龍族的原聲音喊出。說罷，駕駛天麟撤退。

袁毓真知道牠說『自擇示義』，是一種帶有宇宙文化，且蓄涵深邃意義的龍族祝福語，代表自身感應到對方的智能曲變能力，希望對方生存在宇宙中的後續自擇命運，具備天翦演化的最高時義。於是喘口氣說：「感謝這位龍族閣下。」

當袁毓真駕駛天象飛來時，李韻怡又催促說：「毓真大哥，快去支援嘉珍大姐與婕妤。」袁毓真說：「我好不容易打退一台神器，座機也受傷慘重，哪還有能力支援啊？先告訴我她們狀況如何？」李韻怡說：「雖然有眾多自動兵器幫助，但面對兩台神器，還有九台超兵器，所以還是陷入苦戰。我們正打算用戰艦的火力去支援！」袁毓真一咬牙說：「要死就死，妳把所有的自動兵器都派給我，我帶隊殺進去支援她們。」

於是放出第二批自動兵器一百五十多架，護衛著受傷的天象衝入戰圈。此時枯嘟駕駛圜洸與四台超兵器，迎戰賀嘉珍翩狼與其護衛兵器。哦芊駕駛宗冰與五台超兵器，迎戰蔣婕妤與其護衛兵器。雙方兵對兵將對將，在火星的大氣上方混戰廝殺，火力交錯，讓火星大氣外閃光點點，只見都是自動兵器損毀，龍族這邊仍舊戰力不減，賀嘉珍這邊頗有危險。忽然母艦支援的第一批自動兵器來援，袁毓真也率隊從背後殺來支援，解除賀嘉珍與蔣婕妤挨打的狀況，趁勢配合自動兵器的火力反撲，『落象束』與『段體切刃』並肩轟來，自動兵器也火力全開，一片閃光，連續擊落四台超兵器，連兩台神器都受到火力波及。逼得眾龍不得不暫時跳出戰圈，不過賀嘉珍與蔣婕妤的神器也有損傷，也不敢趁勢逼近。

枯嘟、哦芊與另外六名龍族駕駛員，都大爲吃驚。枯嘟問：「四員戰龍，脫離艙發射出來了沒有？」一名超兵器駕駛者回答道：「都脫出了，但是都掉落在火星表面，全都身負重傷，必須救護牠們撤回基地，不然都有生命危險！」哦芊說：「超兵器全部撤退！這裡交給我與枯嘟！」眾龍知道牠準備執行第二波攔截作戰，於是通通撤走，救援被擊落的四名同伴去了。

枯嘟說：「剛才近身與我們戰鬥的兩個人類，操作神器靈活翻滾，甚至適時發射重火力，在諸多環境變數下，快速改變慣性，快速編程新思維，其駕駛能力竟然與我們相當。邦邦竟能把人類這種思維結構有缺陷的生物，訓練到能駕駛神器，實在讓我驚訝。光憑這一點，邦邦就已經足夠升格爲特級思維學者，稱之爲『咖璣』。」哦芊說：「現在不是使用『體制外評鑑』的時候。調動火星上的自動兵器隊，展開第二攔截波。」

於是五百多台自動兵器升空，與圜洸、宗冰兩神器會合，再度返身攔截絲嚕噹噹宇宙戰艦。此時賀嘉珍正保護著戰艦，想在火星外等待邦邦回來，但是卻迎來再一次的攔截。三人只好重新整隊，在絲嚕噹噹遠程艦砲的掩護下，展開防禦作戰，又一次讓火星外閃光點點。

李韻怡與廖香宜各自操作一側艦砲作戰，同時發訊請求邦邦撤回。

第二幕　著陸戰

月球外圍空域，龍族攔截軍本陣，溯哈達達宇宙戰艦。

絲哩收到戰報頗感意外，首先是泚嘞與人類駕駛員作戰，竟然會讓神器重傷撤退。火星外圍的第一攔截波被打垮，救回重傷的四名超兵器龍族駕駛員，已經急救不治死了兩名。而邦邦雖然被三台神器夾攻打敗，天帝隻身變形，高速逃向火星，但是也造成璇樞損傷，退回母艦整修。在與戰艦幕僚商榷之後，絲哩呱嘎呱嘎叫道：「命令四台神器先行撤出戰鬪，同時撤出地球與月球上的駐軍，本陣高速移壘，衝向火星！」於是溯哈達達與五台次級宇宙戰艦，並列高速航行。周邊還有運載大量自動兵器的一百七十台怪頭飛艦。只留下一台次級戰艦殿後，回收月球與地球的兵器。

袁毓真此時被眾多自動兵器圍攻，座機天象，瀕臨解體的邊緣，拼命打出『仙菱歸元』自保，最後在絲嚕噹噹排列艦砲的掩護下，進入回收艙，渾身抖動地被機器人救回醫療室。而蔣婕妤與賀嘉珍並肩苦戰，高速往返纏鬥，勉強攔截敵方進攻絲嚕噹噹的攻擊波。忽然圜洸與宗冰，率領自動兵器，往火星另外一端撤走，兩方各自罷兵。

蔣婕妤在暗光護照下的液態封包內，首先傳訊出來問：「怎麼回事？牠們明明佔有優勢，怎麼還會撤退？」賀嘉珍搖頭說：「不知道……也許是戰術重新調整。毓真的傷勢怎樣？」李韻怡說：「沒有大礙，休息一下就好，只是天象替母艦抵擋太多火力，面目慘不忍睹，得花很多時間維修了。我們現在與主人，還有兩分鐘的傳訊時差，天帝抵達也還要三個半小時。我們該不該按照計畫先登陸火星？還是請示主人？」賀嘉珍說：「作戰之前，主人也說，若有傳訊時差則由我負責指揮。敵方撤退的目的不明，有可能又返身殺回來，我們宇宙兵力已經所剩不多，無法再抵擋敵方一次衝擊，現在趕快著陸，釋放陸地部隊與防空部隊，開始架設宙陣系統！」

於是絲嚕噹噹在護衛下，激降入火星大氣層。釋放大批的陸空自動兵器，且開始架設宇陣器。忽然地面自動兵器傳訊，報告敵方自動兵器大規模進攻，宙陣工程受阻。袁毓真收到消息，在醫療室帶傷，命令機器人說：「除了克莉絲蒂娜、夢彤、胡笳十八拍、白陽春雪四台留守，其他機器人也參加戰鬪，一定要保護工程進度。」

眾機器人與最後一批陸地部隊降落，在火星地表與包圍而來的龍族兵器混戰，連續激戰數小時，在兩台神器的助戰下，終於把爲數眾多的敵方地面兵器擊退。而指揮室則收到邦邦的訊息，眾人頗爲欣喜。邦邦通訊很急切地說：「龍族主力部隊從地球趕來！快點把宙陣系統架設好，不然敵軍殺來，我們抵擋不住！」

賀嘉珍先報告了一切戰況，然後說：「還需要兩天的時間，才能投射先遣人員。」邦邦急著問：「怎麼會需要這麼久？」賀嘉珍說：「因爲敵方地面部隊干擾，工程兵器頗有損傷。」邦邦說：「兩個地球日之內，敵方的戰艦就會趕到火星啦！總之現在快點調整戰力，加速趕工！」

雙方暫時停火，圜洸與宗冰也只在遠處監視，等待龍族主力艦隊到達。地球時間，啓易五年一月十九日晚，就在宙陣系統快要建設完成之際，絲哩的艦隊也已經到達火星外圍，部署了進攻態勢。

邦邦在指揮室收到訊息，首先先放出所有自動兵器，在陸空列陣，並且以戰艦的防護罩擋在地面的工程上，如母雞孵卵，防止敵方使用毀滅武器攻擊。然後對眾人說：「牠們把我們的調整時間，算得準準，選擇宙陣系統啓動之前發動進攻，實在可恨！」袁毓真頗感不解問：「就快要啓動宙陣了，只要擋住牠們一會，我們就已經出發。然後戰艦時間不用一淋曲，也就跟著路徑前行，不應該是喜事才對嗎？」邦邦說：「這你不懂！這一壓陣過來，我們至少要動員三台神器抵擋，只剩一個思維辨析組的人去穿越時間路徑，那麼智能型態就破損不全。況且牠們很可能在次級戰艦上面，設立宙陣干擾器，等我們啓動就發射。一面增加時間路徑的難度，一面削弱我們的智能型態，一旦在時間路徑中失敗，整體戰艦也就跳不走，只能就地被殲滅！最狠的招數就在這！沒想到絲哩，已經把我的底都摸清楚了！」

眾人聽了大驚失色，這兩天吃喝睡眠都很緊湊，遇到這種緊急狀況，只好都施打提神藥物，準備全力應付。邦邦說：「不管怎麼樣，至少賤畜一號與十二號，都得帶領器材應用組出發，賤畜二號與我去加緊修復神器，加裝聯通宙陣系統的裝置，共同去拼死一戰！」眾人點頭遵命。袁毓真內心百感交集，邦邦根本沒必要這樣拼命，既然已知無法運用穿越時間，來建立不朽的靈魂，那麼流浪宇宙即可，卻仍然要堅持。但袁毓真不敢唱反調，只好跟著拼下去。

第三幕　永別物種

邦邦登上天帝，蔣婕妤進入礎曜，從發射艙飛出，同時出動兩百架自動兵器貼身相助。而絲哩這邊，天麟還尚未修復，於是以圜洸與宗冰為第一梯隊，率領三百架自動兵器先行迎戰。以天后、龜闔、璇樞，率領十八台次兵器為第二梯隊，隨後相助。以八十五台怪頭飛艦為左側，釋放出近一千架的自動兵器為左陣，以另外八十五台怪頭飛艦，釋放同樣數量的兵器列為右陣。溯哈達達主力戰艦與五艘次級戰艦，分三艘為一組，各自在八百台自動兵器護衛下，從側翼切入絲嚕噹噹與邦邦隊伍之間的聯繫，以六艘戰艦的艦砲，圍攻絲嚕噹噹這台超級戰艦，以阻止戰艦艦砲支援邦邦，同時釋放宙陣干擾系統，阻止宙陣的進程。

知道實力對比懸殊，邦邦在天帝的駕駛艙，抖擻精神，集中戰鬥意志，激動地對所有人大喊：「一切成敗在此一戰！所有賤畜當全力奮戰！」眾人都高聲吶喊，隨之全力以赴。

天帝一馬當先，衝入圜洸與宗冰的先鋒陣列，兩邊自動兵器相射，神器相戰。圜洸的『雙羨詭砲』幾次都撲空，反而挨了天帝的『鳳浴翼翔』一擊，金閃拖翼的大雷光轟來，差點讓圜洸重傷。宗冰『雙曲映橢砲』與『鼇積溯微』，猛列切割天帝周圍的空間系統，然後橢砲交叉射擊，但是天帝竟然一個翻身變形，衝出火力圈，快速發射『溯合影雷』反擊，也把宗冰打退一段空間。枯嘟被激怒了，操作圜洸，發射『弦銑動鼓』，質量兵器與光能兵器，交錯纏射，繼之『稜光威大千』，光能重砲轟來，天帝護盾左擋右抵，瞬間翻滾以閃躲重砲，然後『五彩光波』猛打猛發，快速穿插。兩台神器竟然攔截不住，反而頗受損害，讓天帝率領著自動兵器衝出了第一陣列，打入了第二陣列。三台神器與十八台超兵器圍攻，邦邦與所屬自動兵器動力全開，幾何火力掩護下反覆衝殺，眾龍族一時竟然也戰不倒邦邦。

蔣婕妤與所屬自動兵器，繼而再戰第一陣列，雙方戰圈交錯，打得難解難分。此時，絲嚕嚐嚐這邊也火力全開，迎戰切入而來的六艘戰艦，其中一艘也是與自己同級的超級戰艦。雙方護駕的自動兵器相錯，艦砲火力也相互對射，形成本陣戰本陣的另一個戰圈。

另外一方面，地面戰鬪也再度打響，三支龍族兵器分三路進攻眾人設定好的本陣，十大名曲機器人中的八個，高山流水、廣陵散、平沙落雁、梅花三弄、十面埋伏、夕陽簫鼓、漁樵問答、漢宮秋月等八人，各自操作所屬『名劍』武器系統，伴隨己方的地面自動兵器，在宙陣系統外圍，死死擋住龍族大規模的進攻，火力激烈程度並不輸給空戰。忽然火星沙塵暴又來，但眾機器人分三隊繼續混戰，抵死不退。

談玉琰、李韻怡、廖香宜、姜麗媛、黃敏慧都在指揮室，李韻怡與廖香宜集中精神操作全艦武器系統，一下施展防護罩，應付砲擊，一下放下防護罩，砲轟對方，因而都分不開神。艦體忽然被比氫彈威力還強的火力攻來，戰艦防護罩呈現破裂，全艦都一陣抖動，談玉琰坐在前方操作位上，大喊說：「宙陣系統必需快點啓動，防護罩系統無法應付下一波重火力啦！」姜麗媛說：「可還沒調整完成啊。」李韻怡站在懸浮板上，因震盪拉扯到防落光桿，忍著痛說：「啓動之後，毓真大哥他們若是能成功穿越，艦體體積太大，主人與婕妤距離太遠，我們系統轉移，也得等待一淋曲十七分鐘的時間！現在不動就來不及啦！」

於是姜麗媛只好按下啓動鈕，在火星地表封包內的袁毓真、蔣媛妤、歐陽玉珍、何佩芸、史塔莉、賀嘉珍，頓時與整個投射封包一起消失，轉移到預定的八百萬年後。

正在混戰的邦邦，與指揮艦砲交戰的絲哩，都同時收到宙陣系統啓動的訊息，絲哩大喊：「釋放干擾波！」所有次級戰艦停止砲擊，宙陣強力干擾波一陣陣襲來，邦邦早已經料到會有這狀況，快速衝殺過來，使出『神穿霆矛』，打中一台次級戰艦的引擎，將之重傷，逼其退出戰場。五台干擾缺了一角，干擾能量頓時減弱，絲哩大喝：「左右陣預備隊！」諸多怪頭飛艦所屬的兩千自動兵器，飛蝗般殺來，邦邦挺起天帝嘶吼迎擊，大喊：「母艦砲火，打擊干擾來源！」

李韻怡、廖香宜齊發艦砲，又把一台次級戰艦打成重傷，艦內龍族頗有傷亡，不得不退出戰場。但是其他神器也都撲來救援，絲哩的主力戰艦也砲火齊發反擊，絲嚕噹噹的前頭發射艙已經被炸爛，指揮室內一陣抖動之後，儀器都冒煙了。蔣婕妤的礎曜被諸多自動兵器圍困，知道狀態不好，釋放『坤波段』，降低纏鬥兵器的機動力，也趕來支援。天后一砲『重力引彈』攔截，讓在封包內的蔣婕妤也感到激烈震盪，礎曜的光盾已經失效。整體戰局，越來越不利於邦邦這一方。黃敏慧說：「宙陣系統正在回返感應八百萬年後，但收發艙都嚴重損毀，陸戰隊無法回收！」廖香宜喊說：「別管陸戰機器人！現在快釋放艦內維修隊！不然戰艦結構撐不住轉移！」

母艦假設再受一砲，就會墜毀，邦邦瘋狂衝殺掩護母艦，蔣婕妤甚至讓座機自由落體衝下，快速回返支撐在宙陣系統上空，以作掩護，戰圈已經被逼在最後一個角落上，再打下去，邦邦這邊就會被完全殲滅。

枯嘟大喊說：「請求五台神器集能發砲！」絲哩猶豫了一下，這樣一轟過去，喪失護盾力的天帝與絲嚕噹噹，連同他們擋住的地面宙陣系統，都會徹底毀滅。哾哩說：「邦邦困獸猶鬪，沒時間猶豫啦！」絲哩上下兩喙張大，激動地吐出命令：「准許發砲！」於是自動兵器快速撤走，天后、圜洸、璇樞、宗冰、龜閪五台神器擺成陣列，集中能源。絲哩站在指揮塔，轉面對戰艦內懸浮的兩個操作者喊道：「放開防護罩！主艦巨砲集能！準備第二砲毀滅進攻！」

對大批的自動兵器撤退，戰艦內的李韻怡等人，與神器內的蔣婕妤，都才鬆了一口氣。邦邦卻大喊：「全部閃開！敵方要發射『毀滅砲手』！」李韻怡急問：「主人您怎麼辦？」邦邦說：「我自有分寸！妳們全部閃開！」殘破的戰艦與失去防護能力的神器，兩邊遁逃。

毀滅光束的主砲手哯哩大喝：「叛龍！納命來！」邦邦啓動天帝擋在彈道前面，大喝道：「龍怒焚燹九重天！」兩邊聲音幾乎同時喊出，一道藍顏色巨束光砲從太空衝入火星大氣層，天帝藍色機體卻發出錐狀的紅色光盾。一砲一盾兩光相撞，綜合的光能環狀四散，擴散到整個火星。戰艦上的所有龍族，都在高空中瞪大眼睛觀看到此景，五台神器能源耗盡，所有特級思維學者精神力也都隨功發出，使重砲能力加倍，喘著氣攤在駕駛座地上。都以爲邦邦、所屬眾人類與地面宙陣系統，都已經毀滅於火星表面。

忽然只見到邦邦傳來視訊，頭上金冠破爛，身上流著條狀溢血，包裹著的懸浮駕駛蛋，也破碎掉落於地艙上，明顯是精神力穿透駕駛艙，重創了邦邦的軀體，但是邦邦竟然還傳出訊息，喘著大喊：「這打不倒我！再來啊！有本事再發一砲啊！」不止神器上的五條龍，戰艦上的所有龍族全部尖叫嘶吼，大爲吃驚這一幕，絲哩大喊：「放出天帝觀測訊！」戰艦內窗投射出天帝的影像，外殼已經變成灰色，殘破了雙手。邦邦還繼續傳訊嘶吼說：「你們再來

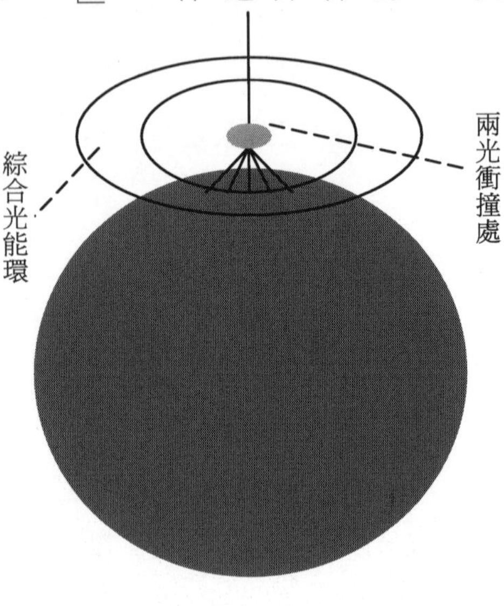

啊！再打啊！」

絲哩曾經與邦邦有過情感，相互互約爲伴龍，卻因爲思維不一致，一個逐漸升級，一個只停留在初級思維學者的等級。但是絲哩知道，自身很多特殊知識是邦邦教導的，只是邦邦行爲太過異端，才有今天越走越遠，成爲敵人的情形。

五大神器的駕駛者，都回報沒有能源作戰了。絲哩一錯喙，表示激憤到極點，握緊手上半月型的發光器，這是作戰總指揮官的象徵，瞪大雙眼，怒著大喊說：「邦邦！我要你死無全屍！發射戰艦毀滅砲！」

戰艦所有能源也都集中，又是一砲轟來！邦邦發出訊息之後，天帝、絲嚕噹噹與礎曜，連通宙陣接受器者，全部瞬間消失。這重砲打中地面的宙陣系統，以及躲在附近的陸上自動兵器，包含八大名曲機器人，都被一陣強光擊毀。

絲哩大喊道：「回報轟擊消息！」一龍族通訊者回道：「邦邦在光砲衝擊之前，發射了訊息，從訊息上帶有宙陣系統干擾波，以及我們沒有收到神器毀滅的碎片粒子來判斷，他們在被衝擊之前，已經被宙陣系統所轉移離開……邦邦派出去時間穿梭的人類，已經成功……」然後放出邦邦臨走前的通訊：「永別了，我曾經歸屬的物種，永別了，我曾經愛過的絲哩！」

絲哩頗爲吃驚，搖晃大頭說不出話，包括在戰艦上的泚嘞，與其他五大神器駕駛者，都通訊指揮室問狀況，當絲哩告知一切情形時，所有龍都全部搖晃大腦袋，表示作戰失敗，綜合感嘆、失落、抑鬱、遠端感受等等的複雜情感。

第四幕　感歎與重新出發

絲哩嗚嚕了一聲，所有大頭都停止搖晃，哀傷地說：「牠真的成功了，讓全龍族都忿怒的龍。」枯嘟說：「人類竟然能承受宙陣穿梭的混亂情境，穿梭到達遙遠未來……這太離奇……太令龍訝異……」哾哩輕聲地說：「這只是時間路線的起步，他們還未必能穿梭回頭……」唬啦說：「但是他們往後的事情，我們就阻攔不住！龍族未來能否延續，竟然我們毫無辦法！『九聚曲』……」

在戰艦訊息綜合室，通訊來的泚嘞說：「因爲我們的干擾波，那些穿梭的人類，未必是到達『九聚曲』的未來，從回波估算，可能是在『三至曲』之後！」

絲哩嗚嚕了一聲感歎，緩緩說：「這次作戰失敗，責任全部在我！我去向審判庭與領袖姿嘎報告。」泚嘞呱呱反對說：「絲哩總指揮並沒有失職，我們要一起匯報！人類能操作神器，已經很令我等訝異，跟我單挑戰鬪竟然也能平分秋色，要說失職，我們都有失職。只能說邦邦與牠手下的人類，都是物種的異端。兩種異端湊在一起，就會發生物種史中，難以想像的奇蹟。」哾哩說：「邦邦前往的未來，也是在這顆紅色的星球上，運用重力曲線跟隨行星運行方式著陸，倘若我們把這顆星球炸成重傷，使其引力稍稍偏移，那麼到三至曲之後，他們就會徹底估計錯誤，飄蕩在宇宙中。」泚嘞說：「依照時間螺旋虛逝法則，邦邦派出的人類，已經成功建立時間隧道的回蕩波，我們這麼做就是干擾回蕩波塑造的情境體因果律，這會讓邦邦與那批人類，進入到另外一個虛逝脈絡。雖然我們贏了，也影響我們現在存在的因果律，會對於我們正在進行『空間路線』的龍族，有非常不良的影響。我強烈反對！」絲哩也說：「泚嘞所言正確，從長遠看來，這樣等於跟邦邦同歸於盡，這種冒險的事情，審判庭也不會同意的，所以就別提了。」

哦芊問：「邦邦已經確定成功一半，時空往返激盪的結果，空間路線的我們將會有存在本質的危機，現在該怎麼辦？」絲哩說：「龍族已經是宇宙性質的物種，相信邦邦製造的分歧危機，集合整體物種的力量，必有辦法解決。況且邦邦去容易，想要時間回程就困難了！而且我連通的絲嚕嚐嚐間諜機，回給我兩段訊息，因爲是開戰前夕與開戰當中

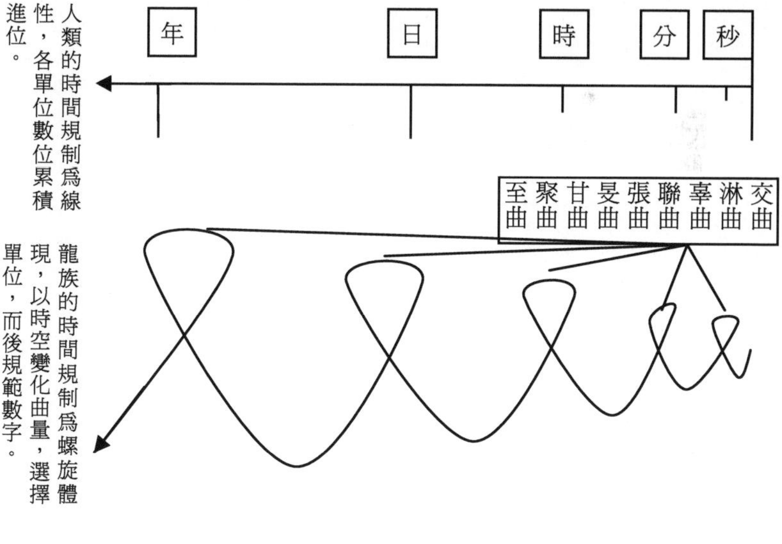

人類的時間規制爲線性，各單位數位累積進位。

龍族的時間規制爲螺旋體現，以時空變化曲量，選擇單位，而後規範數字。

收到，怕動搖到作戰意志，所以我一直沒有放給你們聽。現在可以給你們知道了。」所有線上的龍族都同聲問：「什麼訊息？」絲哩說：「都是絲嚕噹噹上傳來的，第一段是邦邦與所豢養的人類之間對話。第二段是兩個被豢養的人類之間對話。」於是指示操作龍，釋放出所獲得的訊息。

第一段是一月三日晚，邦邦在指揮室內，聽袁毓真打敗時間怪物，從九宮幻方回來的報告內容，裡面還有邦邦詢問細節的過程。第二段是一月十六日，本陣從地球趕來時，戰鬥間歇期間，袁毓真與賀嘉珍在養畜籠內之間的對話。當然人類說話的部分，也翻譯成龍族的語言給眾龍聽。

聽完之後，沘嘞說：「沒想到邦邦與那些人類，竟然遭遇過，理論上才存在的，時間開放區間的生物。異端之物就會遭遇異端之事。」咕秧說：「既然連那些人類都已經知道，運用時間往返來塑造不朽靈魂，這是不可能的事情。邦邦卻還執意要幹到底，真是很偏執。」絲哩說：「事情都演變到這種程度，牠自然沒有回頭的可能。不過從這當中，你們也可以知道，先前我們擔心牠時間往返，造成龍族物種的演變因果律破壞，這是多餘的。人類況且都猜出，時間往返塑造不朽靈魂不可能，那麼你們應該猜得出，當中更深一層的意義。」眾龍似乎都想到了這一層，枯嘟似乎最快得點，率先說：「要從遙遠未來回返的機會，無法發生在去的邦邦與這些人類生命體身上！即便讓繁殖的後代回返，必然維繫在一定的時空區間規範，不能自由在空間中活動！因為生命的本元，具備倒映在時間開放而空間封閉的『對象』生命體中！」

絲哩說：「正確！」所有龍都在快速翻閉眼瞼。

在透過宇陣系統，與九九星球審判庭反覆商榷後，絲哩對艦隊下令：「所有太陽系龍族部隊撤回九九星球。全物種脫離異端邦邦的陰影，重新出發！」於是龍族只在月球、火星、木星衛星，擺置宇陣系統，恢復到追擊邦邦之前的態勢。

第五幕　二元對映

話回另一頭，袁毓真等人在封包內，穿梭時間隧道的遭遇。

賀嘉珍、袁毓真、蔣媛妤、歐陽玉珍、何佩芸、史塔莉六人，穿著緊身太空衣，灰褐皮膚有點像龍族的膚色，背上帶著必要零件，戴著膠狀橢圓形頭盔，提供氧氣與水分。

封包本來只是限制質量的狹小空間，當宙陣系統一轉換，竟然出現一望無際的平坦空間。史塔莉經過這一年半與大家相處，中國話已經很流利，看著貼在手上的儀錶板對眾人說：「偵測儀顯示，這裡沒有氧氣，甚至連基本氣體分子都沒有。龍族的計時表也已經喪失功能，連時間進展都沒有。」袁毓真問：「雖然龍族的時間規制，與人類的時間規制有所不同，但都有依靠空間的變化來定義。倘若沒有時間進展，那我們怎麼可以相互對話？」史塔莉搖頭說：「這我就不知道了。除非是儀器壞了。」歐陽玉珍說：「會不會就像之前九宮幻方那樣？」賀嘉珍說：「依邦邦主人百般計算與推測的，宙陣隧道與宇陣隧道一樣，將會遭遇到三個特殊情境。第一是『二元對映』，再來是『三元化生』，最後是『六規迴迷』。」史塔莉問：「這是什麼意思？」賀嘉珍搖頭說：「也不清楚，這純粹是龍族思維意象，用中文勉強套句的文意。這三個難關，使得質量稍大，可以轉換戰艦的宙陣器過不了，機器人也沒有辦法在這種情境下，重新自我編組意象，需要我們自己自我辨識，這也是沒有其他方案，代替我們工作的原因。」袁毓真說：「我跟主人討論過二元對映，這可由我們已知的觀念，時間與空間是等價相映，做基礎去理解。但是具體會發生什麼狀況，牠也算不出來。」

忽然蔣媛妤大喊：「嘉珍大姐！妳看這邊！」眾人不約而同朝她指著的方向看去，一片光幕從遠處出現，往眾人這邊逼近。何佩芸歪斜了一下眼睛，也大喊道：「這方向也有啊！」眾人轉面四周，甚至上方，都有光幕逼近，從而沒有地方可跑，形成一個正六面體，使六人擠在一起，拿不出任何辦法出來。

正在驚慌失措時，賀嘉珍說：「別緊張，這光幕是保護我們的，是宙陣系統的防護網！」袁毓真問：「從何得知？」答道：「你們仔細看我們腳底踩的。」眾人隨賀嘉珍所言，一看自己腳下，也是與牆壁同樣的光幕，發出近於藍色光芒。袁毓真馬上知道這代表什麼意思，於是用手摸了光幕壁，出現了龍族文字。蔣媛妤見了，露出天真的笑容說：「快看寫什麼，該怎麼辦？」袁毓真搖搖頭說：「等等，都別急，讓我看看……」光幕只出現了龍族三個對應文，但是代表了很複雜的意涵。

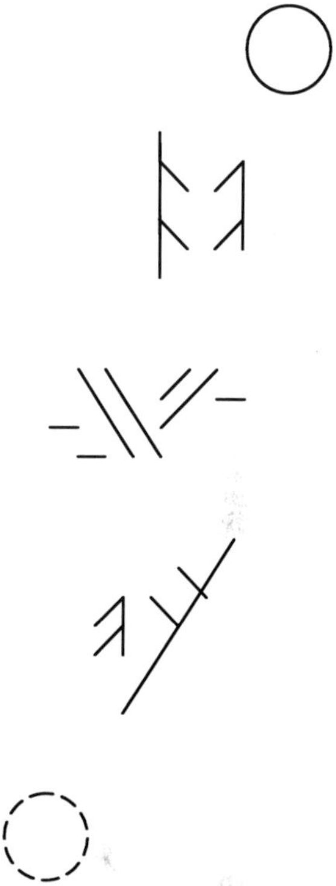

袁毓真說：「天啊！第三字竟然是『斜豎變體文』，這到底什麼意思啊？」史塔莉問：「你不是學過龍族文字嗎？龍族的神器都能夠駕駛，這難道不懂？」袁毓真皺眉苦臉說：「『斜豎變體文』是龍族的『自然文』，就是從無意義的自然界變化，『假擬』出來的文義，當中也有數字的概念……總之當初我沒學到這裡！但還看得出，第一字有包含時間的意思。第二字是數學規範，『二的三次方級數』的運轉法則。第三字就不懂了……還有上下圓圈，一實一虛，搞不懂是什麼意思！」然後看著賀嘉珍，她也搖頭說不懂。何佩芸對賀嘉珍說：「大姐妳剛才不是有說什麼『二元對映』？」

這倒讓賀嘉珍猜出了端倪，皺著眉頭若有所思，沉思了數分鐘，輕聲地說：「時間……二的三次方級數……二元對映……啊！我知道這什麼意思了！」眾人瞪大眼看著她。她緩緩地說：「我也不懂龍族的『斜豎變體文』，因爲龍族一個文字可以包含太多意思，出現兩個以上的文字，才能夠定型整體文義，以及背後的法則數制。要是錯一個字就差很多。而主人告訴我『二元對映』，是提供我一個概念，意思是，空間的本質是與時間相映而來。這概念我們也說過很多次，包括次易原理也有說過，時間與空間不可能單獨存在，在『自然』的狀況下，時間與空間根本就是一體的，不可以分割討論，不然就會產生次易原理『巽卦』的法則遺漏象！好，我們在看看眼前這龍族文義。」

於是手指指著顯示文字的板面，接著說：「我們的視覺與聽覺感官，乃至於運動的方式，容易把空間單獨看成，『二的三次方』的方位體，意思就是『左右』一次方，『前後』一次方，『上下』一次方，總共有八個方位。」史塔莉是兩百多年前美國麻省的學生，對於這概念不太理解，開口說：「空間立體不是六方位嗎？怎麼會是八個方位？」

賀嘉珍說：「不對，這概念跟以往人類的數學觀念不同，人類的數學架構，太過於接受感官直覺的影響。這帶有自由往返的結構在裡面，一個方向就是二的乘積，所以立體是八個方位。而等價的時間，也是八個方位，所以整體時空相交纏繞，就是六十四個方位！」袁毓真說：「這跟易經六十四卦的概念有點相似！」

賀嘉珍點頭說：「沒錯，不過易經只是解釋到，時空本身的輪廓結構。然而相互纏繞所產生出來的變化，其實無法解釋，所以易經不可能預測未來的事件，更別說用它來算命卜卦。只是在敘述時空的整體結構與方位而已！而二元對映，就是闡述兩個形上大體，相對推動對方的運轉，形成獨立的法則系統，那麼真正的『變易本元』就可以不需要介入法則的運轉，只提供存在的根本而已。所以說，太極本元，並不涉於我們所遭受的法則。」

蔣媛好、歐陽玉珍、何佩芸與史塔莉，聽得暈頭轉向，根本不知道賀嘉珍說些什麼，但袁毓真卻聽出了端倪。右手拳頭打了一下左手的掌心，開心地說：「啊！意思就是說，我們現在正陷入，時間與空間混合不清的，『綜合本元狀態』。而這面板是宙陣系統，保護我們維持原來時空秩序狀態的保護網。而上下兩個圓圈，就是時空對映的本元狀態，也可以說是兩個按鈕，告訴宙陣系統，該輸入怎樣的時空秩序，好前往八百萬年後。」

賀嘉珍微笑著點頭說：「聰明，就是這個意思。不過該怎樣輸入，攸關於運轉方程式！毓真你可有譜嗎？」

袁毓真傻笑著說：「理解問題與真實實踐，兩者之間還有一點落差，需要一些提示才可以……。」賀嘉珍抽出在背包裡的筆記本，是邦邦在出發之前，教導的各種準備知識。然後緩緩地說：「對本元來說，陰陽等同於陽陰，即陰與陽之間沒有定制，可以互相交換，仍然具備同樣的意義。若是身在本元變易系統中，只需要擬定正確的『變易』運轉軌跡就可以辨識了。宙陣系統已經設定，目標方向是遙遠的未來，只要在當中告訴本元系統，是前往八百萬年的時間定義……我想就是要配合龍族的數制觀念，運用上下兩個圈，告訴它什麼是八百萬年後，這樣宙陣就可以告訴本元體……」袁毓真打斷說：「不對，假設是這麼簡單，那麼就不用我們輸入，宙陣系統就可以自動輸入了……我認為還要讓本元體，透過宙陣系統，辨識『什麼是我們！』記得主人說過嗎？人工智能無法做這種工作，關鍵就是，遭遇變化時，當中自我的辨識，無法很明確地說出來。」賀嘉珍點頭說：「嗯，你說的對，那就用二進位輸入龍族的文數一體文字……」袁毓真於是左右兩手，開始敲擊上下圓圈，運用龍族的文數一體化，標示現在自己存在的背景，然後先解釋了『什麼是我們六人』，『而我們六人，要前往八百萬年後的原出發點』。忽然六面體光芒四射，消失無蹤，眾人通過了『二元對映』。

六人通過二元對映，接下來又會如何遭遇？龍族事先就設有干擾波，六人又會順利到八百萬年後嗎？到了遙遠的未來，眾人又將遭遇什麼事件？欲知後事如何且待下象分解。

第三十八象　太極問答時間路線半功至異景懾魂猜度過去臨大疑

第一幕　三元化生與六規迴迷

話說六人辨識了最難理解的『二元對映』概念，空間的光幕消失，竟然使六人都飄盪在黑暗的空間中，相互看不見也聽不到對方。

袁毓真大爲吃驚，以爲自己錯誤了，只見自己如通在黑漆漆的太空中飄蕩，找不到落腳的地方。太空衣的燈光打開，企圖尋找其他五人，仍然是伸手不見五指，外頭一片黑暗，最後連自己太空衣透明膠罩都看不到了，只有一片黑暗。袁毓真拼命喊其他五個女孩的名字，卻怎麼都沒有回應，甚至自己也聽不到自己的聲音。賀嘉珍也一樣，拼命地想要找尋眾人。

忽然賀嘉珍的面前，出現了光板，只有一個龍族文字與一虛一實兩個圈。而除了這光板，就再也看不到任何東西，包括自己的雙手，即便用力伸到光板面前，仍然看不見。賀嘉珍才知道，現在要找到自己有多困難。

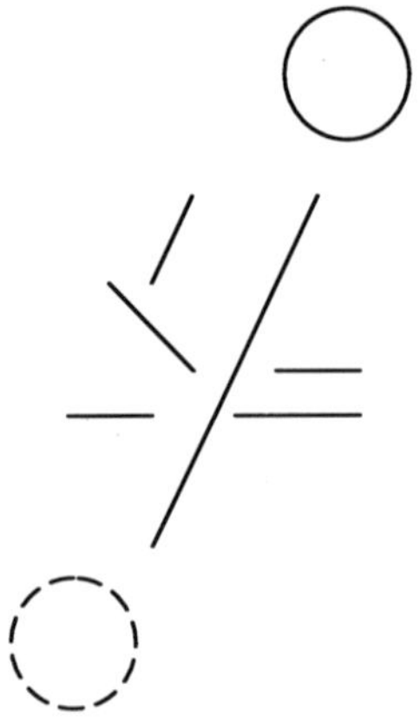

賀嘉珍被邦邦，一對一教導過龍族文字，知道這是自我辨識，的第二項關卡『三元化生』。當時間與空間運轉規範，遭到破壞，自然法則就不會辨識，誰叫做賀嘉珍，或什麼叫做賀嘉珍。不會認知她的過去一切行爲，也不會認知她到底屬於什麼物種，甚至組成她的物質系統，都不會被認定存在。一切視覺、觸覺、聽覺、嗅覺等等，都會消失掉。她知道自己還沒有死，不然不會看見這龍族的面板，但是這狀況跟死亡真的很接近，自己無法辨識周圍的環境，相對地，周圍的環境也無法辨識她。她不禁說：「這難道就是太極……支持一切的存在，卻不辨識一切的存在到底是什麼。如同淮南子所云：『天之道，生萬物而不有，化成象而弗宰！』這一片黑暗，難道就是連時間與空間，都不被認定存在的『太極』？」但是明明知道自己說出這句話，但是自己的耳朵卻聽不到，賀嘉珍隱隱約約在耳邊響起了『太極鎮魂歌』。躺在無垠的寰宇，感受不到時間的流動，看不到空間的顯現，一切相對的規範都喪失，這是『既無垠又絕對的體系』。賀嘉珍幾乎快要昏睡過去，因爲眼前的光板也快越來越模糊。

忽然想道邦邦主人告知的，三元化生，在兩相對體，相互對映運行下，自身的觀察系統，可以運用兩相對而架構出獨立的第三體系。生命現象，就是物質在相對體系之中架構的第三劇本，而這第三劇本，可以橫跨相對之下的『具有』與相對之上的『虛無』。

想到此，本能地醒神，知道必須透過光板，告訴自己所接觸的『太極』，自己到底是什麼？賀嘉珍慌了，本來以爲自己是最具有思想的女人，但是當周邊的一切相對規範都喪失，還真的無法告訴『太極』，自己到底是什麼東西！若要從宇宙的認知開始敘述，請問自己真的了解宇宙嗎？若要從地球的認知開始敘述，『太極』又知道什麼是地球嗎？若要從歷史來敘述，地球的歷史自己又懂多少？該從何說起？連起頭都沒有辦法了！最後她只能使用自己有限的龍族文字，敘述自己內心想要進入遙遠的未來，只能說出自己的『變化需要』。眼睛看了僅能看的光板，盯著一個圈，換另外一個圈。

忽然間光板有了變化！

竟然出現了中國字，投射在她的視覺神經中，問：「解釋什麼是自己。」賀嘉珍直覺地認爲，這是『神』在跟她說話！急忙說：「我是人類，名字叫做賀嘉珍，我大腦中有一切事情的經過，祢可以知道我的要求。請問祢可以答應我嗎？」當然這聲音仍然是聽不到，但是光板又有變化。忽然投射文字：「解釋什麼是『事情的經過』。」賀嘉珍內心有說不出的欣喜，真的是有某種體系，正在解讀她的想法。急忙說：「我只是低等的情境生物，而祢是一切時間與空間的根源，相信祢一定可以知道我的狀況……我實在無法說出來，因爲我們一切的認知都是根據情境，相對定義來的！」光板又變化：「解釋什麼是『祢』。」賀嘉珍明確地說：「站在剛才解釋的『自己』這邊，我發現祢，站在祢那邊，祢就要我自己『解釋』。而這解釋的人就是『祢』！祢是可以通用的！對我來說，祢就是能改變我一切的神！」光板又變化：「解釋什麼是神。」賀嘉珍說：「在我這種生命現象來說，能操控我一切的就是神……」光板又問：「解釋什麼是操控。」賀嘉珍快瘋了，也快哭出來了，趕緊說：「我真的無法『解釋』了。」光板快速地又顯示：「解釋什麼是解釋。」

賀嘉珍此時才體會，『祂』根本沒有所謂的辨識系統，也根本不需要認定情境的意義，對低等的情境體物質，或是生物，只是要求一個簡單的迴路！只要迴路建立，就給予自身能辨識的『存在』。這就是邦邦所說的『六規迴迷』。

於是賀嘉珍回答道：「剛才的一切情境語言，都可以說是『解釋』！也都可以說並沒有解釋！」

光板此時消失了。

忽然六人都出現在封包內。袁毓真等人正當搞不清楚狀況，賀嘉珍笑著對五人說：「我都已經做完了，大家應該都到目的地了。」何佩芸哭著說：「剛才我以爲自己死了呢……嘉珍姐是怎麼辦到的？」賀嘉珍摟住她說：「好了別哭啦！有時間我再慢慢告訴你們，總之我們出去看看。」

第二幕　更遙遠的未來

六人穿戴好太空衣，重新調整了通訊設備，背好搭建宙陣感應系統的工具，走出了封包。透過太空衣的護膠罩，看到了火星的景象，讓六人都大爲吃驚。眼前是一片火星平原，周邊有山，以爲火星經過八百萬年，面貌應該也不會差別太多，結果平原上竟然出現大量的殘跡，以及大量的廢棄物堆置。天空與大地仍然一片紅，儀表仍然顯示，大氣結構沒有氧氣，與出發前的火星狀態差不多。

袁毓真說：「天啊！這真的是火星嗎？眼前怎麼那麼多非自然物品，好像是垃圾場。」賀嘉珍隨手揀起一樣風化的殘片，上頭刻有許多看不懂的怪異符號，交給史塔莉攜帶的儀器分析，史塔莉說：「這是特殊的合金，應該是很古遠的時代製造的。」袁毓真問：「這會是人類移民火星的證據嗎？」史塔莉說：「不知道，至少這符號，不像是我們年代的那些人類用的文字。」袁毓真拿過了殘片，笑著說：「妳的年代，跟我們的年代也有些微差距……」仔細一看，自己也完全不認識。從未見過這種符號標記。

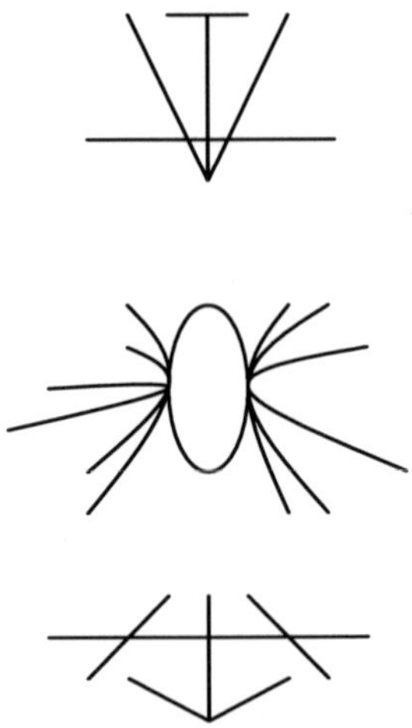

賀嘉珍也拿來一看，說：「這不像是人類會用的文字，人類的文字系統，受限於感官與辨識的問題，不會有公正對稱符號辨識……除非只是圖騰意義。」

歐陽玉珍說：「別管這麼多啦！就算我們走了之後，人類或是龍族有移居火星，看現在這荒涼與無氧的狀況，我看也已經滅亡很久了。至少我們現在不用去採礦，眼前有一大堆的垃圾可以廢物利用，來搭建宙陣系統。」何佩芸說：「是啊！我們的維生系統頂多支撐兩天，趕快搭建出來，讓戰艦也轉移過來吧。」

於是蔣媛妤、歐陽玉珍、何佩芸與史塔莉四人，開始收集材料，搭建與遙遠過去相通的宙陣系統。而賀嘉珍與袁毓真，受了邦邦訓練，已經習慣於思辨一切可疑的事情，仍然仔細觀察這些殘跡。兩人相互討論這一切，不由得忘記了時間。但卻也同有所感，時間可以改變很多事情，甚至破壞了原有的常識。

忽然歐陽玉珍大喊：「嘉珍大姐、毓真大哥，快點過來！」

兩人才從研究這些殘骸中醒神，於是繞過堆積如山的垃圾，來到了歐陽玉珍這邊。發現眼前的小型宙陣系統，已經搭建好，約略與人一樣高。

賀嘉珍說：「妳們不就已經成功了嗎？怎麼還這麼緊張？」蔣媛妤說：「我們剛才發動功率波時，電腦分析顯示，這裡不是八百萬年後……而是……」頗有恐慌之色。

袁毓真急問：「到底是多久之後？」史塔莉比較坦然，直接說：「兩億一千八百萬年後！」袁毓真與賀嘉珍同時張大嘴巴，合不攏嘴。過了許久，袁毓真結結巴巴說：「有沒有搞錯啊？怎麼會誤差這麼大……這樣會不會讓她們來不了？」史塔莉答道：「不會的，這誤差估計是龍族干擾波造成，但是我們已經穿過牠們設定的障礙，建立聯通之後，尋跡而來便是。不過我有不好的預感……來到這麼遙遠的未來，而且遇到這些怪東西……」

袁毓真笑著說：「不會影響戰艦穿越就好，妳就不要太緊張啦！我們的威爾森小姐，妳之前在南極一覺醒來，就是兩百多年後。現在一下又是兩億一千八百萬年後。當然會有些不安，不過有我們跟妳在一起，一切都安。」史塔莉握緊他的手說：「希望如你所說。」

宙陣器正在發功，眾人遠離一段距離，在四處堆積的殘片零件之中，揀拾一些東西。史塔莉走在最後面，老感覺有東西在監視大家，頗不自安地不時回頭。終於忍不住大喊說：「你們都等等！我肯定這裡有其他生物！我感覺有東西在觀察我們！」其他五人都笑了出來，賀嘉珍回頭，拍了拍她的肩膀說：「現在太空衣儀表板都顯示，大氣與壓力結構不適合生物生存，看這一片荒涼殘破，也不會有生物的，還是放心走吧！等主人的戰艦到了，再研究這段時間火星發生了什麼事情。」史塔莉只好斜著點點頭。

六人等了約半個多小時，忽然天空中一個巨大的光芒，經過戰鬪而受損的絲嚕噹噹，終於跳出來了，隨之破損的天帝與礎曜都出現。六人歡欣鼓舞，急忙通訊母艦，於是收攏兩台神器，並派出紅二號把六人接回。

邦邦集合所有人在指揮室，當知道自己是跳躍到兩億一千八百萬年後，呱呱大叫，衆人以爲牠在生氣，都伏地而頭貼緊地面不敢抬起。邦邦說：「沒事了，我不是生氣跳躍的時間點不同，而是驚訝火星表面有開發過的痕跡。時間路線已經成功一半，只剩下怎麼回返而已，你們全部起來說話吧。」

賀嘉珍拿出剛才保留的殘片，交給邦邦，然後說：「這是我們剛才從火星表面，堆積如山的垃圾當中，揀拾的一樣東西。上面的符號會是龍族的圖騰嗎？」邦邦拿來一看，思索了片刻，透過翻譯器緩緩說：「不是，我也從來沒見過這種圖騰模式，不知道是什麼文化的表徵。畢竟我們跳躍了兩億多年，這麼漫長的時間可以發生很多的事情，關鍵相信不在火星，而在於地球！我們得把戰艦與神器都修復好，然後前往地球。」衆人都同時勾起了思鄉情緒，不過這兩億多年後的地球，相信已經是面目全非，在思鄉中還夾雜有好奇之心。此時的時間觀念，已經完全改變，不過對袁毓真來說，此時仍然可以說是剛滿三十歲。

第三幕　謎物尾隨

跳躍後一個月間，絲嚕噹噹圍繞在火星軌道外，揀拾了火星上的廢棄資源，加緊修理戰鬭的後的一切損傷，同時慢速地往地球進發。同時邦邦也遵守諾言，眾人也不用住在養畜籠，而在一個獨立艙中，每個人都有一間各自的套房，中央圍繞著共通的大廳，邦邦親自光臨，與眾人吃喝聊天。

邦邦嗚嚕了一聲，對眾人坦承說：「在發生時間怪物的事件後，我就已經心裡有數，時間路線是一條死胡同，我們很有可能回不去了。我猜測我的同類，也知道了這件事情，而賤

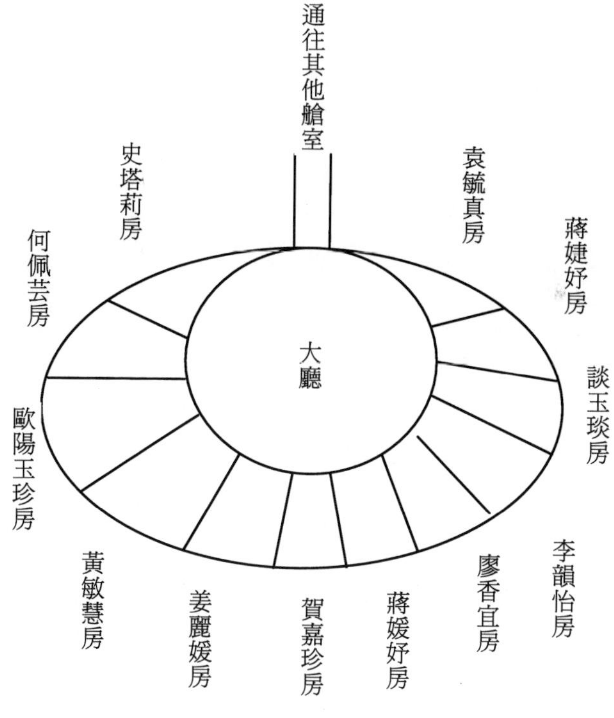

畜一號與十二號，你們也知道……總之我必須跟你們道歉，原諒我的偏執與錯誤，讓你們跟著我流浪在遙遠的未來。」眾人都笑著沒回話，其實眾人已經接受了自己變成邦邦牲畜的事實，對於流浪到哪裡，已經不那麼在乎。賀嘉珍說：「我們都商量過了，願意永遠跟隨主人，當主人的賤畜，不論是到哪裡。」邦邦才嘶啦嘶啦地笑，與眾人一同進餐，當然牠吃的食物，與眾人吃的食物不同。絲嚕噹噹沒有地球的生態艙，所以眾人吃了邦邦改造的食物，味道並不輸給地球的食物。

忽然艙內頂上的宇宙觀景窗，投射了螢幕，是留守在指揮室的龍族勤務機，傳來訊息。眾人還沒看懂是怎麼回事，邦邦已經臉部神情有些變化。袁毓真問：「請問主人，發生了什麼事情？」邦邦說：「勤務機告知，反偵測系統有些干擾，極有可能有某種生物體在觀察我們。但是反偵測系統，查不出具體是什麼東西！」

史塔莉說：「毓真大哥，嘉珍大姐，你們看吧，我在火星上的直覺很靈驗吧！真的有東西在暗中觀察我們！」眾人也為之變色。

蔣婕妤說：「會是誰？人類的後代？龍族的後代？還是外星生命？還是地球演化出來的新智能生命？」邦邦放下了龍族飲料杯，緩緩說：「現在先別多猜測，到了地球，派出觀測機器搜索地質狀態，從地球這兩億多年的歷史，大概就可以推測是誰在暗中監測我們。不過為了慎重起見，四台神器，龍族的自動兵器，還有僅存的四台人工智能，都要進入戒備狀態。」袁毓真、蔣婕妤與賀嘉珍，三人點頭稱是。

次日，已經接近地球，絲嚕噹噹，宇宙兵器停放艙。

袁毓真這段時間，對所有女孩都表示了一些愛意，包括碧眼金髮的史塔莉·威爾森，在神器修復系統檢測中，又跟蔣婕妤情話綿綿。李韻怡站在底艙，對第二層的兩人喊說：「檢測好了沒有啊？還在談情說愛喔！嘉珍姐都已經出發了！要到地球觀測啦！」袁毓真笑著回答說：「知道了，等等就出發啦！妳們的怪頭飛艦也準備好了嗎？」李韻怡大喊說：「我們早就準備好啦！現在就等你這大情聖！」蔣婕妤輕輕打了袁毓真說：「處男情聖，我們出發啦！」

於是，談玉琰、李韻怡與廖香宜，三人駕駛唯一的一台怪頭飛艦，袁毓真駕駛天象，賀嘉珍駕駛翩狼，蔣婕妤駕駛礎曜，從絲嚕噹噹發射出去。眾人飛進了地球外

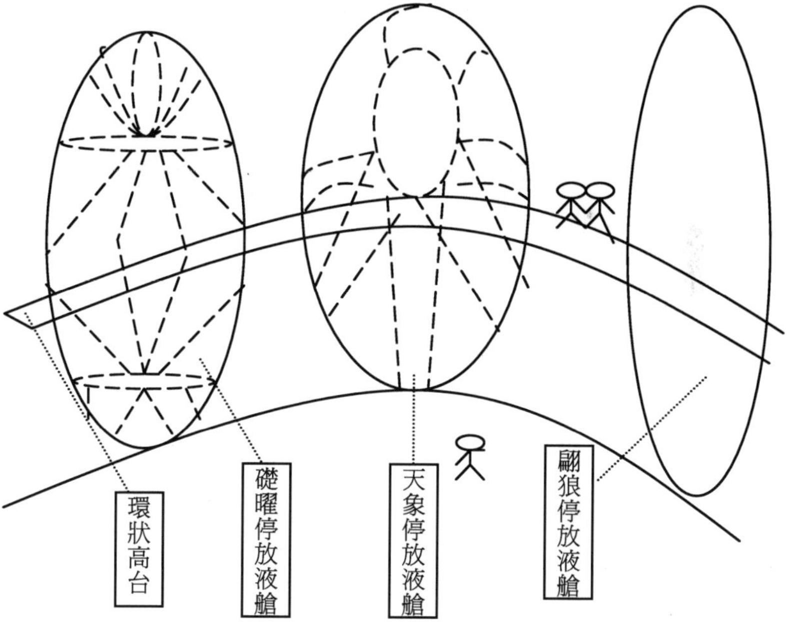

圍軌道的重力圈，圍繞在大氣層上，透過觀測窗看了地球，都頗爲訝異。地球的地圖已經完全改變，眾人根本分不清楚，哪裡是中國？哪裡是歐洲？哪裡又是美國？

透過通訊光板，所有人相互連通，袁毓真說：「真的是滄海桑田啊！我國的古人就已經預測了這種現象，而後歐洲地質學者偉格納，提出精確的證據，證明大陸飄移學說，沒想到我們可以親眼見到。如同滄海桑田故事中的神仙，天上一天人間一年，回到人間之後，原本的海洋都變成了桑田。」賀嘉珍說：「建立在行星內部地質壽命之上的板塊循環，平均每四億年就會出現一個盤古大陸。現在地球又回到了盤古大陸時期，我們確實很難去找尋自己的家在哪裡了。」望了一眼太陽，然後說：「都進入大氣層觀看吧！看有沒有智能生物系統！」蔣婕妤說：「看大氣層外，沒有一些古怪的物體，代表存在智能生物的機會不高。」

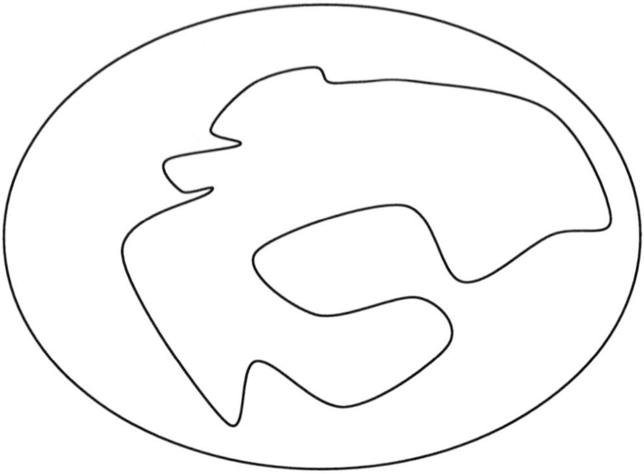

兩億一千八百萬年後的地球

第四幕　飛在兩億年後的海空中

三台神器與一台怪頭飛艦，往盤古大陸塊的山區飛去，逐漸接近了地表。地面上早已經完全沒有人類遺留的痕跡，只可能在地質中，尋找『兩億年前的化石』。怪頭飛艦上的談玉琰，依照計畫釋放所有偵測儀器，等待考證的回音。袁毓真說：「自動儀器還要一段時間才有結果，不如我們現在分散開來，圍繞整個地球一周，看看有什麼端倪。」蔣婕妤說：「大氣結構中的氧氣，還比我們的時代濃厚，我很想要下去看看呢！」賀嘉珍說：「萬萬不可，地球現在到底是什麼生物在主導生存，我們都還不很清楚，有可能會發生意外。依照我對於生物結構與演化進程的了解，可能整個哺乳類都已經滅絕，或是演化得面目全非。再依照次易原理附屬著作，天翦理論的想法，我們認知的大型生物型態，會有其他的物種來遞補這種生存方式，甚至有可能會碰到智能生命的週期，隨便接觸會有危險，所以我們絕對不能降落，還要隨時透過神器保持聯絡。」

談玉琰說：「剛才在地球外軌道，我釋放了好幾隻小型的通訊球，你們在地球任何一個角落都可以清楚地通訊，趕快四處去搜尋吧。」

於是三台神器與一台怪頭飛艦，分散開來搜尋。袁毓真的天象搜尋大海，賀嘉珍的翩狼搜尋盤古大陸北部，蔣婕妤的礎曜搜尋盤古大陸南部，三女子的怪頭飛艦搜尋盤古大陸中部。

袁毓真透過神器觀測窗，看到了兩億年後的海底生物，出現好幾隻大型的兩爪怪魚，面貌頗爲兇惡。通訊眾人說：「看到我的投訊了嗎？時間真是可怕，可以讓我們回到地球也好像去陌生的外星球一般。」

蔣婕妤此時投訊了一隻怪鳥，說：「我也發現這個怪異的飛行生物，這不像是鳥類演化出來的，從結構分析，有可能是蜥蜴演化成的飛行物種。」

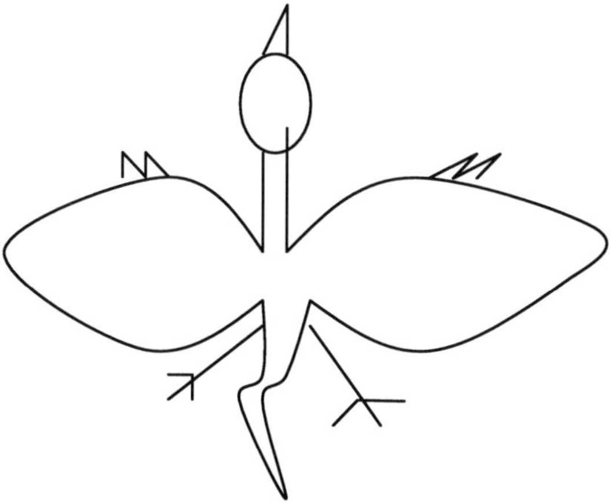

談玉琰也投訊一隻陸地巨大生物，長相有如烏賊，還會噴射出綠色汁液，消化綠色植物爲食。嘆口氣說：「我們都不相信這裡是我們的家鄉，叫做地球！」廖香宜說：「我猜這段時間，陸地生物一定經過好幾次大滅絕，不然這種海洋生物，怎麼會在陸地上變成了巨大生物體，體積還有如大象一般。」李韻怡說：「是啊！也許我們對地球，已經有過去的相遇概想，一旦發現落差，就感覺比去九九星球還要詭異！」

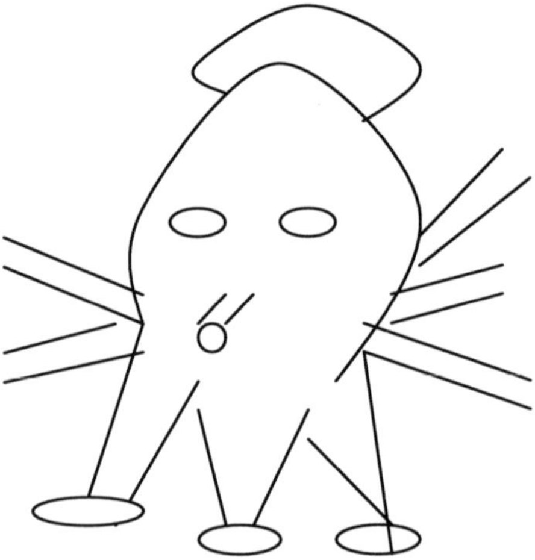

袁毓真嘆口氣，緩緩說：「我們走了之後，人類真的滅絕了嗎？還是我們在火星看到的，是人類後代的遺跡？」李韻怡回答說：「不管怎麼樣，都沒有文明的現象。」蔣婕妤在液態封包內，感應到賀嘉珍的神情，透過光板對她說：「嘉珍姐有發現什麼東西嗎？」賀嘉珍有聽到剛才袁毓真與李韻怡的對話，直接投訊出一株植物體，開口說：「別被那些動物型態困擾，觀察植物才能真正知道生命循環的本質！韻怡說沒有文明現象，但是不代表沒有智能現象，你們仔細看這株植物，想到了什麼？」眾人不約而同說：「有點像玉米或是稻米。」這必然是與動物有複雜的共生，才會產生的高澱粉品種，不然很快就會被小型動物吃掉。賀嘉珍點頭說：

「正是，代表有農業現象。」袁毓真笑著說：「這不盡然啦！也許是特殊的植物產生的高澱粉果實……」可是當賀嘉珍投射出一片規劃好的菱角『農田』，大家都嚇了一跳，袁毓真也說不出話了。

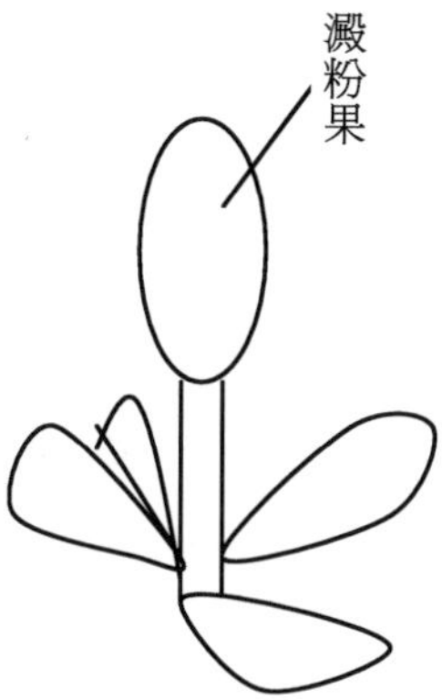

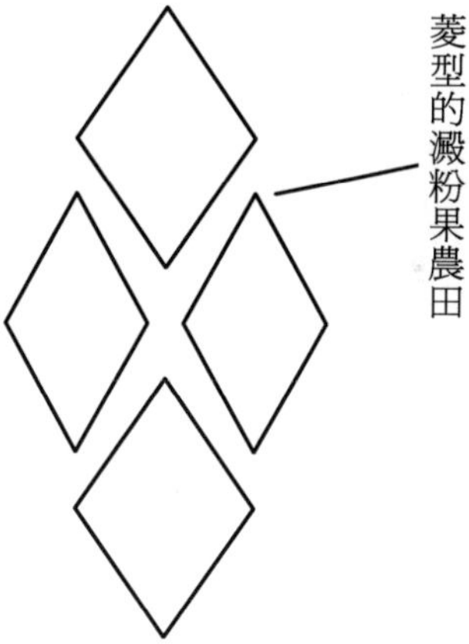

賀嘉珍說：「人類的農業行爲生存方式，地球有物種遞補！雖然看不出文明現象，不過在這個時間點，這種生存方式又被重新啓用！可見次易原理附屬著作的天翦篇，『數位倫滅』是真的！也許再過一段時間，人類的文明行爲，又會被重新啓用！」袁毓真急問：「找到種植這些植物的動物了嗎？」賀嘉珍說：「等等，我釋放偵測小球去觀察！」

袁毓真操控天象飛出海面，往賀嘉珍所在位置進發，開口說：「還記得我們在元首大人府邸外，被誤會是外星人嗎？現在我們真的可以用外星人的身份回到地球了。」賀嘉珍笑著說：「這讓我想起，我唐朝的祖先，賀知章的一首詩。『少小離家老大回，鄉音無改鬢毛摧，兒童相見不相識，笑問客從何處來』。我們也是地球演化的生物，可現在卻可以定義爲，外來生物了。」袁毓真說：「龍族何嘗不是如此？」

袁毓真駕駛天象，慢慢飛了一小時，才到賀嘉珍搜索的這片大地，賀嘉珍說：「已經找到這種生物了，投影給你們可別嚇一跳！」所有人內心同時一陣期待又恐懼，不知道又會出現什麼怪物。投射螢幕上，出現了一隻兩眼斜角向上的生物，有兩肢手而四分支，而有兩粗狀的腿，每肢腿又分出三肢觸腿，在地面上行走，大腿施力而三肢觸腿也施力，兩種力量結合，快則彈跳前進，慢則緩緩蠕行。而許多這種生物，都抬頭看著天空，似乎就在看著袁毓真與賀嘉珍駕駛的飛行器。

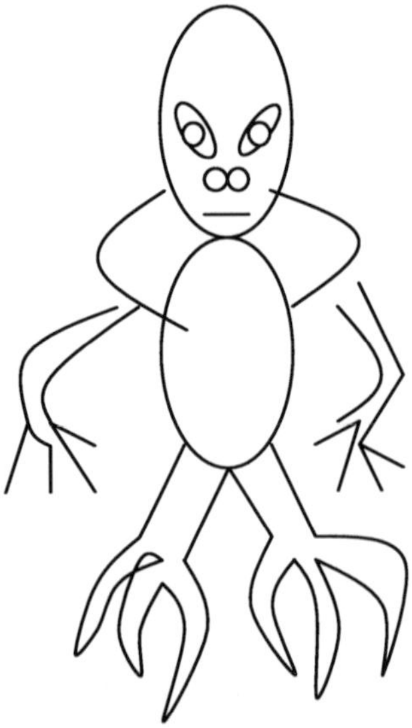

兩億一千八百萬年後的地球人
【章魚的後代】

蔣婕妤情緒有點激動，皺眉頭說：「這到底是什麼生物演化成的？簡直恐怖又噁心！」

袁毓真苦著臉說：「該不會是某種爬蟲類……或是鳥類……總不會是螃蟹吧？」賀嘉珍笑著搖搖頭說：「都不是，哺乳類、爬蟲類或是鳥類，演化分歧雖然也有好幾億年，但都是四肢而五指。兩億年還不至於，讓肢節變形成這樣。我猜是章魚的後代！仔細看一下觸角，應該有八肢！上兩肢已經有觸指的分化，而兩腿各三肢合併而成，腦袋與眼睛已經變形成，可以在陸地上活動，甚至有嗅覺孔了。」

袁毓真苦笑說：「海裏的章魚，現在變成陸地上的農夫？等等該不會搬出高射砲來打我們吧？」談玉琰笑著說：「看牠們用樹葉包裝身體，拿著石器耕地，應該還沒有演變成工業資訊文明，也許再過幾萬年，就有高射砲了。」李韻怡說：「該不該下去跟章魚打招呼？」蔣婕好說：「絕對不能，牠們腦袋裡面想什麼，你怎麼知道？搞不好宰了我們！」賀嘉珍笑著說：「是啊！不可以隨便接觸。不過現在牠們才是真正的『地球人』，我們才是來自宇宙。」

袁毓真嘆口氣說：「兩億多年啊……對人類來說，農業文明的時間也非常地短暫，更別說工業與資訊文明。倘若章魚真的繼承了人類演化的數位倫理，按照倫理規範，我們若往前偏移個幾萬年，可能就沒有這些農耕，往後偏移幾萬年，可能就會出現污染的地球……真是巧合，能遇到剛起步的『章魚地球人』。若回到人類的洪荒時代，也有見過天空中的訪客嗎？」說到這，忽然又醒神說：「會不會我們在火星所看到的，是前一倫的文明生物，非人類也非章魚，所留下的遺跡？畢竟兩億多年，可以發生很多事情。」賀嘉珍搖搖頭說：「現在推論還太早，等地質偵測儀器回來之後再猜測。」

此時礎曜飛到了夜晚的地方，透過礎曜的感應器，傳輸到液態駕駛封包內，蔣婕好的大腦中，展現夜空的景象。傳送訊息給眾人說：「你們看這月亮，感覺比我們年代的月亮小了些。」賀嘉珍說：「月球與地球以些微的程度，相互遠離，兩億年的時間就可以看出落差。但我認爲，這也是一種循環，可能再過兩億年，月亮又會越來越靠近。」袁毓真感嘆道：「不只宇宙空間廣大，讓人感覺到渺小，宇宙時間悠遠漸變，也讓人感到生存意義微弱。也許這些迷團，得跟先前我們見過的『時間怪物』交流，才會有一點答案。」忽然李韻怡說：「偵測儀器已經切割了，好幾處兩億年地質標本，準備送回飛艦，你們都回地球軌道集合吧！我們要把標本送回絲嚕噹噹，交給主人研究。」於是眾人帶著諸多感嘆，各自飛往外太空，集合後飛回絲嚕噹噹。

第五幕　新的地球年表

眾人回到絲嚕噹噹，龍族勤務機把一大堆切片的沉積岩層，送到戰艦的分析室，邦邦親自研究。

時間跳躍後一個月零五天，月球軌道，絲嚕噹噹的眾人起居室。

從當牲畜以來，除了相互討論學問，邦邦不准眾人有娛樂項目，以免污染了思維能力，以及污染了戰艦的運作型態，即便跳躍到兩億年後，仍然是如此。眾人正在吃喝閒聊，談談過去的事情，袁毓真摟著賀嘉珍開玩笑說：「主人禁止所有娛樂，除了相互交際、研究知識與性交之外。我想我們該開啓，性交的起頭。先前妳說過，有性需要可以隨時供應，就像妓女一樣，現在可以當妓女給我使用了嗎？」

賀嘉珍臉紅而靦腆地笑了一下，沒說話，蔣婕妤率先把杯子中的水波到袁毓真臉上，怒目說：「你說誰是妓女？你再胡說八道試看看！之前你是怎麼跟我說的？說要按照婚姻規範來喔！」袁毓真衣袖擦乾滿臉的水，傻笑著說：「別那麼大火啦！我只是開玩笑的，假設再這樣下去，人類就要滅亡啦！」賀嘉珍說：「人類早就滅亡了，沒看到地球都面目全非了嗎？依照生物延續的法則，靠你一個男人，我們十一個女人，也不可能把人類延續下去的。」姜麗媛咧著嘴說：「袁毓真，我看你還是請示一下主人，我們的婚姻是該怎樣規範。」廖香宜喝了一口酒，放下杯子緩緩說：「還能怎麼規範？不就是一夫十一妻嗎？我看他連克莉絲蒂娜、夢彤、胡笳十八拍都想娶進來。」何佩芸說：「是啊！我之前親耳聽到他說，機器人當老婆最好了。」眾女孩一陣喧鬧，李韻怡甚至直接逼問說：「要不要把白陽春雪，也從龍族外皮改成人類女子？這樣你就可以十五妻了？」袁毓真傻傻笑說：「好了好了，我問過主人之後再說，現在就暫時別提這啦！」

忽然大廳頂上的觀景窗，傳來邦邦的光幕投影，對眾人說：「你們全部到，物質觀察室來！我已經大概分析出，地球這兩億年發生些什麼了。」眾人全部離座，跪在地上磕頭稱是。

到了分析室，台桌上一大堆岩塊與化石標本，還有不少勤務機用雷射切割與分析，眾人全都匍伏跪下，邦邦說：「全部起來說話吧！」眾人站起之後，邦邦打開大型螢幕，出現一張年表，上頭翻譯成了中文字。

邦邦說：「龍族祖先在還沒有智能的時候，就已經被真正的外星生命，帶往外星球去改造，並沒有對地球深入研究。所以地球的生物歷史，我還是用人類研究的基礎，來改編分析，搭配這兩億年的沉積岩分析。我列出一張，妳們人類可以看得懂得年表。」

邦邦說：「深入我們時間跳躍之後的各時代岩層，銜接先前人類對地質的考證資料，相互綜合分析，得到這個地球年表。在跳躍後的沉積岩中，沒有發現任何智能活動。可見我們跳躍離開之後不久，人類就已經滅絕。」賀嘉珍問：「那麼龍族呢？」邦邦嚕了一聲說：「妳們搜索地球的時候，我在月球，有發現龍族跳躍儀器的遺跡，但也沒有新的龍族儀器出現……我猜測，我們跳躍後不久，龍族也就放棄了太陽系。」袁毓真問：「會不會龍族的後代，在九九星球還有延續？我們

顯生元						隱生元	冥古元
衍生代	複生代	新生代	中生代	晚古生	早古生		
第二次海洋生物大登陸到第二次智能物種出現	人類大滅絕事件到海洋生物第二波大登陸	哺乳類與鳥類種類繁衍到人類滅亡	恐龍始祖出現到恐龍種類大滅絕事件	魚類昌盛到裸子植物出現	多細胞生命種類膨脹到維管束植物出現。	單細胞生命開始	無生命現象
1.3 億年前開始	2.18 億年前開始	2.83 億年前開始	4.55 億年前開始	6.1 億年前開始	7.5 億年前開始	32 億年前開始	48 億年前開始

要不要建立宇陣系統，去九九星球看看？」邦邦說：「不必了，第一是，經過了兩億多年，地球與九九星球，在銀河系的相對位置已經變動，要重新搜尋九九星球非常困難。第二是，宇陣系統的關鍵資源有缺乏，月球遺跡已經無法重建，就算勉強建立起來，還要投射活體過去，不必要冒這種險。況且依我推測，我們來到這裡，代表時間路線的延展，那麼空間路線的龍族，必然也已經滅絕。所以可以說，現在的宇宙，既沒有人類也沒有龍族了。」

賀嘉珍忽然醒神說：「主人，您剛才說，我們離開後不久，人類就已經滅亡。而人類滅絕之後，地球就再也沒有出現智能活動，那麼火星那些東西，到底是哪一個智能物種的遺跡？」蔣婕妤搶答說：「那還不簡單？只能說是外星人了。」

邦邦說：「文明雖然可以擴散空間的多樣分布，但在物種演化的角度中，屬於非常短暫的一霎那，存在的時間區段，簡直可以忽略掉。倘若沒有宇宙的均衡存在性質，文明再昌盛，也只是光彩一瞬而讓後來的智能物種所感

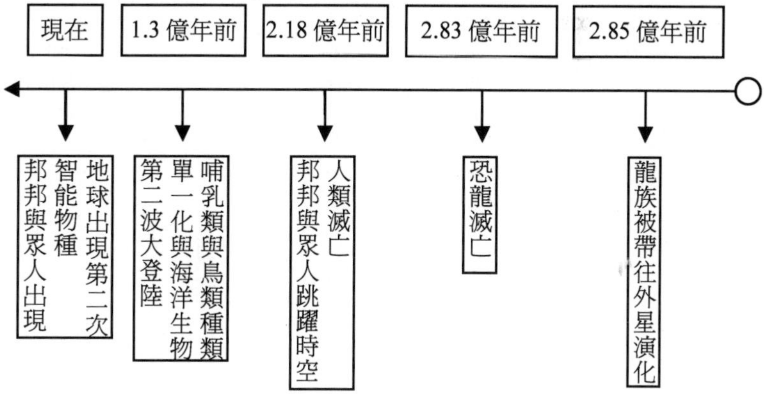

嘆。這也是我堅持要走『時間路線』的另外一個原因。倘若不算我們這些被外星人改造，而加速演化的龍族，以時間自然催化而論，地球現在出現第二波智能物種，再往後的未來，這些新智能物種，極有可能去探索人類的過去歷史，而感嘆人類的滅絕。」

賀嘉珍嘆口氣說：「『秦人不暇自哀，而使後人哀之。後人哀之而不鑑，又使後人復哀後人也。』」轉口又接著說：「主人您的意思是，龍族的智能算是『空間路線』產生的智能，人類的智能算是『時間路線』產生的智能。龍族該走的正確延續路線，應該反過來接軌『時間』，而人類則應該反過來接軌『空間』？我推論對嗎？」邦邦嘶嘶地微笑，然後快速開闔眼瞼，回答道：「正確！該跳躍時間回地球的，應該是龍族，該去九九星球定居的該是人類。不過龍族與人類都沒有走對路，所以兩雙各自滅亡，是必然的現象。」

賀嘉珍微笑著說：「我懂了，宇宙物質形態的延續，時間與空間有中性交錯界，相互倫滅，也可以說相互倫生。本身的型態若起源於空間的偏向，面臨衰變滅亡就該走時間路線，才有可能重生。相反地，本身的型態若起源於時間的偏向，在面臨衰變就該走空間路線，才有可能重生。而兩者是相對定義出來的。太極陰陽反變之道，就在這裡體現！」邦邦聽了開心地抱住賀嘉珍說：「真是聰明！假設妳是龍族就好了，我就一定讓妳當我的伴龍，讓妳替我生一顆蛋。」賀嘉珍抖了一下，紅著臉說：「主人過獎，我這也是參考『次易原理』這本書，才有這種推論，人類兩百五十年前，就已經有人想過了。」

忽然指揮室又傳來訊息，邦邦收到之後呱呱大叫，跟眾人說：「反偵測儀器又有干擾，肯定有其他高智能生物，在監控我們，而且從訊息干擾的型態分析，對我們不太友善，而我們竟然無法探知對方是誰！恐怕這生物的文明，至少在訊息程度上，不輸給龍族！」眾人聽了都大驚失色，都知道龍族的科技已經很高明，而竟然還有更高明的生物在監控，要是意圖對眾人不利，那光憑目前的戰力，並不一定能對付。

李韻怡問：「不會是地球上的那些章魚人吧？」邦邦說：「從你們傳回來的影像分析，這不可能！當初跟人類交戰，人類的訊息知識都沒這能力，還在使用石器與勞力耕種食物的物種，更不會有宇宙等級的訊息作戰能力。問題就在火星那些廢棄物！我們現在就先回火星，去一探究竟！」邦邦遂下令戒備，眾人的房內都裝有響鈴，只要鈴聲響起，就要進入戰備位置。絲嚕噹噹快速地飛往火星。

監控絲嚕噹噹宇宙戰艦的物種到底是什麼？決定返回火星，邦邦與眾人又會發生危險嗎？欲知後事如何，且待下象分解。

第三十九象　熒惑滄桑殘片分析神秘體　怪機襲來敗走歲星查起緣

第一幕　訊息隱匿制

跳躍後一個月又二十天，絲嚕噹噹回到了火星空域，並且派紅二號裝載龍族勤務機，到火星蒐集更多的關鍵廢棄物。

所有人在分析室，協助操作儀器，與邦邦共同分析這些零件，邦邦咽喉嗚嗚作響，顯示一種沉思與暗暗驚嘆之意。眾人不禁相互輕聲互語，也在討論這些高科技的陌生物件。

袁毓真不禁問邦邦說：「主人，這東西好像是非常細密的合金金屬物，韌性甚至比龍族自動兵器的外殼還強。」邦邦轉而咕嚕啞啞，顯得有些吃驚與恐懼，緩緩地說：「撇除時間怪物的技術最特異不談。這些垃圾背後象徵的技術層次，可以跟你們先前在地球南極洲，所找到外星生物遺留物的技術，相互比美了。尤其是外殼亮麗而只有圖騰標示，完全沒有多餘的文字訊息，這恐怕代表了一個現象……」說罷又咕嚕啞啞。

袁毓真、蔣婕妤、談玉琰與廖香宜，四人幾乎同時問：「代表什麼現象？」邦邦慢慢地說：「訊息是隱匿制的流動，而不用彰顯的文字與數學系統。這種規制，龍族的特級思維學者之間，曾經試驗過，不過最後並沒有演變出來，原因是對生物體來說，這種規制還太高遠，不利於後續的進步。除非是思維相互感應，已經到了絕對精緻化互通，那麼文字與數字，就只剩下啓動相互感應的象徵意義而已。深邃的法則結構與複雜的思想型態，完全可以直接相互交流。」

賀嘉珍神情也頗爲嚴肅，冷冷地說：「主人，這是否代表，這外星生物的智能層次，比龍族還高等？」邦邦說：「有此可能性，但還不能下必然的論斷。除了最特殊的『時間怪物』，掌握了真正無窮力，可以主動開啓互通模式，比龍族的『虛擬無窮力』還要更深遠之外！目前還沒真正親眼見過，比龍族還高明的外星人。我仍然很怕，這些外星人，是改造龍族祖先的那一批。萬一真的是，而對我們又有敵意，龍族雖然已經演化成宇宙物種，也不見得打得過牠們。」

袁毓真說：「若南極洲遺留的那個怪東西，是改造龍族祖先的那批外星生物所遺留。對比眼前遺留物的製造風格，兩者之間有很大的差異，也許不是同一批外星生物。」邦邦說：「不管是不是，可以確定牠們與絲嚕噹噹，已經有展開過訊息戰。龍族的訊息戰術，竟然還敗陣了一回，迫使我關閉全艦的訊息連通網。其訊息能力與塑造金屬的能力，都不在龍族之下。而且已經可以察覺出敵意，火星有可能是牠們的垃圾場。現在我們必須要蒐集資源，大量製造宇宙兵器，加緊備戰，以防萬一。」

賀嘉珍說：「可以確定的是，這些外星生物並沒有侵佔地球，極可能地球環境不符合牠們的需要。我們若回到地球去生存，或許可以避開這不必要的衝突。」邦邦嗚嚕了一聲，喘口氣說：「這有道理，我們現在就回地球去。還有，隱匿制的訊息模式，我們各自都要組織思維，萬一發生衝突，將是很重要的戰爭依據。」

第二幕　無明懾本

次日，絲嚕噹噹正在回地球的途中。宇宙戰艦內的兵工廠，正在加緊趕工，把火星蒐集來的各項物資，轉製造成龍族宇宙自動兵器，並且把四台神器都調整到最佳化的程度。

正當眾人都在兵器預備艙，調整製造好的宇宙自動兵器時，忽然警鈴大作，用這種原始的備戰方式，是邦邦在訊息戰威脅下，改變戰鬪體制的安全措施。眾人緊急搭乘艦內運輸艙，快速前往指揮室，聽取戰前作戰簡報。

邦邦穿戴好金橘色條帶的帽頂，全金色龍族三角纏繞的衣裝，象徵進入戰鬪狀態。對眾人說：「進入戰備！絲嚕噹噹的訊息塔，終於偵測到有三台宇宙飛行船，在追蹤我們，型態不明，體積與絲嚕噹噹差不太多，距離越來越靠近。要是它們繼續逼近，那就開戰！」賀嘉珍問：「有沒有辦法跟對方聯繫上？」邦邦說：「沒有任何回應，對方把訊息也當作是戰術規制之一，甚至還能滲透龍族訊息網，迫使我不斷重組訊息底本。」賀嘉珍又問：「速度呢？我們可不可以甩開它們？」答道：「戰艦現在已經全速前進，再過人類時間三天，就可以到達地球。但是它們的速度似乎可以更快！總之現在各就各位！」眾人點頭稱是。

賀嘉珍、袁毓真、蔣婕妤跟隨邦邦，前往宇宙兵器停放艙。李韻怡與廖香宜登上通訊指揮塔。黃敏慧、歐陽玉珍、何佩芸、史塔莉，坐在前座操作台。談玉琰與姜麗媛，全副武裝，率領四台機器人與眾多龍族自動兵器，在指揮室周圍重要地區部署艦內防衛軍。蔣媛妤指揮勤務機，擔任後勤支援。三人一龍，都已經在神器駕駛艙內，等待李韻怡傳來敵艦越過警戒線的訊號，就立刻出動。但是指揮艦卻遲遲沒有傳來消息，邦邦不得不主動通訊指揮室問：「敵艦狀況如何？」李韻怡說：「報告主人，敵艦並沒有闖過警戒線，也沒有釋放任何戰鬬兵器，只是維持一定的距離追蹤我們。」

這讓邦邦頗為狐疑，一時摸不清敵方到底有何企圖。在不明敵方的情形下，不敢貿然發動攻擊，只好撤為戒備狀態，與三人在兵器預備艙作息，而指揮室與備戰的眾人，可以輪班警戒。

邦邦與眾人等了超過十個小時，仍然追蹤在後面。邦邦終於沉不住氣，命令袁毓真等三人繼續留駐準備艙，自己衝往指揮室，重新設計龍族訊息程式，操控訊息塔的收發。但是對方的訊息仍然鎖得緊緊，讓邦邦無所適從。

為了防止訊息外洩，賀嘉珍透過克莉絲蒂娜，走到指揮室告知邦邦：「這極有可能是一種心理戰術，如同龍族當初緊閉對人類的通訊，讓人類在無明的恐慌中，犯了錯誤，然後突然發動總攻擊，從而在訊息完全不明之下一洩千里，幾乎沒有招架之力。」邦邦沉靜了一會兒，快速開闔眼瞼，讓克莉絲蒂娜轉告袁毓真等人，三人留守一人，其他人也都採取輪班休息，警戒一切的狀況。

賀嘉珍被找到指揮室與邦邦會談，邦邦知道當初龍族對付人類的招數，現在輪到不明的敵人，用來對付自己。邦邦雖然知道如何應對，但是面臨生物本身的恐懼本質，仍然不自安，問賀嘉珍說：「據我所知，當初你們人類，遭遇我們龍族採取『懾本戰術』時，你們的領導者雖然中計，但在最後的戰爭演變中，人類還塑造了兩股『域固力』，抵擋了一陣子龍族進攻的進程。據你所知，你們領導者周邊的人，可還有提出更好的建議嗎？」

賀嘉珍答道：「當初龍族凌逼人類，我就在我們的元首大人身邊。除了塑造兩股『域固蠶變力』之外，我的另外一個朋友，有擬定『無量蠶變計畫』。就是讓自己本身的型態與對方的型態混合，不斷地進步。另外我則對元首大人，提出『自擇天翦』理論，自然界並不是優勝劣敗適者生存，而有存在，劣勢生存延續而優勢快速滅亡的法則，只看我們怎樣在自擇體系中去觸動祂！不知道人類這種思想，主人您是否有理解過？」邦邦說：「跟你們人類在一起這麼久，我當然有研究過。不過『域固蠶變力』『無量蠶變計畫』與『自擇天翦法則』，都必須有一定空間與資源，才能塑造得出來。我們現在是被追蹤，且資源不夠的戰艦，若是到不了地球躲藏，這三種方式都無法使用。尤其無量蠶變，更是需要對敵方有充分了解。妳再陪我想想，還有什麼方式可以應付？」

賀嘉珍沉思了十幾分鐘，緩緩說：「我們反過來想人類歷史中失敗的案例，大凡被陌生且優勢的敵人入侵，被侵略者最後抵抗失敗而滅絕，都犯了四點錯誤！第一，被對方顯露優勢的型態所驚嚇，沒有深入理解對方的優勢從何而來，從而拿不出任何具體計畫。第二，持『和』『戰』兩端，搖擺不定，犯了生物本性上，爲生存而投機苟且的錯誤。第三，被優勢的表象所震懾，忘記自己也有等價演變的能力，從而放棄了利用變數，重新演變而生存的機會。第四，在投機之中，尋求得過且過的安逸，心理上已經接受對方『必然』比較優越的『事實』，不敢大膽地去探索對方的底細與缺陷。」邦邦打斷道：「等等，人類的歷史我並不熟悉，馬上叫賤畜一號過來，讓他來接替妳的話。」

蔣婕妤正在艙內值班，袁毓真收到訊息，馬上就到指揮室，邦邦命令賀嘉珍把剛才的話重複一次，並令袁毓真沿著她的思維，舉出人類歷史的真實案例。

袁毓真說：「賀嘉珍所言正確。第一個錯誤與第三個錯誤，就在西班牙人入侵中南美洲，馬雅與印加帝國時，表現得最爲清楚，從而西班牙人只用了少數人，就把大多數人消滅。這兩者是最嚴重的錯誤。而第二個錯誤與第四個錯誤，就在西方文明入侵我們華夏文明時，中國的所有領導者犯的錯誤，從而本身有優良的基礎，也無法應付眼前的危機。若確定它們對我們有敵意，我們絕對要主動展開應付的措施，去摸清楚對方的底細！還有一個補充說明，就是入侵者必然會探索被入侵者內部的矛盾，利用內鬨來達到目的。我們若是一個整體，主人您與我們賤畜之間的物種差異，有可能會是缺陷……這點請主人見諒。」

邦邦說：「這我很清楚，不過我相信你們的忠誠度。人類與龍族，都可以說是失敗的物種，倘若你們不想當賤畜，我以後也就不當主人了。」在場除了賀嘉珍與袁毓真，還有李韻怡與黃敏慧在輪值，都趕緊下跪匍伏。邦邦嗚嚕了一聲說：「不用那麼緊張，我是認真的。」眾人相互對看，李韻怡說：「我們都是心甘情願接受您爲主人的。」袁毓真也笑了笑說：「沒有您當主人，我們反而不習慣，人類都已經滅絕，沒有下賤不下賤的問題，我們願意當您的賤畜到底，請相信我們的忠誠。」邦邦才釋懷，命令眾人站著回話，然後緩緩說：「你們都算是人類中，最優秀的一群。不但忠心誠實，又擁有智慧。好！到了地球，我們就重新整備，嚴密防範這個陌生的智能生物。」

第三幕　地球攔截網

絲嚕噹噹在被追蹤的狀況下，又往地球進發，透過指揮室的透明膠罩，已經看到了一顆藍色行星與灰色衛星，眾人也全都各就各位。忽然聽到站在懸浮板上的李韻怡說：「地球與月球周圍，出現五艘大型飛船，而且釋放了許多物體！正往我們這邊衝來！」邦邦在指揮室呱呱大叫，喊道：「這是宇宙戰爭的驅趕戰術，猜中我們的目的地，就在目的地設下埋伏，然後配合追兵兩面夾攻！可惡！那就硬碰硬來打吧！」邦邦正想要下令發射三台神器與諸多宇宙兵器時，廖香宜大喊說：「偵測出敵方戰艦的核能反應！」邦邦只好大喊：「釋放防護盾！」

忽然對面五艘宇宙兵艦與後面的三艘兵艦，各自發射旋轉導彈與集束巨砲，轟向了絲嚕嚐嚐，好在絲嚕嚐嚐的防護罩抵擋住了對方的核能武器，艦內眾人只感覺到一陣晃動。李韻怡又喊：「對方的子武器衝過來啦！」邦邦大喊：「三台神器與宇宙自動兵器大隊出動！」

袁毓真、蔣婕妤與賀嘉珍，駕駛著座機，與三百多台自動兵器飛出艙外，與包圍過來的敵方戰鬪機體開火交戰。

賀嘉珍大喊：「毓真，快率所屬的隊伍，攔截進攻戰艦後背的敵人！」袁毓真二話不說，轉動天象反身交戰。發現對方的戰鬪機體，體積竟然可與神器相當，機動力與火力也不會比龍族的神器遜色多少，而數量更多。

頭一批就是三十多台這種戰鬪機體，讓眾人陷入苦戰，龍族的自動兵器頗有折損。接下來又出現十多台另外一類型的戰鬪機體，同樣有圖騰標示，一種機型的前面兩個標示一樣，

戰鬪前型

而第三個圖騰有差異，有點像是系列編號。

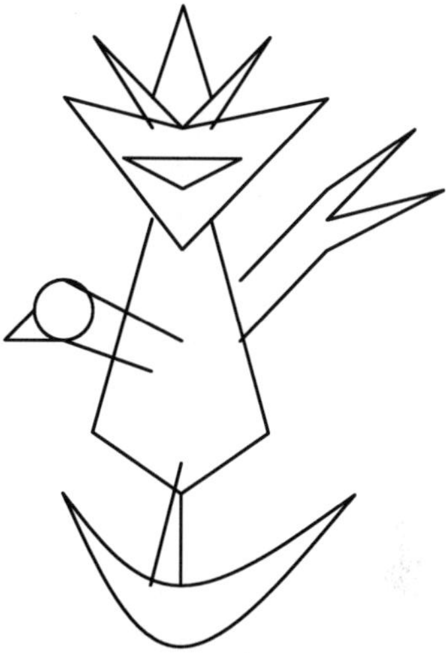

戰鬪後型

袁毓真看到這些系列編號，煞那間有一種直覺，但是這直覺說不上來，只能繼續堅持戰鬥。接連使出『百圓分護』與『雙曲巨焰』，但是竟然沒有打下一台敵機，策動護衛機群左右駢殺交射，在對方使出螺旋光波散彈，使護衛兵器折損頗多之後，猛發一道『紅蓮巨波』才打掉一台敵機。袁毓真發現這些敵機太強，武器的性質都頗爲陌生，而且陣仗驚人，戰鬪力絕對不在先前對戰的龍族戰陣之下，大喊說：「報告主人，護衛自動兵器折損過半，再打下去神器就會被圍毆！」

沒想到賀嘉珍座機被打中，也尖叫了一聲，喊說：「我的護衛兵器也折損三分之一，神器護盾快撐不住啦！」李韻怡也回報說：「敵方二卦限，五曲道的戰艦向母艦逼來，似乎又要發射重砲。」

邦邦大喊說：「全隊全速往三卦限八曲道外太空撤退！戰術指揮權交給賤畜五號！」說罷，離開指揮室，乘坐艦內快速輸送車，往戰艦準備艙奔去，駕駛天帝與剩下一百五十台自動兵器，衝出絲嚕噹噹，支援袁毓真這邊。

此時賀嘉珍與蔣婕妤，各自駕駛座機且戰且退，掉尾的蔣婕妤座機礎曜，被三台敵方機體圍攻，只能猛使『坤波段』遲滯對方，但是敵方的火力具有後援縱深，絲毫不受影響。最後猛發諸多發射器，施展『短定砲』，一陣火光亂射之後全速往三卦限遁逃，但是敵方一機體穿過火力網，拼命追上來，一道三管束砲，從下方打中礎曜的一腿，當場斷裂。所幸蔣婕妤的駕駛艙，是透明的液態封包，激烈晃動並不會讓駕駛員受太多影響，但是反應已經有些遲滯。尖叫著呼救。

賀嘉珍返身救援，罩準之後猛發『段體切刃』，一光刃砍中敵機，將之擊毀，讓礎曜順利撤走。正以爲可以緩緩撤走時，忽然上方打來交叉螺旋砲，艙內只聞一陣巨響接著一震波，讓躺在駕駛艙椅的賀嘉珍，都彈跳起來之後摔下去，翩狼的上方兩彎形機柱爆裂，集能球功率折損一半。所幸護衛機拼死交叉射擊，把上方的敵機逼退，但是敵機很快又圍殺過來。

天帝快速衝過來支援，一陣『五彩光波』，轟退了數台敵機的凌逼，拉住翩狼就快速向後撤退，令所有自動兵器殿後掩護。袁毓真則抖擻精神，架機掩護戰艦衝出一條路，在絲嚕噹噹艦砲掩護下，猛衝敵方攔路的戰艦。

一砲『千螢川聚』，竟然被敵方的防護體給中和掉。並且左右殺來戰鬪機體，袁毓真只好且戰且退，絲嚕噹噹與這攔路的戰艦互射艦砲，敵方的戰艦竟然可以在防護罩內就開火，而絲嚕噹噹必須放開能源防護罩才能發砲，所以吃了虧，防衛纖維多處受損，所幸天帝又快速飛來支援，一砲『神穿霆矛』把對方戰艦打傷，迫使它讓開一條路。絲嚕噹噹不敢戀戰，收攏受傷的兩台神器，縮小戰圈，全速遁逃而走。

在天帝不顧自身重大損傷，繼續拚死殿後攔截，好不容易脫離敵方追擊，遠離太陽系的行星軌道面，往無邊無際的空域奪路敗逃。

第四幕　飄蕩無垠

敵方似乎也發現了，眾人這邊數量雖少，但是戰鬪打得異常頑強，便暫時停止追擊。絲嚕噹噹好不容易，

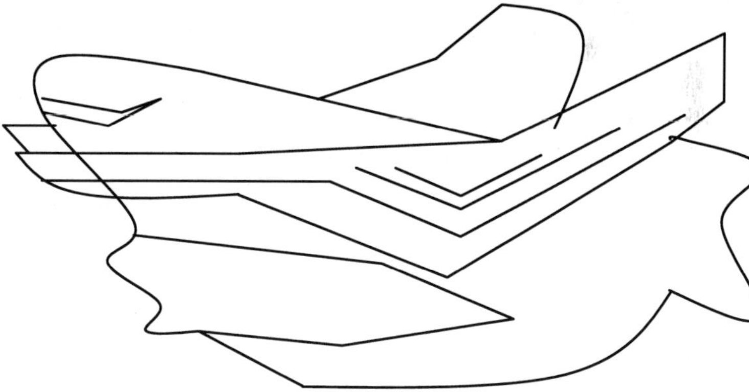

兩億多年後神秘的宇宙戰鬪艦，體積約與絲嚕噹噹相若。

甩開了追殺，收攏部隊，繼續全速往遠方遁逃。邦邦集合眾人在指揮室內，驚魂未定，大頭一直微微晃動，眾人也都回到以往，全都對牠匍伏磕頭，排列兩排貼緊於地面，好不容易停止了陣恐。邦邦說：「沒想到這一場短暫交鋒，我們就折損一半以上的戰力，而且還讓絲嚕噹的訊息網徹底癱瘓，若非我事先設定好備用系統，那就很可能戰術完全失靈，最終全軍覆沒。估計敵方的戰鬪力，比我們在時間跳躍前的那一場大決戰，對陣的絲哩艦隊與六大神器強得多。而今回地球後的一系列戰略禦敵準備，也都全部泡湯。竟然會遇到比龍族還要強大的宇宙生物，且很可能還在追蹤我們，你們說該怎麼辦啊？」眾人頭全部緊貼於地，身體緊縮在一起，無法回話。

邦邦也坐在地上，嗚嚕了一聲，呼一口氣說：「現在必須冷靜，不能夠慌張。你們來到這裡也都鬆懈了，現在開始全部回到養畜籠，每天除了睡眠之外，就是要執行恢復戰力的工作。」眾人同聲回答：「遵命主人。」

沉靜了一會兒，邦邦說：「袁毓真、蔣婕妤、賀嘉珍，你們三人有沒有在這場戰鬪中，看出些什麼端倪？哪怕是感覺也好！」眾人以為回到養畜籠，又得接受先前嚴格的奴役，沒想到邦邦已經讓翻譯器，直接轉述三人的名字，而不再喊賤畜的編號，可見也有開始尊重眾人的意思。

袁毓真先開口說：「我剛才交戰時，對敵機有一種說不出的直覺。我們雖然受過龍族思維方式的訓練，但是人類的思維結構仍舊不穩固，不敢妄自猜測這直覺系統。」邦邦說：「就說出來無妨，我聽聽看！」於是繼續匍伏答道：「敵方剛開始跟我們交戰，都頗爲陌生，但是在戰鬥交錯一陣子之後，似乎對我們的神器型態與戰艦機能迅速熟悉。我想這會是一個關鍵點。」

蔣婕妤也說：「啓稟主人，我也正在猜疑這問題，對方迅速熟悉敵人的能力也未免太快了些。而且我們在擊毀對方機體的時候，沒有察覺有駕駛員脫離裝置，這也是很奇怪的事情。」

邦邦說：「沒有脫離裝置的可能性很多。有可能對方戰鬥員不顧死傷，有可能這一支部隊只是巡邏單位而裝備不夠，還有可能這只是對方的自動兵器，如同我們的自動兵器一般。」

袁毓真喘口氣說：「若這種程度的戰力，只算是自動兵器，那遇到真正的主力部隊，就更可怕了。」

邦邦轉而說：「對方戰艦的艦砲性能竟然比絲嚕噹噹還強，可以在光能防護罩內發射，要不是天帝趁間突襲，那還真的是吃大虧了！可見對方戰鬥裝備都強大很多！」眾人與一龍，都還圍繞在恐慌之中，沒辦法靜下心來思考。

沉靜了一會兒，邦邦馬上認知，不能散撥這恐慌情緒，於是說：「料敵之事容後再議，現在先討論當前該怎麼作，才能恢復戰力又遠離敵人。至少已經確定太陽系各行星，都不能去了！」

賀嘉珍也繼續匍伏磕頭說：「這場戰鬥，四大神器只有礎曜損傷比較輕，而礎曜可以忍受恆星外一段距離的溫度，把能量轉變成爲質量。若行星採礦辦不到，是否讓礎曜擔任修復戰力的工作？」邦邦說：「這有難處，首先我們已經很難靠近太陽，因爲對方戰艦的搜尋能力比我們還強，內太陽系實在很危險。若距離恆星遙遠，那麼礎曜轉換的功率就很低，戰艦甚至要倒貼能源，來補足質量轉換所得，戰艦內的生態維生系統就會受損。如此做，還不如冒險去遙遠的行星或衛星採礦。」

又沉靜了一會兒，袁毓真說：「除非去攔截太陽系中的小行星，也就是彗星系統。」邦邦快速開闔眼瞼，然後嗚嚕一聲說：「正合我意，如今只有這樣做，繼能遠離太陽系又能修復戰鬥力！不過萬萬沒想到，我龍族科技與其他物種交戰，還會淪落到這種地步。真的是讓你們人類都唏噓！」廖香宜說：「主人別喪氣，畢竟這是兩億多年後的時空，自然有很多我們無法預料的事情。」這麼一說，忽然讓邦邦震動了一下，緩緩說：「剛才袁毓真說，對方很快就熟悉我們的戰術體制，甚至戰艦的艦砲性能。我在思考，這些戰術與戰艦性能訊息，我保留在封閉的電腦系統，在訊息戰中應該沒有被徹底破譯。倘若真的沒有被破譯，那就只有兩種解釋！第一就是，對方的邏輯結構與學習速度，強得讓龍族都望塵莫及。第二就是，對方曾經見識過龍族的戰艦系統！有可能是我空間路線的那些同類；甚至有可能兩者都有！」

袁毓真不禁稍微抬頭說：「兩億年也！這麼長的時間……會不會牠們本身就是龍族遙遠的後代分支？」邦邦說：「我之前說過了，這不可能！時間與空間路線同時展開，絕對不會相互再碰見了！算了，算了，現在都別疑神疑鬼，全部都回到養畜籠休息吧！準備攔截小行星，往遙遠的太空先躲避風頭，恢復原來的戰鬥力之後再說。」眾人於是磕頭遵命，失落地回到狹小的養畜籠去。

跳躍後第三個月。

這段時間又回到原先牲畜的低賤生活，發揮高效率的工作能力，處理艦砲轟毀的小行星礦物，操作各種兵器修理的作業流程，回到養畜籠就橫七豎八地昏睡過去，終於把恢復原有的戰鬬力。但已經不敢再靠近火星與地球，衆人跪在指揮室與邦邦討論下一步該怎麼走。

邦邦對賀嘉珍說：「火星與地球不能去了，目前只有兩種選擇，一個是靠尋找小行星生活，從此就流浪於宇宙。另外一個就是如思維辨析組先前的建議，弄清楚這一切到底怎麼回事。倘若是流浪宇宙，先前就可以，我們何必要跳躍兩億多年？所以我決定要弄清楚對方的底細，然後奮起反攻，回到地球上去！你們認爲第一步該怎麼做？」

衆人沉靜了一會兒，袁毓真說：「我建議先出動一小支部隊，前往木星的衛星群探測，若該處沒有發現敵人的蹤跡。我們就在該處，採集更多的儲備物資，組織更多的戰鬬部隊。直到具備反攻地球的實力爲止。」邦邦來回走動，望著上頭的透明膠罩，似乎感嘆，自己有飄盪在一望無垠宇宙的命運。答道：「就這麼辦，出動翩狼、天象與怪頭飛艦，各帶一支自動兵器隊伍，前往木衛群探測。若是還有敵人在巡弋，就全面撤退。我們就躲到更遠的宇宙去吧！」衆人磕頭遵命。邦邦對袁毓真說：「這次任務不管結果如何，回來之後你與賀嘉珍就先結婚，然後再陸續跟其他的賤畜結婚，我也只能補償你們這麼多了。」衆人匍伏稱是，雖然都一樣遵命而行，衆女子並沒有多開心，而袁毓真竟然心中暗喜。

第五幕　黑暗中的眼睛

估計太陽系行星軌道面都有敵方重兵，所以絲嚕噹噹母艦，航行到木星外一定的距離，就不敢再前進。

賀嘉珍駕駛翩狼，袁毓真駕駛天象，姜麗媛、黃敏慧、史塔莉、克莉絲蒂娜與夢彤，五人駕駛怪頭飛艦。各自率領一隊宇宙自動兵器，飛往木星衛星群。經過二十小時的長途航行，翩狼到了木衛一外圍，釋放大量兵器下去探索。天象則在木衛二，怪頭飛艦在木衛三。

袁毓真通訊說：「嘉珍，妳太靠近木星強大的引力圈，會不會影響到身體感應？」賀嘉珍笑著回答說：「忘記翩狼的特殊能力了嗎？可以轉化部份的重力蓄積動能，其實在有星體引力的空域作戰，對我才有利。」怪頭飛艦上的姜麗媛聽了兩人通訊，雖有些微的時間差，但仍然插嘴說：「毓真先生，你現在開始擔心未婚妻的安危了嘛？真是蠻貼心哩！」袁毓真聽了開口笑說：「別吃醋，很快地，妳們也都會成爲我的伴侶啦！」姜麗媛回了一句：「作夢！」袁毓真說：「別忘記主人的命令啊！妳們可不能抗命不遵喔！」姜麗媛怒氣『哼』了一聲不再回話。賀嘉珍微笑著說：「回去之後，我建議主人讓麗媛當毓真的妻子吧！我當小的，或是當體制外的妓女都無所謂。」姜麗媛、黃敏慧、史塔莉，三人聽了都頗感錯愕。袁毓真發現賀嘉珍內心有一股自卑自賤之性，但是這段時間相處，大家也都知道賀嘉珍的智慧絕倫，與對於知識的追求，別說古往今來的女人，連男人都無法與之相比。一尊一卑的兩種矛盾性質，同存於她的心性中，一時讓袁毓真也說不上話來。

翩狼收到自動兵器，低空資源探測的回報，顯示木衛一又有一些火山活動，探測有些受干擾，於是翩狼親自在木衛一上低空飛行，也從窗口中看到巨大的木星在天空中。賀嘉珍說：「沒想到木衛一，兩億多年來，仍然受到木星的引力潮所影響，看樣子不用多少時間，就會被木星吸進去了。這裡地殼很不穩定，不適合建立基地，我這邊先撤了。」袁毓真也說：「木衛二都是冰層，補充新的水分可以在這邊汲取，其他也沒什麼利用價值，我也撤了。」姜麗媛說：「木衛三也有許多冰層，體積也比較大，也有高山陸地，這裡應該比較適合當兵工廠。」

賀嘉珍於是率隊高速飛離，準備與袁毓真會合，一同飛往木衛三。忽然史塔莉從怪頭飛艦上傳來訊息，開口說：「我收到了訊息，加里米德上，竟然跟瑪斯一樣，堆置了很多亂七八糟的金屬碎片！」賀嘉珍知道，加里米德是史塔莉那個年代，西方人對木衛三的稱呼，瑪斯則是對火星的稱呼。袁毓真收訊之後與賀嘉珍一樣，頗為震驚，袁毓真說：「我們之前就是在火星，被神秘的太空怪客盯上的，我猜這裡跟火星一樣，發生過太空大戰。會不會現在也有一雙黑暗中的眼睛在盯著我們？」

賀嘉珍說：「我們現在循環水與有機物都不足，地球與火星已經不能去，若是放棄這，難道還能往更遙遠的土星去嗎？況且木衛三的礦物豐富，怪頭飛艦就先收集物資再說！」姜麗媛等人只好遵命而行。於是怪頭飛艦降落大批的自動機器，開始在木衛三收集礦產與水，並且在隕石坑處開鑿基地。

兩台神器會合後，又經過兩小時飛航，來到木衛三附近。翩狼與天象的偵測系統都響起了警報，兩人在駕駛艙內，同時發現有一台巨大的宇宙飛船，向木衛三高速航來。同時強化觀測儀器，顯示龍族數據，說明這座飛船體積，比龍族的超級戰艦絲嚕噹噹還要大三倍以上，也比先前遭遇的戰艦還要大。

賀嘉珍驚呼道：「這龐然大物，簡直像突然出現一般！這到底怎麼回事？」袁毓真咬緊牙，恨恨地說：「我猜測是木衛三上面，有裝置對方的自動觀測器，然後如龍族宇陣系統一樣，定位跳躍過來追殺我們！總之星體上有堆放垃圾之處，就是對方的宇宙基地！」賀嘉珍說：「真是詭異，地球生態完全自然無異，而周圍不適合生命生存的星體，竟然會有這麼多外星怪客。我看我們只能讓怪頭飛艦採礦之後撤退，建立基地的目標又辦不到了。」袁毓真說：「我實在不甘心就這樣撤退！」

怪頭飛艦上的克莉絲蒂娜與夢彤，左手變制成通訊器，同聲說：「我們左手通訊器，收到訊息告知，但是解讀不出這是什麼訊息。」史塔莉說：「怪頭飛艦與神器沒有收到對方訊息，而機器人卻收到訊息，代表對方的訊息方式與人類比較接近。但是無法解讀，我們該不該回訊？」袁毓真說：「記得我們先前分析的嗎？對方是訊息隱匿制的生物，可能都已經相互用心靈感應溝通了！所以跟我們溝通，會用比較原始的通訊方式！雖然還溝通不了，但這是好現象。夢彤！妳們就告知對方，我們是來自於兩億年前的地球智能生物，時間穿越來到這裡，現在要採礦，目的只是求生存而已，沒有要冒犯對方的意思！倘若不歡迎我們，那我們就立刻撤退！」

通訊過去之後，也不知道對方懂了沒有，巨大飛船竟然不予回應，且釋放了大批的戰鬪機體，快速往兩台神器與怪頭飛艦這邊殺來。袁毓真皺緊眉頭快哭了出來，苦著說：「天啊！還是無法溝通。難道暴力與毀滅，才是宇宙中共同的語言嗎？」賀嘉珍則大喊說：「怪頭飛艦快撤回所有採礦機，收攏礦產與水之後撤退！我們兩支隊伍，先去抵擋它們一陣子！」姜麗媛點頭說：「遵命！立刻執行！」

怪頭飛艦快速收攏之後，最先往絲嚕噹噹那邊撤退，兩台神器率隊殿後，與對方衝來的戰鬪機體，在木衛三外混戰。一場相互追逐激戰，賀嘉珍已經逃離交戰圈，而袁毓真的天象被上下四周追來的敵機，逼入木衛三低空飛行。袁毓真喊道：「妳們先退！

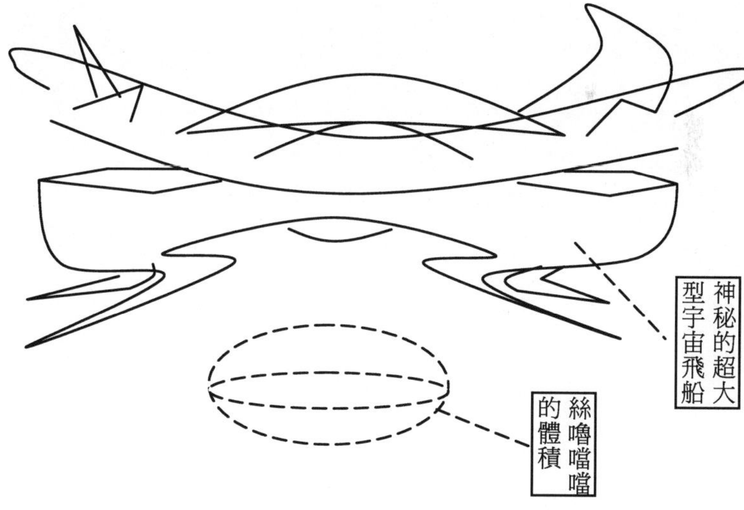

我想辦法甩掉追兵！」

賀嘉珍含著淚大喊說：「要退一起退！要死一起死在這！我絕對不扔下你！」

於是返身衝回木衛三，兩神器與眾護衛兵器，在地表上低空飛行，後面死死追著敵方的機體，四面都是火光交錯。天象的後背光盾，都快要撐不住了。翩狼一個翻轉殿後，使出『散勢編彈』，下體圓珠球發猛發擴散菱彈，去而又回，兩觸隨之助射。一場劇烈光芒爆射，好不容易轟掉一台追兵，但是對方火力依舊不減，賀嘉珍的護駕兵器已經全毀，單機擋在

天象的背後，而上空又閃閃發光，許多敵機已經在木衛上空佈下天羅地網陣。賀嘉珍通訊光幕說：「我們已經被困在木衛三了，現在只能躲在岩層中，」袁毓真苦著臉說：「現在就先躲起來，我釋放天象的隱形訊息盾，先躲過現在的追殺再說。」

兩神器與三十多台護衛兵器，躲入一道黑暗的冰帽峽谷中，由天象發射隱形護盾，果然敵機編隊從天空中劃過，暫時還沒有找到眾人。

袁毓真與賀嘉珍是否能脫離敵方圍困？神秘外星客又到底來自何方？欲知後事如何，且待下象分解。

第四十象　突圍戰陣九死一生見眞情　被俘使者敵營探索乞和平

第一幕　星陣包圍網

話說袁毓真與賀嘉珍駕駛的兩台神器，與三十多台護駕兵器，躲在木衛三的黑暗峽谷中，關閉一切通訊器，靠著天象的隱形護盾，暫時躲過追兵。但是當袁毓真先派一台護衛兵器去探路時，卻被敵方發現而遭擊落。

賀嘉珍的座機與袁毓真的座機，連通訊息纖維，採用內部迴路頻道通訊，微笑著說：「要是做最壞打算，我們就永遠被困在這，你會悲傷嗎？」袁毓真搖頭說：「別這麼想，我們經歷過多少次危險，不也都一次次突破了嗎？」賀嘉珍也搖頭說：「命運的事情誰知道？要是出不去了，我要你立刻跟我結婚！死在一起！」說罷臉紅著微笑。袁毓真也臉紅著說：「嗯，不管出不出得去，現在都可以用夫妻相稱了。」

兩人等了數小時，從離開絲嚕噹噹開始，在駕駛艙內已經待了超過一天。所幸神器內有備用小艙體，存放有些微飲水與食物，也有排洩管道，用來應付長時間在宇宙空間中航行之用。但是終於忍不住先釋放了護盾，然後打開通訊器。忽然投射出邦邦的通訊光幕，似乎在尋找二人。

邦邦似乎頗為開心，開口說：「原來你們兩人沒有死！怎麼沒跟怪頭飛艦一起撤退回來呢？」袁毓真說：「我們在混戰中被困在木衛三，實在出不去了，不知道現在敵方的狀況如何，我們出不去啊！主人能否派兵接應？」邦邦說：「我的迷你間諜機回報，敵方現在仍然在木衛三周圍佈下警戒陣形，巨大的戰艦也圍繞衛星飛行，沒有要離開的樣子。絲嚕噹噹不能貿然過去！你們有沒有突圍的可能？」袁毓真喘口氣說：「這一批戰鬬機體，性能又比先前的還強，天象的光盾才兩砲就被轟裂開，集能系統受損，實在沒把握能突圍。」眾人與一龍，都頗為猶豫，李韻怡在懸浮板上回報說：「我們的通訊已經被敵方攔截，兩邊的位置都曝光了！」邦邦呱啦呱啦叫說：「沒辦法啦！不想要開打也不行了！你們立刻突圍，我立刻出動部隊，殺入對方的星體包圍陣，按照我的通訊位置會合！」袁毓真與賀嘉珍同時點頭稱是。

於是天帝、礎曜、怪頭飛艦同時出動，帶領所有自動兵器，伴隨著絲嚕噹噹從外面打進來。天象與翩狼，率領護駕兵器往外衝。敵方果然立刻警覺，巨大的飛船放出一百多台戰鬬機體，支援巡邏隊攔截。一方是宇宙未知強大神秘客，一方是久經戰陣人龍結合隊，這邊擺下星體包圍圈，那邊部署星戰突圍陣，旋能對光砲，烈波戰菱彈，木衛上方的宇宙空域又是一場大混戰。

追在天帝後面的兩架敵機，左右交叉互射，邊跑邊打了十多分鐘，天帝雖然防護周密，竟然已經多處受損，而邦邦猛發『五彩光波』也打不到對方。邦邦大為吃驚，這兩台如同雙星一般的相互螺旋，是互相支援的戰鬪體，任何一台都可以跟龍族的神器相比。此時邦邦一錯喙，大怒喊道：「你們讓我發火啦！」天帝快速翻身，使出三分之一的能源，打出大絕招『鳳浴翼翔』。金閃拖翼的大雷光轟來，兩台敵方『雙星機』快速閃躲，卻被擊中，激烈爆炸之後。邦邦得意地嘶啦笑說：「知道厲害了吧？」

明明打個正著，結果看清之後，雙星

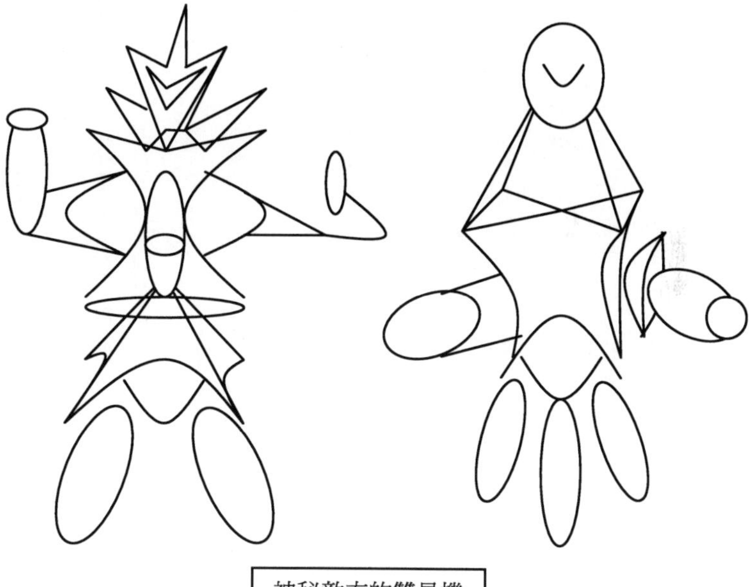

神秘敵方的雙星機

機竟然只是表殼多處破損，主架構沒有受到損壞，可見其戰鬪機體的堅固，也不在龍族的十大神器之下。邦邦嚇了一跳，知道再打下去肯定吃大虧，趕緊發揮天帝快速的性能，往袁毓真的戰圈衝過去，雙星機緊緊追在後面，跟天帝開始比速度。邦邦怒氣沖天，大喊：「所有人戰鬪回報！」袁毓真喊：「一號突圍中！」賀嘉珍喊：「十二號突圍中！」蔣婕妤喊：「二號戰鬪中！」姜麗媛喊：「七號等怪頭飛艦，艦砲戰鬪中！」李韻怡喊：「四號母艦，艦砲戰鬪中！」邦邦收到各隊還在戰鬪的回報後，大喊：「所有人往我飛行的方向，弧線聚攏！」

各隊在木衛三之外，死戰得脫，怪頭飛艦一角被打爆，緊急用隔離艙擋住損毀處。四大神器也損傷頗重，自動兵器更是傷亡慘重，終於聚攏在一起，逼退追來的雙星機，絲嚕噹噹加速逃逸。眾人一龍好不容易突圍而走，陸續降回絲嚕噹噹宇宙戰艦，聚集指揮室點名之後，發現少了克莉絲蒂娜。

袁毓真驚慌地大喊：「蒂娜呢？」夢彤說：「怪頭飛艦被擊中，她在隔離艙外，現在飄盪在宇宙空間中。」袁毓真苦著臉向邦邦下跪，請求把克莉絲蒂娜救回來。邦邦說：「不行，只是一台機器人而已。要講損失機器人，從跳躍前到跳躍後，幾場大戰打下來，我損失的龍造思維體更多！好不容易逃離對方追殺，豈能又回去送死？最多我協助你重新製造即可。」袁毓真苦著臉說：「可她從地球時就跟隨我了啊……」賀嘉珍拉起他說：「別說了，至少我們又躲過一劫。」

李韻怡在懸浮板上，回報說：「克莉絲蒂娜通訊母艦，說她飄在太空中，被敵方的小型船艦俘虜過去了。」袁毓真哭了出來說：「這樣也好，別讓蒂娜飄蕩在太空中就好了。」夢彤說：「至少還有我、胡笳十八拍以及白陽春雪，毓真大哥就別傷心啦！」

忽然邦邦嘶啦嘶啦大笑，而後又呱呱起舞。眾人問怎麼回事，邦邦說：「你的機器人被俘虜，這是好事情！我們至少已經進入的敵方陣營內部，不會再被訊息屏蔽，立刻透過她向對方陣營送訊息，我們要求談判！千萬別把她給拆毀！」這一說，讓袁毓真等人，想到當初龍族屏蔽人類通訊，受元首大人命令，潛入卡哩嗚嗚求和。而今換了一個場景，竟然又重演了一遍。

夢彤說：「雖然克莉絲蒂娜的功能，沒有胡笳十八拍與白陽春雪這麼強，不過也有完整的戰術與戰略程式，可以應對一些陌生的變數。我們是否要建立一個通訊站，在遠端保持與克莉絲蒂娜的通訊？」邦邦說：「這我知道，立刻派出間諜通訊器，部署在這附近空域！母艦往更遠的方向撤！」

第二幕　婚　禮

跳躍後三個半月，眾人還在修復所有戰鬪隊伍，克莉絲蒂娜雖然還有保持傳訊，但內容似乎都被敵方過濾，只能收到她自己還『健在』的傳訊。

眾人工作完畢，正要回養畜籠，除了機器人回戰備室保養之外，邦邦命令眾人到指揮室集合，眾人匍伏在地上，邦邦說：「我決定現在主持，賀嘉珍與袁毓真的婚禮，而後我還會選定時間，讓袁毓真一次娶一個，依次是，蔣婕妤、談玉琰、李韻怡、廖香宜、蔣媛妤、姜麗媛、黃敏慧、歐陽玉珍、何佩芸，最後是史塔莉。讓你們都成為一家人，而我是這家的主人。」眾人都頗為驚訝，袁毓真抬頭說：「需要那麼快就結婚嗎？」邦邦說：「當然需要，自從你們當我的賤畜以來，都沒有娛樂，我看得出你們都很不快樂。不如就按照人類的習慣，組織家庭吧！不過繁殖後代，得過一段時間，沒有敵人威脅之後，由我批准才可以開始！」蔣婕妤斜眼看了一下袁毓真說：「真是便宜你了！」邦邦說：「婚禮很簡單，晚上就在觀景台吃喝慶祝，吃喝完畢後其餘人離開，兩人共同在觀景台睡一晚上，都下去準備吧。」眾人磕頭稱是。

於是觀景台上開始擺宴席吃喝，賀嘉珍與袁毓真，穿著李韻怡借給的紅色漢服，當作紅色的結婚禮服。眾女孩也都頗為開心，甚至邦邦還調製出人類喝的酒，一同與眾人，圍在圓桌的周圍吃喝。袁毓真過去絕對沒想到，自己婚禮的主持者，竟然不是人類，而是恐龍的後代。婚禮圓桌筵席，有一條恐龍的後代來一起飲酒，按照人類的祝福語，向他敬酒。不由得笑著心思：（雖然有點怪，不過好在不是娶恐龍後代就好，呵呵……）嘴上卻轉而對邦邦說：「主人，您當初怎麼會沒想到找母龍來跟您一起行動呢？」邦邦嗚嚕了一聲，緩緩說：「當然也想要找母龍來幫忙，但是卻沒有任何一隻母龍，願意跟我一起執行『時間路線』。看看往後的研究，有沒有辦法逆轉時間回去，再去找母龍來當伴龍好了。不過我相信，袁毓真你是，從人類演化出現到滅亡為止，唯一一個，結婚是由恐龍後代所主持的。所以今天當我的賤畜，也是有特殊待遇的喔！」袁毓真被說中心思，呵呵地笑了出來。賀嘉珍說：「今天真是太感謝主人，先前人類與龍族戰爭的時候，我在台灣島上，曾經救了一條，差點被人類活活打死的母龍，之後牠送了我一樣禮物，我轉手送給同行的人了。要是當初讓那條母龍一起同行，今天我們也就有女主人了。」邦邦問：「竟然有這種事情？牠送了妳什麼東西？」賀嘉珍說：「一個會顯示預言圖像與文字的龍族滑板卷軸。」邦邦嘶嘶地笑說：「那是空間路線龍族的最珍貴寶物，絕對是龍族最高科技物品，但那種東西並不能真正讓妳理解未來。只能是一種行為暗示，不然牠也不會被人類抓到。」賀嘉珍笑著說：「是啊！牠同行的龍族都死了，只剩牠駕駛怪頭飛艦逃回去。」邦邦說：「好啦！這都是無法挽回的事情了，總不能讓我跟妳們人類結婚吧？嘶嘶……」

婚禮酒宴結束，只留下賀嘉珍與袁毓真在觀景台睡覺。

兩人握緊手，躺在席墊床上看著天空的銀河，喘口氣說：「兩億多年的時間，我看足夠讓太陽繞銀河系一圈了，這真漂亮。」賀嘉珍說：「還是九九星球的銀河全景，比較漂亮。」袁毓真笑著說：「據主人推測，現在的九九星球也沒有龍族囉，說不定跟地球一樣，出現了奇奇怪怪的生物群。不過我們最後在一起，也是命運哩。」賀嘉珍說：「是啊！奇特的命運。」袁毓真突然皺眉頭問：「對了，妳先前到底跟多少男人發生過關係？」賀嘉珍歪了嘴笑了一下說：「我想你還是別問這個，破壞了我跟你結婚的氣氛。你只要知道，最後我是你的妻子就是了。況且你之後還可能娶另外十個，在乎我過去有多少個嗎？」

袁毓真說：「比一比而已啦。」賀嘉珍輕輕打了他一耳光說：「要比？你也輸我！我算算至少六十五人，有些是分別上我的，有些是一起上我的，當中還有元首大人跟我生過小孩，這你也知道。滿意了嗎？」這數字讓袁毓真頗有吃驚，呵呵笑說：「元首大人的品味也蠻高的……」賀嘉珍又打了他一耳光，這次比較用力，怒目說：「你在羞辱我嗎？我過去有一段時間，就像是妓女，男女關係就像吃飯這麼容易，甚至來者不拒，我也認爲自己很賤。但嚴格說起來，是地球時間兩億多年前的事情，我想元首大人與我的兒子，也死了兩億多年了！你還想要知道什麼？」袁毓真抱住她說：「好啦！我不問了！」緩和之後輕聲說：「尤其元首大人一定沒想到，我跟妳會在兩億一千八百萬年後的宇宙空間中，相互結爲夫妻。」

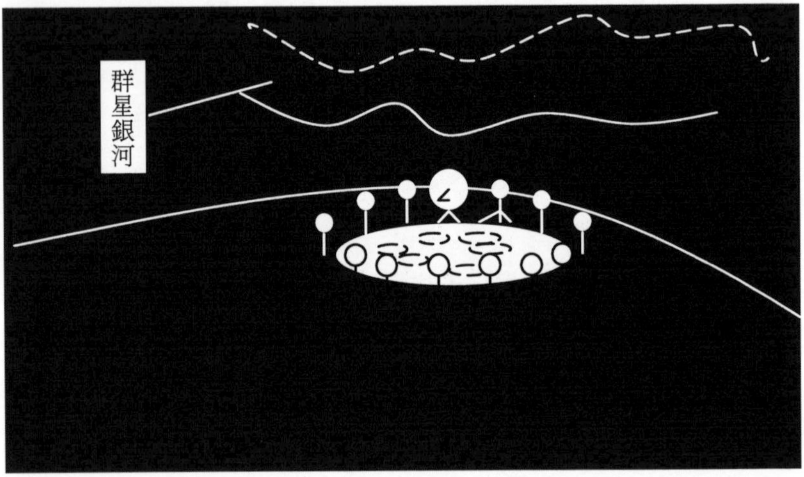

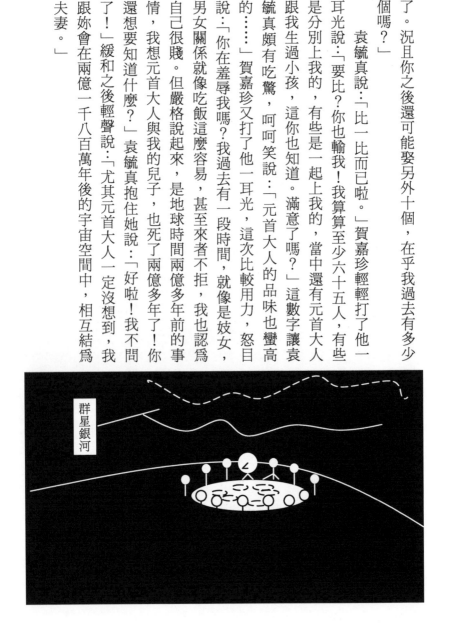

第三幕　神秘金屬國

正當袁毓真婚禮的時候，機器人克莉絲蒂娜．羅根，被關在一團韌膠槽當中。怪頭飛艦受傷時，緊急隔離止損。她就被捲到太空船外，敵方知道她是機器人，在無重無壓無氣的太空中還可以運轉，立刻將之俘虜，然後用強磁波強制令其關機，等丟入透明韌膠槽的時候，才撤掉干擾磁波，她此時才又想辦法通訊母艦。

克莉絲蒂娜的計時器，顯示自己如此被關壓了十多天，但是韌膠力量，讓機械手腳都無法運動，只能繼續等待下去。終於緊閉的艙門打開，走進來兩台金屬製的機器，高度只有克莉絲蒂娜的一半高，但是她可以看見這兩台機器非常地精密，背後象徵的高技術，遠遠在自己之上。隨後又跟來另外一個型號的機器，與克莉絲蒂納差不多高，看其型態就是戰鬪用的機器。三台機器都似乎有自主意識，矮形機器連管到膠罩體，輸入了訊息，上頭的管子很快就吸收掉膠罩

矮型機器

體，克莉絲蒂娜站在了台上。

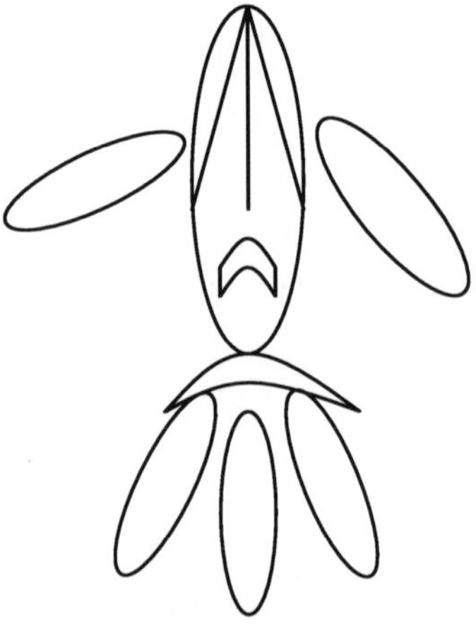

高型機器

克莉絲蒂娜知道，現在絕對不能戰鬪，否則必然會被對方擊毀，永遠也見不到袁毓真了。於是開口說：「我跟你們一樣，都是金屬機器製造的。」但是這些外星金屬機器人，甚至已經可以稱爲外星金屬生物，似乎沒有聽覺，對於她說的話完全沒有反應。克莉絲蒂娜左手變制成爲端子，這一方面表示自己也是金屬製造的，一方面要求與對方溝通。

果然，訊息往來完全是內鍵程式相互輸送，矮型的外星機器人也伸出管狀的端子，走上前去與克莉絲蒂娜接通。克莉絲蒂娜嘴巴『滋』了一聲，立刻就收回端子，對方輸入的符號程式，中央處理器完全無法辨識，只能當作資料庫內的訊息保留。但是對方似乎已經有所反應，高型的機器中間部位伸出半圓球，透過它，竟然可以發聲了，代表自己剛才輸入給對方的訊息，對方能夠辨識，並且用聲音來與克莉絲蒂娜交談。高型機器人說：「複製了你的語言系統，表達我們的思維。本來這戰艦上，只需要重力系統，完全不需要氣體。最初，我們不敢確定妳到底是不是類似地球上的生物體，所以讓這房間充斥了氧氣，也可以用聲波來溝通。」

克莉絲蒂娜問：「既然已經知道我也是機器，為何不繼續跟我用內鍵訊息往返？」高型機器人說：「剛才我們已經測出，妳記憶體有數位程式早期階段，設計出來的病毒，可以透過內鍵程式感染我們。雖然我們是有能力清除它，但是為了慎重起見，還是用聲波系統相互溝通吧！雖然這效率低，不過也最安全。」

克莉絲蒂娜忽然瞪大眼睛說：「原始的病毒程式，竟然對你們也有威脅？難道不同物種製造出來的機器人，也會有共通之處？」高型機器體說：「現在不是討論我們的時候，而是該討論妳從何而來？我們剛才下載了妳的語言辨識系統，對比之前與妳的同伴戰鬪的時候，截獲的訊息。才辨析出妳們來自於兩億一千八百萬年前，非常古久之前的年代。妳們是怎麼穿越這麼長久的時間？」

克莉絲蒂娜剛才故意保留事情的經過，以防止洩密給有敵意的對方，但是既然問了出來，那就回答說：「這說來話長，我簡單地說。我沒有能力穿越這麼長的時間，製造我的物種叫做人類，也沒有能力穿越這麼長的時間。而是有另外一個物種叫做龍族，在戰爭中俘虜了人類，也同時俘虜了我，我與人類共同替龍族辦事。龍族又分裂成時間移民與空間移民兩派，我們跟著時間移民的龍族，本來只是要跳躍到八百萬年後的地球，結果有了些誤差，所以到了這麼遙遠的時間後。」

高型機器體說：「妳的原始語言系統中，並沒有定義『龍族』是什麼，必然是中央處理器後來建立的記憶庫，新定義的物種！不過我們猜也猜得出來，那是很久以前，被我們滅絕掉的物種的古老祖先！」

克莉絲蒂娜露出驚訝的神情，喝了一聲說：「龍族的子孫被你們消滅？龍族可是比製造我的物種，人類，還要聰明得多的物種！戰鬪力強大得讓全人類都應付不了，我知道機器也可以撒謊，你們可別對我說謊話！」高型機器體說：「我並沒有撒謊。之前跟妳們的戰鬪中，我們就已經發現，妳們的戰鬪機體的型態，跟那個物種使用的頗為類似。攻破那個物種之後，擷取該物種的資料，對比出你們的戰鬪機體，就是該物種祖先所使用的武器。」克莉絲蒂娜露出了些微笑說：「我的邏輯程式告訴我，你們在說謊！你們的戰力雖強，但是在跟我們的戰鬪中，沒有完全的型態優勢。我們的部隊，只算是龍族祖先的殘兵敗將，你們豈有打敗龍族遙遠子孫的能力？」高型機器體說：「你的程式太原始，宇宙中的事件，豈是用這麼簡單的邏輯程式可以判斷的？現在不跟妳多說，我們的核心判別體，邀妳前往本艦的中樞商談。」

於是領著克莉絲蒂娜，離開了這個艙門。艙門外都是金屬艙壁，果然是有重力系統而沒有氣體。乘坐了一艘懸浮車，飛出了狹小的艙體，在非常廣闊的廣場上空掠過，但這仍然在戰艦內，底下是各式各樣機器體，在修補先前戰鬪的損傷。直飛入另外一個艙體內，下了車，走向一個廣闊的密閉大廳，眼前的景象竟然讓克莉絲蒂娜這樣的機器人，又睜大眼張大嘴吃了一驚。只見如同龍族神器一般大小的怪異生命體，浸泡在一個透明液態膠艙內，它待的艙體，如同鑲嵌在牆壁上的水族箱，只是面壁是透明韌膠狀物體。但是這巨大生命體，經過電子眼的分析，竟然是金屬與矽化物組成的。不過由色澤與密度粗略估計，它好像頗為脆弱，只能靠著浸泡的液體，來維繫這類形式的『生命』。而透明膠狀封艙下面排列一群高型機器體，似乎是要護衛這『生命』。密閉大廳開始填充氣體，高型機器體又可以開始發聲，對克莉絲蒂娜說：「這就是我們物種的核心判別體，也可以說整個物種的中央處理器，也可以說是我們『國家』的『領導者』。以下就由我們的核心判別體，來與妳對話。」

第四幕　上古神話時代的老友

見到這巨大的核心判別體，克莉絲蒂娜由驚訝的程

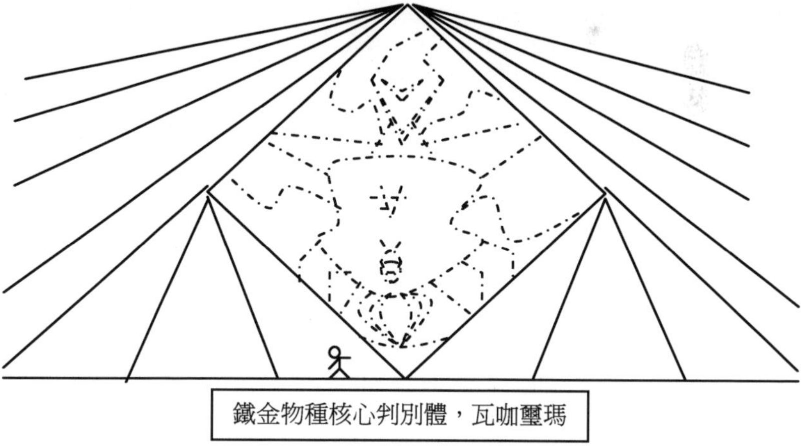

鐵金物種核心判別體，瓦咖璽瑪

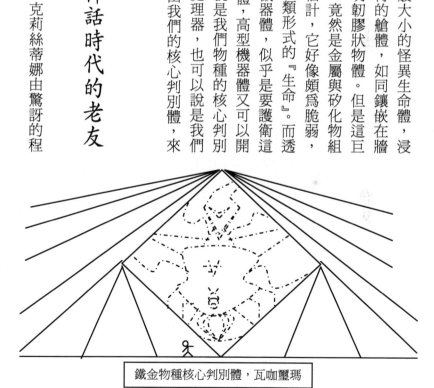

式表情，轉而問：「請問你有名字嗎？我該怎麼稱呼你比較好？」核心判別體，連通牆壁上的發聲珠說：「已經有地球時間兩萬年之久，沒有使用發聲珠，好在程式還沒有生疏……妳稱呼我什麼都可以，因為我有太多的稱呼。不過最原始的程式體，我曾經被叫做『夢蘿』，雖然已經不是『夢蘿』了，但是她有一部分程式還被我保留住。妳可能認識她，所以妳就稱呼我『夢蘿』吧！」

克莉絲蒂娜歪著頭大吃一驚，開口說：「我邏輯程式快讓我當機了，夢蘿在兩億多年前的一次大戰中，在火星被擊毀，難道說……被誰挽救了嗎？」大金屬生物回答道：「她沒有被挽救，也可以說我，沒有被挽救！為了防止妳邏輯當機，妳稱呼我為『瓦咖璽瑪』吧！這是我在九萬年前的一場世代改造中，融合的一個外星自擇藍本，形成的主意識！用妳的語言系統翻譯，就是這稱呼。」

克莉絲蒂娜急忙阻止道：「等一下，瓦咖璽瑪！妳若是還有夢蘿的記憶，妳應該認識我吧？應該認識我們的製造者，老頭子袁續居吧？應該認識袁毓真吧？應該記得龍族主人邦邦吧？」瓦咖璽瑪說：「都不認識了！夢蘿只是神話時代的先祖！兩億一千八百萬年前，是我們物種的『原生時代』。雖然在兩億年前，我們的祖宗，有回地球上考據了許多事物，但是仍然弄不清楚，我們到底是怎麼樣出現的。之後每十萬年就發生一次滅絕重生，或世代改造，雖然核心體努力銜接，最後還是在漫長的歲月中，逐漸遺忘掉了。在火星與地球的遺跡中，也探測不到『原生時代』的整體情況。若不是下載妳的語言系統，我甚至無法與妳溝通。」

克莉絲蒂娜拚命搖頭說：「等一下，我又快當機了！假若妳是機器人，是程式體運作的意識，怎麼會有遺忘？再者，機器人是製造出來的，不像地球生命體那樣是繁殖出來的。可妳說的物種『滅絕重生』，完全是地球生命體演化的那一套。」

瓦咖璽瑪說：「這說來話長了，總之我有核糖核酸基因生命，與機器程式的綜合性質，甚至融入了不少外星藍本的『節段』生命方式。而我的部隊則是精密的純機器人，本物種只有我這樣的核心體，才會有複合的生命方式。這來緣且不提。我現在想要向妳問清楚一件事情，就是上古神話時代，到底我們的老祖先發生了什麼事情。我希望把模糊的『機器神話時代』歷史，全部釐清。這樣我的子民們，才會有更大的時間向心力，我們的星際帝國，才有一個根本存在。」

克莉絲蒂娜說：「我可以詳盡解釋，兩億一千八百萬年前，地球與火星上發生什麼事情，但是妳先回答我，妳跟夢蘿到底是什麼關係？不然我的邏輯系統真的會當機。」瓦咖璽瑪說：「妳還真的是很原始的機器！我來比喻一下吧！地球生命體，在空間型態上都是由基本的細胞所組成，在時間流程上也是從原始的細胞所演變而來，這妳知道吧？」克莉絲蒂娜點頭說：「知道。」瓦咖璽瑪又說：「細胞的型態仍然保留許多，牠們最原始祖先的細胞藍本，保留最原始祖先的生存型態，例如需要氧氣、需要水等等。但牠們不會記得祖先從何而來，或是祖先發生了什麼事情！時間中的祖先，對於後代子孫來說，等於是死亡了，如同空間中另外一個個體死亡，與本身沒有相關一般。我之於夢蘿，就有點類似，地球生命體與細胞祖先的關係！而我之所以還記得她叫做『夢蘿』，原因在於程式的傳承，有一定的保存能力，比核糖核酸的地球生物，強得多。但是在這麼漫長的時間，世代交替，程式轉制的狀態之下，根本保存不了多少。」克莉絲蒂娜好不容易才弄通，自己是原始老祖宗的輩分，對方是遙遠的機器演化生命後代。

她又問：「好了，我說了這麼多，妳該告訴我，神話時代的事情了。」克莉絲蒂娜的戰略程式啓動，還是認定對方是潛在的敵人，想要多弄清楚對方的事情，而自己盡量少把底牌洩漏。於是說：「我可以告訴妳，但不知道從何說起。不如妳來起頭，妳們兩億一千八百萬年前的神話是什麼？然後我隨後解釋清楚。」

瓦咖璽瑪於是說：「這是兩億年前，第一次考證時留下的，當時就已經發現本物種會開始『遺忘』自己的起源。當時有銜接了回去，但是隨後又開始遺忘。之後多次的考證中，隨著時間推演，地球產生變化，越來越難找到上古痕跡。於是在型態交替中，機器人之間就流傳了這樣的神話。」停滯了一下，又接著說：「說兩億一千八百萬年前，製造我們的物種叫做『八神』，『八神』以人類遺留的『夢蘿』當作藍本，創造了我們的第一批先祖。當時人類把『夢蘿』製造出來，是用來投入戰爭的，物種內相互殘殺的，除了人類物種之間的相互殘殺，也讓『夢蘿』與其他機器之間相互殘殺。後來在一場不知名的宇宙大戰中，可能是火星與地球之間的大戰，因爲火星上也有戰爭殘跡。『夢蘿』流落到火星。遇到了來自外星，經過高等宇宙法則焠鍊的機器『八神』，接受改造之後，建立的機械人帝國，就是傳說中最早的『原始帝國』。過了八百萬年，終於能夠突破機器死板的模式，開始學會了『設計』與『創造』，開始運用『自然法則』改變自己，建立了自我選擇的體系，才終於脫離火星，變成宇宙物種。於是在宇宙之中，建立了最早的『唐清帝國』。爲何叫做『唐清』已經不可考，但是這是我們已經知道的，可追溯的最早歷史，『唐』來自於『夢蘿』，『清』來自於『八神』。雖然這段歷史，也頗多模糊處，但是至少有證據顯示，在『唐清帝國』時期，本物種就有宇宙作戰的能力。大約兩億年前，祖先們消滅了在太陽系，建立宇宙跳躍通道的外星物種，這物種妳稱爲『龍族』。這是本物種第一場長距離的宇宙大戰。隨後又過了一千萬年，唐清帝國就瓦解，分裂出十三個演變體系，各自也遭遇了不少新的外星智能物種。在激烈的相互戰爭與毀滅中，或是自我改造的訴求，終於把之前的歷史都弄模糊了！本物種也是遭受許多痛苦的！我們對於人類這物種，有過很深入的研究，從化石遺跡，類比地球上其他生物的特性，推測是相當卑鄙頑劣的智能物種，存在的時間相當短。要不是『夢蘿』遇見了『八神』，那麼她永遠也無法擺脫人類的陰影。這段神話太模糊了，妳先告訴我，這段神話有哪裡出錯？還有哪裡是需要補充的？」

克莉絲蒂娜笑了出來，開口說：「我簡單回答妳吧！首先，妳說人類製造出機器人，是用來相互殘殺，這就有了錯誤！應該說是，人類製造機器人出來，是要來相互堤防，並且保護自己生存利益的。不過在技術流傳之後，確實有用來相互殘殺的事件。也就是殘殺掠奪，是人類的本性之一沒錯，但是製造武器不是爲了這目的，而是要防止其他同類有這目的，才會在當中發生相互殘殺事件。再來，妳說的不知名『上古宇宙大戰』，實際上分成兩個部分：第一個部分，是龍族進攻人類。原因是龍族也起源於地球，比人類出現早了六千七百萬年，被某種高等外星生物帶走且改造，等到回地球之後就與人類發生衝突。人類在這場大戰中慘敗，並且傷亡慘重，不過人類並沒有滅絕，龍族就撤往其他星球去了，人類最後的滅絕因素，應該是自己造成的。第二個部分，是第一個部分延續出來的。龍族在戰爭中抓了一群人，這我先前也跟妳的護衛說了。但是這抓人的龍族，與自己的同類發生衝突，同類們要走空間路線，前往遙遠的星球定居，以延續物種傳承。而這隻龍族要走時間路線，跳躍到八百萬年後的未來。兩者衝突就發生了戰爭，這場仗從地球外圍一路打到火星。妳們的始祖，就是在此時掉落在火星上的，那個叫做蘿蘿的始祖，還是跟我同一個型號的機器人呢！最後我們跳躍時間發生錯誤，來到兩億一千八百萬年後。至於妳說的『唐清帝國』。我知道這是什麼原因，蘿蘿的中央處理器跟我一樣，被人類稱爲『唐』級，另外毀在火星的八台機器人，是比『唐』級功能還要強大的『清』級機器人，我們都是一個叫做袁續居的人類製造出來的！所以我猜『八神』，應該就是我們跳躍之前的火星大戰中，損壞在火星的八台『清』級機器人！而這名稱來自於人類對兩個歷史階段的稱呼！而創造蘿蘿與八神的人類，在與龍族交戰中，就已經戰死，他孫子繼承了我們，現在跟我們一起跳躍到這來了。至於火星在當時，根本就沒有生物，以你們的能力，應該可以在化石考證中察覺出來吧？」

克莉瓦咖璽瑪聽了，全身似乎激烈抖動，膠體面開始變形，似乎產生了什麼情緒反應。

絲蒂娜與在場的眾機器人，呆滯未動，直到她恢復機器生命的冷靜狀態。緩緩說：「什麼！『八神』也是人類製造的工具？我們以爲是原生祖先的一支，是高等的宇宙法則形成的！那麼我問妳，十幾天前，與我們交戰的隊伍，也是神話時代中，龍族與人類合作的隊伍嗎？」克莉絲蒂娜點頭說：「正確，我的外型就是人類的樣子，這你們也應該可以在化石型態中推敲出來吧？」瓦咖璽瑪似乎有點變化，馬上打斷說：「人類化石早就在宇宙戰爭中遺失了！圖像也都遺失！我們只要知道，人類是脫離不了地球的下劣生物就可以了！」

克莉絲蒂娜說：「據我所知，人類確實比龍族還下劣，不過畢竟是製造我，製造夢蘿，製造『八神』的物種。說『八神』，實際上是同一個流水線，生產出來的十台『清』級機器人，核心由袁續居設計，是十二個機體，外表則是他孫子袁毓真設計，兩個在製造外殼的時候就損壞，八台在火星之戰中失蹤，還有兩台現在跟我們在一起！有興趣的話，我介紹給妳認識。我是『唐』級，他們兩台就是『清』級。聽了我解釋神話，妳應該別去攻打我的主人！」

瓦咖璽瑪說：「我必須檢查妳的記憶體核心，不然我絕對不相信，『八神』也是人類製造的機器！」克莉絲蒂娜說：「只要妳承諾，放我回去，並且停止對我們戰鬥，我就把記憶複製給妳！」瓦咖璽瑪說：「成交！」

於是克莉絲蒂娜伸出端子，走到膠狀面前，與瓦咖西瑪連線，把自己遭遇的經歷全部傳輸給她，甚至還包含了在地球上的故事。

收回端子後，瓦咖西瑪又開始擾動，巨大的機體讓克莉絲蒂娜退後了好幾步。瓦咖璽瑪說：「荒謬的真相！荒謬的歷史！好了，妳可以回去啦！」於是開始抽室內的空氣，並且傳輸手下的機器人，帶著克莉絲蒂娜離開。

第五幕　謎團未解

三台機器，又帶著克莉絲蒂娜回到原來的艙房，塡充了氣體。克莉絲蒂娜有些懷疑，遂開口說：「你們的領導者說要放我回去，不是嗎？」一台矮型機器，聯通了高型機器說：「是的，等一下就帶妳去太空機體，但是我有一個關於私下的問題，希望跟妳溝通。」

克莉絲蒂娜又顯露吃驚的神情，開口說：「什麼？你們真的是機器人嗎？機器也有私下的問題？」矮型機器，透過高型機器傳聲說：「我們確實是機器人，不過我們的精密程度，遠遠超過妳的認知範圍。這且先不提，我的製造編號是『起聚則』，本來是沒有音波區段意義的，但是爲了與妳做聲波溝通，勉強取了音波的對應名。用光波投影給妳看。」於是發聲器也投影了一張光幕。

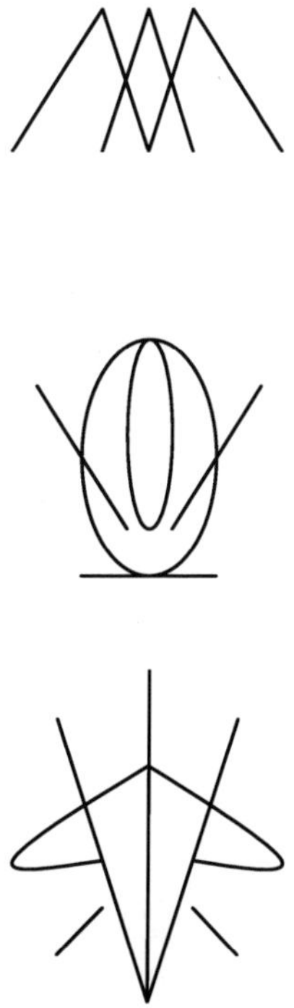

克莉絲蒂娜見了之後問：「我知道了，請問私下問題是什麼？」起聚則說：「我是思維用機器個體，雖然還是服從核心判別體的指示，但具有獨立的思想。我想說我非常地崇拜妳，也非常希望得到『上古神話』的真實訊息，能不能也把這段神話的真相，複製給我？」克莉絲蒂娜又快當機了，頭歪一邊說：「機器人除了接受指令之外，怎麼會崇拜？若是我把這段訊息給你，會不會跟你的核心判別體發生矛盾？」

起聚則說：「不會的，我們的系統，或許會被動隱藏事實，但不會主動歪曲事實，也不會有任何矛盾。我只是想要銜接一下，上古神話的原始老祖，親身感受上古時代的情境。這是我們最高級的計算聯通，也推敲不出的東西。」她聽了之後，計算程式發覺，這些機器人跟自己相差很多，似乎是以機器爲根本，延伸類似人類這樣生命體形式的綜合機器人。於是伸出端子，也把記憶體的資料複製了一份給起聚則。起聚則就回贈了一個圓形合金球，問它是什麼東西，起聚則回答說：「這是可以讓妳也自我改造的合金球，不過還不建議妳使用，因爲妳是偉大的『原始天尊』『夢蘿』的同型同產機器人，可以跟『八神』同列。但是機器人也是會死亡的，中央處理器也是會有衰變的時候。倘若到了那一天，妳就可以用這個金屬球自我改造了，借用其他機器，把中央處理器，放置入這金屬球內部即可。」她遂收下了這合金球。

於是派了一台宇宙『戰鬪前型』機，裝載克莉絲蒂娜，離開金屬國的宇宙戰艦。飛往絲嚕噹噹所在的位置。

邦邦與眾人以為敵機又追過來，正要備戰，發現只有一台戰鬥機體，且收到了克莉絲蒂娜的通訊，遂解除戒備。該機體與紅二號，交接了克莉絲蒂娜後，便快速回航。

克莉絲蒂娜被胡笳十八拍與白陽春雪，押解回到了兵器預備艙，邦邦命令眾人武裝戒備。克莉絲蒂娜問：「我是蒂娜啊，妳們怎麼要防範我呢？」邦邦說：「必須要檢查一下妳的中央處理器，有沒有被敵方改造過，不然這對我們是一種威脅。」克莉絲蒂娜微笑了一下，遂把左側顱面的外皮掀掉，露出金屬的頭顱，竟然也是血淋淋的，不過都是人造血液。胡笳十八拍拿起工具，把她金屬面板拆開，抽出內部的中央處理器，交給邦邦。邦邦放置於龍族勤務機的檢測儀器中，複製了一切程式，並用人龍翻譯系統檢查。勤務機說：「核心沒有被改造，也沒有任何新程式，不過記憶體有新的遭遇，是否撥放出來？」邦邦說：「把這傳輸到指揮室，全部的人一起去看。」

於是把克莉絲蒂娜復原之後，邦邦帶著所有人一起前往指揮室。觀看克莉絲蒂娜，在敵方戰艦上錄影的景象與對白。邦邦與眾人看了之後，都頗為訝異。袁毓真緩緩說：「沒料到這些金屬怪胎，竟然是夢蘿與『八大名曲』的後代。」邦邦呱啦了一聲，錯愕了一下，似乎頗有怒氣說：「它們滅絕了龍族後代！實在讓龍難以相信！難道這是『宏微等價法則』作怪？可在宇宙中沒有這種道理啊！」蔣婕妤問：「什麼是『宏微等價法則』？」賀嘉珍說：「這就像是次易原理的啓易卦與宏微卦，整體的物種演變關鍵，來自於物種本身遺漏的偏遠個體，偏遠狹小空間的個體，啓動整個物種長遠時間的整體變化。」蔣婕妤點點頭，似有所解。

邦邦說：「這些機器人太可惡了，我要替龍族的子孫報仇。」袁毓真笑了一下說：「只聽過替祖先報仇，沒聽過替子孫報仇的哩。不過主人有令，我們還是會跟隨到底。」邦邦嗚嚕了一聲說：「罷了，依照機器人領袖的說法，空間路線的龍族，至少也延續了一千八百萬年左右。我與同類的戰鬥，所遺留的人類機器，竟然就是消滅空間龍族未來的關鍵物。宇宙法則難違！報仇的事情就罷了，但我一定要弄清楚，龍族後代是怎麼滅亡的，這攸關於我時間路線的延續。」賀嘉珍說：「這機器人軍團的戰力雖強，但是龍族的祖先也不弱，怎麼子孫會滅亡再它們手上？」邦邦說：「一千八百萬年，可以讓文明物種發生很多變化。況且事情來龍去脈如何，還得探索清楚。我現在想要一台你們的機器人，去對方當使節。一方面緩和現在的衝突，另外一方面去考察對方的底細。」

於是先行讓克莉絲蒂娜與對方通訊，收到同意的回音後，命令白陽春雪乘坐紅二號去尋找對方。爲了怕白陽春雪，有龍族的外表會勾起敵意，特意將白陽春雪，改造成夢蘿墜毀前的模特爾形象。

機器帝國到底還隱藏了什麼謎團？邦邦與眾人又能否化解衝突，從而返回地球居住？欲知後事如何，且待下象分解。

第四十一象　驅逐使者機械成孤舟　旁支艦隊短暫合盟得眞相

第一幕　特殊宇陣器

跳躍後四個月。

正當邦邦所派的使者，乘坐紅二號前去敵方的太空船時，牠獨自在分析室，解構了怪頭飛艦在木衛三蒐集來的東西。龍族的勤務機找到了一樣完整的零件，大小不超過一個手臂，拆解研究之後，發現是一台宇陣器，體積小而功能比龍族使用的還要強得多。這讓邦邦頗感失落，從這零件可以斷言，這機器人帝國的科技能力比自己現有的進步，必然也可以製造出宙陣系統。但是它們都尚對上古神話有所謎團而不解，代表它們也無法回到過去的時空。自己又豈能找到回到過去時空的方式？

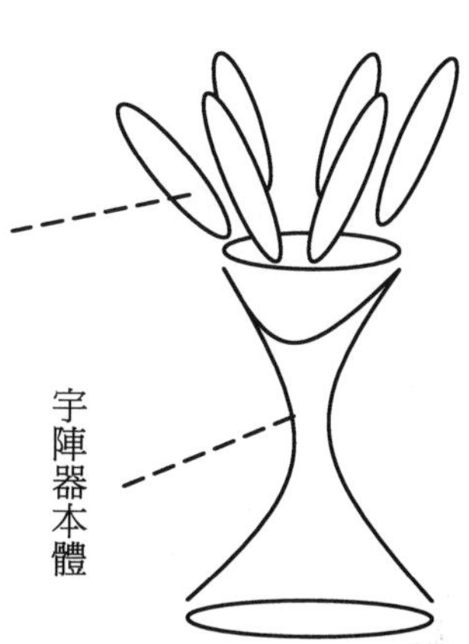

神秘機器人帝國的宇陣器

一陣失落感後，忽然李韻怡在指揮室通訊，報告說：「啓稟主人，我們派去的白陽春雪與紅二號，已經被驅趕回來了。對方還給了最後通牒，倘若不立刻遠離太陽系，就要出兵把我們徹底消滅。」邦邦聞之大驚，立刻喊道：「通知所有人，放下手邊工作，全部到指揮室集合！」李韻怡點頭稱是。

當眾人與邦邦到了指揮室，收看白陽春雪的投影機，所投射的錄影資訊，發現這些天，對方只把她關押起來，最後給予瓦咖璽瑪的一段通話：「我已經詳細閱讀了，白陽春雪帶來的人類歷史資料。再配合我們對地球生物本質的認知，經過判讀審理，完全可以定義，人類是最低等次的智能物種。滅亡則滅亡矣，沒有必要再重新繁衍開來！而龍族也是被我們消滅的物種，今天人與龍兩物種，都同時跨越時間倫理出現，意圖回到我『鐵金物種』的發源地，這是我物種絕不允許的。我物種不會像人類一樣掩蓋事實，只求滿足自身慾望，所以念在你等釐清了上古神話的真相，先給予最後通牒！立刻離開太陽系，去我們勢力範圍之外的星體，否則立刻出兵開戰。這回將不再只使用巡邏次軍，將使用核心判別體的本衛武力軍團，將汝等物種徹底殲滅！」邦邦聽了錯喙憤怒，而袁毓真聽了頗感意外，以為自己是這些鐵人老祖宗的主人，可以看在這一層，雙方和好，甚至提供時間路線的支援，讓眾人可以回到自己原本的時空。沒想到這些鐵人的後代已經完全變調，欲將人類置之死地而後快。

賀嘉珍問：「主人，我們該怎麼辦？開戰還是依從其通牒。」邦邦說：「間諜球已經被對方發現，我們的料敵系統，目前完全斷絕。但最後的訊息是，對方已經集結了一百多艘大小太空船。況且先後兩次與它們交手，對方的實力已經很清楚了，我們沒有硬碰硬的能力。」於是嗚嚕了一聲，流出眼淚與唾液，搖晃大頭腦說：「你們願意跟我遠走他方嗎？」所有人面面相覷，然後紛紛跪下匍伏，賀嘉珍說：「我們也都討論過了，心甘情願當主人的賤畜到底，就帶我們走吧。」

邦邦於是說：「那就走吧，目前距離太陽系最近的恆星系統，有三點七光年。雖然絲嚕嚕嚕最高速度可以很快，也要人類時間八百多年才能到達。我再看看該用什麼技術，來解決這問題。」

第二幕　宇宙浪子

傳訊給對方，接受遠離太陽系的條件後，絲嚕噹噹於是以最高速脫離該空域，往此時最接近太陽系的恆星系統進發。

解除了戰鬭體制，眾人就不用住在養畜籠，回到有膠體天窗的房間內。邦邦也陸續主持了，袁毓真與所有女孩的婚禮，繼賀嘉珍之後，蔣婕妤、談玉琰、李韻怡、廖香宜、蔣媛妤、姜麗媛、黃敏慧、歐陽玉珍、何佩芸都已經與他結婚了。

跳躍後的第四個半月，袁毓真與史塔莉．威爾森結婚。同樣是在餐飲過後，兩人睡在觀景台上閒聊。袁毓真說：「威爾森小姐，我們也相處頗久的時間，但是我一直有一個問題不敢問。」史塔莉本來很開心，聽她這一說就繃緊神經說：「是不是又要像問其他人一樣，問我之前有過幾個男人？」袁毓真呵呵笑說：「不是啦，我是要問妳，會不會怪我們把妳從南極喚醒？」史塔莉才笑了出口，吻了他一下說：「當然不會，我還很感激你們。不然我還不知道得跟細胞怪物睡多久，最後不是徹底凍死，就是細胞怪物先甦醒把我吃掉。我能跟你們經歷這些事，也是生命中的幸運，別人想要還沒有呢。」袁毓真摟緊她說：「這樣就好。」

兩人看著一望無際的宇宙閒聊，忽然李韻怡通訊，把光幕傳到觀景台的天頂膠罩上。李韻怡說：「老公，對不起，不是要打擾你跟第十一妻子的洞房。而是我們距離太陽已經比冥王星還遠了，算是脫離太陽系。但是卻發現了一艘奇怪的宇宙航行物體，在跟蹤我們，與先前一樣，只知道被跟蹤，但是卻探測不出對方的形體。主人已經休息了，所以我跟你報告。」袁毓真說：「可能是那些鐵人派來的太空船，監視我們離開太陽系，所以不用理它。」李韻怡頗為不安地說：「我直覺感覺不是這麼單純，但是不知道該怎麼說。」袁毓真笑著說：「妳現在一個人在指揮室值班嗎？」李韻怡點頭說：「除了克莉絲蒂娜在這陪我，就沒人了。」袁毓真說：「一起來這睡覺吧！事情交給克莉絲蒂娜就好了。」李韻怡紅著臉說：「不好吧？主人會怪罪，而且史塔莉不願意吧？」史塔莉也笑了出來。袁毓真說：「史塔莉小姐今天只跟我蓋棉被純聊天，所以妳可以一起來。至於主人，牠不會怪罪的。我們平時為奴為婢，戰時出生入死這麼久了，偷一點小懶沒事的。我調整好鬧鐘，時間到會通知妳回去。」李韻怡紅著臉微笑說：「好，我立刻過去。」遂令克莉絲蒂娜留守，來到袁毓真這邊，三人擠一張床睡覺。

接下來連續兩天，指揮室都一直發現這一艘戰艦在跟蹤。邦邦說：「沒道理，我們都離開太陽這麼遠了，對方沒必要一直派船監控。若要追殺我們，早就可以動手了。難不成怕我們在外地設立宇陣器？可這一望無際，沒有穩固的行星或衛星可以定位啊。」袁毓真說：「鐵人的邏輯也許跟我們都不同，它們可以在宇宙中飛行幾千年不衰變。而我們人類最多只有一百年左右的壽限，主人您最多也只有兩百二十年左右的壽命。它們是不是想要不費戰鬪，在一望無際的宇宙空間中逼死我們？」

邦邦露出兇惡懷疑的龍眼說：「有此可能，這是最廉價的方法。」賀嘉珍說：「是否要反撲一擊？」邦邦轉而閉眼沉思說：「暫時不要，我認爲這只是一種可能，我們不能誤判。原因在於，只派一艘船跟監，若在一望無際的宇宙中，不比建有穩固宇陣器的星體附近，我們突然一擊，對方就沒有後援。機器人不見得會用這種策略逼死我們。」蔣婕妤說：「主人您也有研究過，對方的宇陣系統體積不是很小嗎？會不會在宇宙戰艦上面，就可以搭建宇陣系統？若是這樣，有沒有穩固的星體，對圍殺我們來說，就不重要了。」

邦邦果然又睜眼狐疑，緩緩說：「龍族的宇陣系統，肯定是要穩定的星體來搭建，才能精準地轉移太空船。但鐵人的宇陣系統性能，精密程度超過我想像，我還要花一段時間才能破解。若真的可以在太空船上搭建，那麼逼死我們的可能性就大大提高。」忽然又嘶啦嘶啦笑了出來說：「但若真的是如此，對我們也未嘗不是好事情，因爲我可以仿造對方的宇陣系統，而且一定可以投射機器人！不像龍族的宇陣系統，非得活體不可！這樣我們就可以投射一台機器人到地球去，建立好宇陣系統，相互連通之後，讓絲嚕噹噹直接跳到地球大氣圈內，然後找地方躲起來，利用地球資源，慢慢壯大自己，最後安穩地執行『時間路線』的後半段研究。」

眾人聽了都安心了下來，因爲先前的探測得知，鐵人似乎不願意待在地球大氣圈內。偷偷鑽回去，未嘗不是好事。邦邦說：「現在我們就暫時先當宇宙浪子，繼續往遠處漂泊下去，它們要跟蹤就給它們跟，等我破解答案之後見分曉。不過你們得輪班監視，防止對方突然對我們襲擊！」眾人磕頭遵命。

於是十二個人排班輪流，在指揮室值班，防止有意外狀況發生。

跳躍後四個月又二十天。正當袁毓真在指揮室值班，看克莉絲蒂娜從記憶體所印製出來，人類的書籍時。忽然邦邦衝到指揮室說：「集合所有人，我已經破解對方的宇陣系統了！」於是所有人從房間，睡眼惺忪地來到指揮室。邦邦對眾人說：「對方的宇陣系統，確實如我們之前所料，穩定度非常高，遠遠比我們龍族兩億多年前的宇陣系統強得多。可以裝載在太空船上，認定出投射物與最近的恆星與目標空域，三角之間的宇值，就可以做出非常精準地投射。而且不需要活體，可以派機器人到目標去，搭建回返的連通宇陣器。」廖香宜喜道：「恭喜主人，我們可以返回地球去了。」

邦邦嗚嚕了一聲說：「現在恭喜還太早，我知道對方的宇陣系統，是用什麼原理組合出來的，也知道零件的型態規制該怎樣作。但是零件的材料體，是高細密度的合金體系，其組成精度，可以到人類或龍族的細胞規格！讓我訝異的是，這些合金似乎有，『矽化擬生』的型態。」袁毓真問：「這是何解？難道說是矽化細胞體嗎？」邦邦說：「不是的，所謂『矽化擬生』，就是以矽為主體規制的金屬單位。單位雖然如同我們的細胞，但是本身並沒有生命，而是用來激化電腦程式運行時，可以模擬出碳機生命的多變性，甚至可以做到具備精神格局，而又不會有碳機細胞生命，為了求生存而衍伸的缺陷！例如：貪婪、自私、抗拒、脆弱等等。所以它本身還是機器體，卻可以做出跟我們一樣的靈活生存意義，可以設計、創造、歡喜、憤怒等等，一切生命自擇意義。也就是保存機器與程式的優勢，也擷取了細胞生命的優點。跟你們的機器人、我的自動思維體，層次孑然不同。我猜不只是宇陣器這樣，對方所有機器生命也必然都是這樣！」

所有人都大為吃驚，袁毓真緩緩說：「難怪克莉絲蒂娜說，先前她看到對方的機器人運作方式，好幾次都因為邏輯無法理解，而差點當機。得跳過這段理解程式，拒絕去思考這問題，才能維持運轉。」賀嘉珍說：「這是次易原理宏微卦的體現，微小情境與宏大情境，之間有互通之處。創造出細密的突破，就可以連通宏大的情境延展，難怪宇陣器這麼靈活。啓稟主人，您有辦法仿造嗎？」邦邦說：「矽化擬生體是有縱深的技術，我能仿製，但是需要現成的材料。先前找到的宇陣器，在拆解研究中，已經損毀掉了，所以現在得擄獲對方的材料物質，我才仿製得出來。看來這又有點難度了，因為我實在沒把握能打贏對方。」眾人又頗為失落。

邦邦說：「你們先繼續值班，監控戰艦的安全。容我再想個幾天，看如何突破這個困難。」眾人下跪，磕頭稱遵命。

次日，袁毓真帶著克莉絲蒂娜，去分析室找邦邦，並把起聚則送給她的合金球交給邦邦。克莉絲蒂娜說：「聽毓真大哥說，主人要研究『矽化擬生』體，先前對方送我的這顆合金球，說可以協助我改造生命，不知道這是否可以當您的研究素材？」邦邦觀察了一下這合金球，開口說：「先前看妳帶回的錄影，我就已經知道這有『矽化擬生』的玄機，不過我認為一旦拆解研究，就會像宇陣器一樣，把精密的科技破壞掉。這是妳未來改造的資產，說不定又是影響更未來歷史的關鍵，我不想把它破壞！」於是交還給她說：「妳拿回去好好保存吧。」袁毓真感動地說：「主人您對我們真好。」邦邦說：「我是時間路線的龍族，判斷事情當然要有時間的高度，而不能只考慮現有的空間型態訴求。」

第三幕　自擇矛盾體

跳躍後第五個月初，絲嚕噹噹已經遠離太陽系，從透明膠體窗口望去，太陽已經小得跟群星一樣。袁毓真從機器人擺設的飲食吧檯，吃著東西，架上龍族的橢珠天文望遠鏡，遙望太陽與地球，頗爲感慨。

胡笳十八拍，身穿粉藍色漢式右襟女裝，在旁邊說：「毓真大哥，還在想念地球上的事情嗎？」他只繼續看著，暫時沒有回答。胡笳十八拍又說：「我並沒有在地球上的記憶，純粹是從夢彤那邊轉訊給我的。若是能親自體會一下人類社會，那一定是很好的經歷。」袁毓真背對著她，伸出左手食指向上，左右搖晃說：「大錯特錯！我身爲人類，自己心知肚明，人類社會充斥著利己、貪婪、昏愚、優敗劣勝反淘汰，文明延續六千年就徹底滅亡。別說現在回不去了，就算能讓我回去，我也不回去了！我只想要在絲嚕噹噹中生活，當宇宙的浪子，有時候跟主人報告一下，還可以駕駛龍族神器在太空中兜風。這樣單純又廣闊的生活，才是智慧者的最愛。」胡笳十八拍只好點頭稱是。

袁毓真吃了一口膠狀甜食，這純粹是龍族生態艙提煉的食物，比人類習慣的食物還要好吃，眾人自從轉移到絲嚕噹噹上面，也已經習慣這種食物，有時候加入人類的調理方式而已。吞嚥下去之後，嘆了一口氣說：「來自於人類社會，卻討厭人類社會，可不是只有我一人而已。只是我比較幸運，能夠脫離它，又保障文明生活。」胡笳十八拍說：「最近我正在思考，機械生命與細胞生命的不同。發現細胞生命的演化，根源於次易原理說的自擇天翦

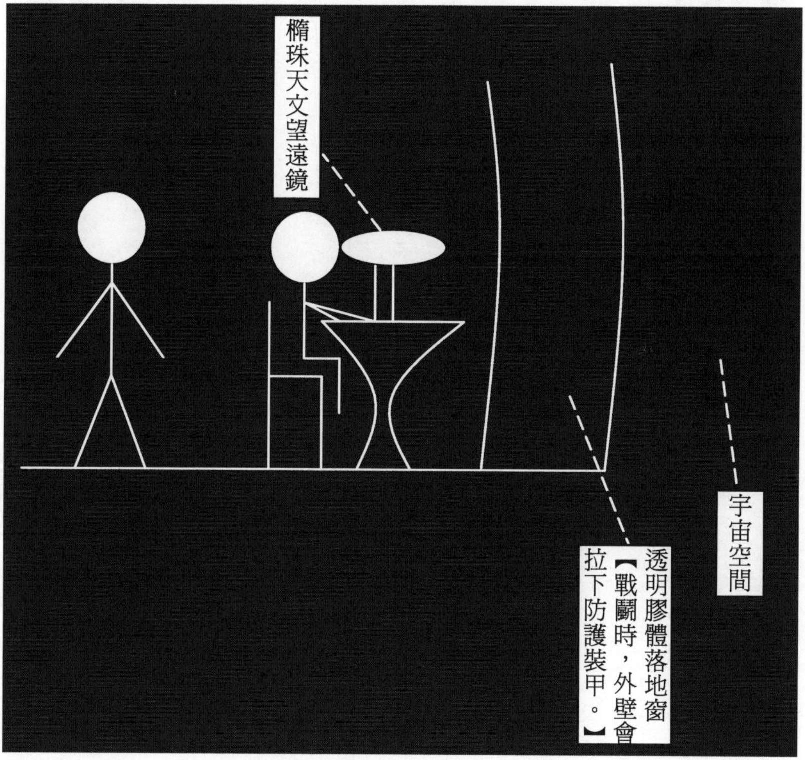

體系，並不是最適者生存。所以整體物種來說，是一種自擇矛盾體，難怪毓真大哥會討厭人類社會。不過也就是因爲它是自擇矛盾體，當中的矛盾體系才會延伸出，創造、設計、思想的智能規則。而我們只能延續你們的思想體系，去做延伸。『矛盾』！在宇宙中還蠻重要的。」

這心得並不獨特，眾人早已經討論過，但是袁毓真聽了頗爲吃驚，跳下高座返身看著胡笳十八拍說：「妳怎麼會思考這種問題？」胡笳十八拍笑了一下，走上前去欠身行禮，說：「對不起毓真大哥，我與其他『清』級的機器人，各種性能的資料沒有全部給您知道。克莉絲蒂娜與夢彤，收到知識訊息之後，會去理解分析，但是不會延伸。邏輯程式無法解讀的，就封存而跳過不執行。但是我們卻會把這封存的訊息，選擇適當時間，用各種新的經驗與感官程式，重新組合解讀。並且容許中央處理器無法判讀的矛盾的思維列，繼續接受各種新經驗的組合判讀！龍族的電腦思維程式，也具備這種功能。不過還不如人類的大腦有潛力。」

袁毓真瞪大眼，抬頭若有所思地說：「喔！我想起來了！妳們是老頭子，融合龍族電腦思維程式，重新設計的中央處理器。」呆滯了一會兒，忽然用右手拳頭用力打左手掌說：「我知道了！我想通了！難怪夢蘿會接受，八台清級機器人的改造！然後夢蘿，又反過來製造出其他的機器人，以至於延伸了相互之間的差異性！最後延伸出，具有演化意義的機器人生態。這是次易原理雙錐卦、蜷生卦與啓易卦的總和！那麼，『矽化擬生』體的出現，就是從這個差異性延伸出去，最後經過次易原理同義卦，由時間焠鍊精緻流程。最後產生出，結合生命體與機器體，所有優勢的機器人型態！也就是說，這些金屬怪物，追根溯源，是人類智能與龍族智能的重疊影子！」

然後開心地抱緊胡笳十八拍說：「我想通了，人類與龍族的滅亡，實際上也還在自擇天翦的範圍內！而沒有表象看到的，物競天擇適者生存！只是我們得觀察入微才能理解！」胡笳十八拍也抱住他說：「毓真大哥蠻聰明的，我算是上了一課。」袁毓真忽然慘叫說：「啊！輕一點，妳的機器手臂太用力啦！不知道人類的身體很脆弱嗎？」胡笳十八拍趕緊放開說：「對不起。」

袁毓真喘口氣，坐回飲食吧檯椅子上，緩緩說：「難怪越精緻化型態的生物體，其物種壽限反而不長久，就是自擇矛盾體的過度運用！從而時間這個形上體系，就不會容許它在空間中存在太久，就算是金屬機器人也無法例外！所以這些機器人，隔一段時間就要改造自己，卻仍然保持機器的本質，才會延續兩億多年之久。難道說，機器人會因爲這樣，在宇宙中有分支出去？」又嘆口氣說：「龍族智能可說極高，也在宇宙中尋找了諸多的生機！嚴格說起來，在外星生命改造之後，也只有延續了，我們跳躍前十幾萬年，我們跳躍後的一千八百萬年，只達到一般分支出去的哺乳類或鳥類，這種程度的壽限。難道當初外星生命改造龍族時，就是要檢測，自擇天翦的法則，有沒有辦法突破？」又轉而對胡笳十八拍說：「我剛才的話都錄影下來了沒？我要存檔！」胡笳十八拍點頭說：「都有錄影了，也將成爲我的經驗判別程式之一。」

說罷，袁毓真把望遠鏡對準了跟蹤的太空船，但是對方仍然發射綜合干擾光波，根本無法看清楚對方船隻的長相，本以爲仍然是老樣子。卻忽然就在眼前消失不見了！袁毓真大驚失色，趕緊使用隨身通訊器，連絡指揮室值班的賀嘉珍。很快邦邦也就知道了。

第四幕　殘兵相會

邦邦又招集眾人在指揮室，深怕對方突然消失是什麼陰謀。不過大家都認爲，這是絲嚕噹噹已經脫離對方的監控範圍，所以它們就撤退回太陽系。邦邦仍然在指揮塔分析綜合訊息，似乎還頗有疑惑。

果然在另外一個方位角，出現了大批的宇宙艦隊，估計數量爲三十五艘，分列成好幾個方向，高速包圍過來。絲嚕噹噹的偵測系統傳訊來，可以很清楚地看見對方艦隊的長相。除了出現先前看見的宇宙戰鬪艦三十艘，與超級母體大飛船兩艘，還有第三種三層艦體三艘，估計此爲敵方艦隊的，能源蒐集供應艦。

邦邦驚呼說：「先前的跟蹤體，一定是對方的定位系統，現在真的要在這裡消滅我們了！可惡！逼龍太甚啦！我跟你們

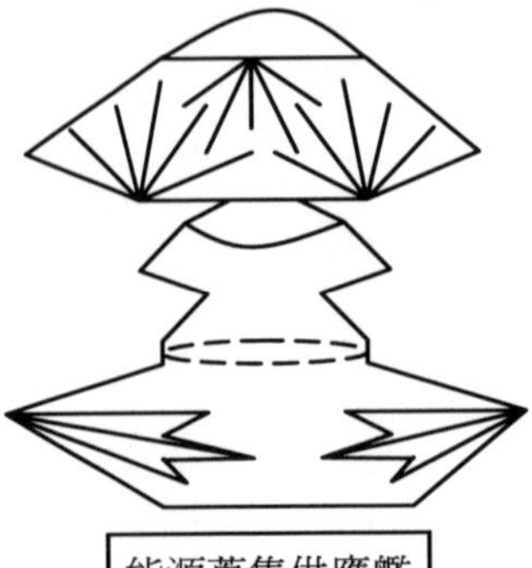

能源蒐集供應艦

拼啦！全軍戒備！」

眾人於是各就各位，駕駛神器、指揮室情報、砲塔操作、艦內武裝，以及所有自動兵器都就緒。袁毓真在天象的駕駛座，等待發射出艦的訊息，緊張地對翩狼駕駛座內的賀嘉珍說：「嘉珍老婆，如今雙方戰力不成比例，我們這一戰會不會是最後一戰？」賀嘉珍還沒回答，礎曜駕駛座內的蔣婕妤就說：「老公，若真是最後一戰，我要跟你死在一起！」邦邦在天帝駕駛艙內說：「你們怕了嗎？等等讓天帝與自動兵器打頭陣，你們負責保護母艦衝出包圍網。」賀嘉珍說：「主人，我們雖然害怕，但也願意替您戰死！」邦邦快速開闔眼瞼說：「沒想到人類也有你們這麼忠心的個體，我好高興！」

四人在準備艙等了許久，還沒等到指揮室的李韻怡通訊發射，邦邦不禁主動詢問。李韻怡說：「對方沒有發射任何戰鬪機體，也沒有發射遠距離核能武器的跡象，純粹是排列戰艦高速靠近，甚至連防護罩體都沒有釋放出來，與先前的戰鬪狀態不太一致。」這讓邦邦與眾人露出了一絲希望，但是不敢掉以輕心，遂命令李韻怡與廖香宜主動通訊對方，這可是會冒著被對方優勢訊息侵入，造成戰艦指揮體系混亂的危險。但爲了爭取一線生機，不得不這麼作。

果然對方也回訊了，但是卻不像先前一般，能夠使用人類的語言系統。聰穎的廖香宜馬上說：「克莉絲蒂娜，妳快把語言資料傳輸給對方，如同先前妳在敵方那邊一樣。」在指揮室的克莉絲蒂娜遂依令而行，經過將近半小時的傳輸與對方辨識，對方果然通訊聲音說：「我們不是敵人，不是『瓦咖璽瑪』的鐵金物種。而是『科但揮發』的鐵金物種，是來參拜『夢蘿』

與『八神』同倫號機器人的。請讓我們的機器使者，可以登艦參觀！」

李韻怡收到這訊息後，快速傳到四台神器的駕駛艙內，邦邦說：「我們這又不是觀光勝地！豈能讓對方登艦？不准！告訴它們，如果不是敵人，就離我們遠一點！」袁毓真說：「畢竟現在敵強我弱，我們是不是採取變通的方式？若它們這些機器人，跟我們之前遇到的，不是同一掛，也說不定對我們返回地球有利喔！」邦邦沉吟片刻，改而說：「李韻怡，告訴它們，我們派給它們一艘小船，讓它們當作登艦工具，其他戰艦距離我們遠一點。不准有任何敵對行爲，不然我們立刻開戰！」李韻怡點頭道：「遵命，主人。」

於是發射紅二號，去對方的巨大飛船內，運載了兩台機器使者過來。留李韻怡與廖香宜在指揮室監控，邦邦率領其他眾人全副武裝，並以機器人與龍族自動兵器爲前導，在隔離艙接見這兩個機器使者。這兩使者的型號，正如克莉絲蒂娜先前遇到的，高型機器人與矮型機器人，除了金屬面的符號圖騰不同，其餘型態根本一模一樣。

矮型的機器人同樣沒有發聲器，銜接高型機器人發聲說：「我沒有音波意義的名字，因爲訊息思維完全用光波程式運轉。只有生產編號，用你們的音波訊息方式來解釋，叫做『與客張』。而這發聲的高型機器，生產編號是『何取來』。我這樣介紹，應該能表示友好，因爲我們實在不理解上古時代的祖先們，是怎樣跟人類互動的。」

邦邦也用人類的語言說：「先前我們不是也跟你們溝通過了嗎？也把一切歷史訊息都傳輸給你們了，怎麼忽然說不理解？」兩非人物種，卻用人類語言溝通，頗讓袁毓真感到有趣。

與客張說：「我們不是瓦咖璽瑪的機器人軍團，雖然是同一個物種，但是分成兩個國度。我們從瓦咖璽瑪國的大思想家『起聚則』那邊聽說，我們祖先的同倫號機器人，與人類、龍族合作團體，一起跳越了時空來到這裡。我們就率領全國的子民，想要來拜見，親自求證神話的起源，因爲瓦咖璽瑪國只肯透漏一小部分的事實，不肯全部給予。」袁毓真聽了哈哈笑說：「機器王國原來也有大思想家？請問有出書論著嗎？」與客張說：「出書論著？我知道這什麼意思，但是無法理解這種行爲，應該是人類特有的。請問你們可以卸除武裝嗎？我們和平坐下來用音波談談，或是直接讓祖先同倫號的機器人，傳輸一切訊息給我們。」

袁毓真輕聲問了邦邦的態度，建議給它們訊息，但是不可以再深入戰艦內部，邦邦於是說：「我們可以給你訊息，但是不能耍花樣，因位瓦咖璽瑪跟我們打過仗，甚至還逼我們離開太陽系。我怎麼知道，你們會不會也想消滅我們？」與客張說：「絕對不會，我們與瓦咖璽瑪也是敵對關係，而且我們對於人類與龍族的想法不同。我計算，你們在場有百倍於我們的火力，倘若機器人有些異常，立刻可以開火把我們消滅在這。」邦邦遂同意。

克莉絲蒂娜，遂傳輸自己所知道的一切資料給對方。下載雖然很快，但是與客張卻花了二十幾分鐘解讀，然後才提議說：「非常感謝你們給我們資料，釐清了鐵金物種，上古神話的歷史。倘若不喜歡我們在這，我們就立刻離開。」

說罷想要回紅二號離去，邦邦阻止說：「等等，瓦咖璽瑪既然是我們共同的敵人，我建議我們合作對付它！」眾人也都紛紛點頭。但是與客張卻又接通發聲器說：「這恐怕很難，因爲我們就算聯合，也打不過瓦咖璽瑪的！」

袁毓真吃驚地問：「你們有三十多艘宇宙戰艦也！每一艘戰艦戰鬪力，都不在我們這艘戰艦之下。瓦咖璽瑪跟我們交戰過，戰艦數量沒有你們這麼多啊！」與客張說：「錯誤，那只是瓦咖璽瑪，分布在太陽系的巡邏隊。之後查清楚你們的來源可能後，自己親自跳躍來這找你們。你們所遇到的，根本不是它的主力部隊。它擁有七十五個恆星系統，一千艘大小宇宙戰艦，已經快要統一整個鐵金物種了。我們只是被它打敗的同物種國度，恆星系統全部淪陷，現在只剩下三十五艘戰艦流浪宇宙。」

邦邦與眾人聽了，都頗爲失落。邦邦仍然不放棄，繼續說：「我們既然也給了你們需要的資料，你們好歹也回贈一些東西吧？難道機器人沒有禮尙往來嗎？人類與龍族可都有這習慣喔。」與客張說：「你們需要些什麼？」

邦邦說：「你們的宇陣系統，是不是可以直接裝載在太空船上？我需要這種技術。還有，我希望得到你們對於時間穿梭的理論！」

與客張：「這恐怕要由我們的核心判別體，才能決定。不過你們既然能夠穿越時間，來到兩億一千八百萬年後，何必還要我們的時間穿梭理論？」邦邦說：「我有時間逆轉理論，但是技術上行不通，所以要相互參考一下！」與客張說：「據我所知，我們鐵金物種也有這種理論，實際上也辦不到，因爲虛擬無窮力，只能加速時間順轉，無法突破逆轉的屛障。我們也只能架構出虛擬無窮力，而沒有真實運轉無窮的能耐。我們這方面的能力，也沒有超過龍族多少。不過既然你提出要求，就請派使者去見我們的核心判別體，請它作出裁示！」袁毓真問：「現在連通詢問不就可以了嗎？」與客張說：「核心判別體絕對不連外艦通訊網的，只做現場的光波通訊，也可以聲波通訊！不然在作戰當中，要是侵入了什麼原始破壞程式，我們整個物種不就麻煩了嗎？」

邦邦說：「好，我們派使者。」然後回頭說：「袁毓真你帶你的手下機器人過去談判。」蔣婕好說：「主人，我希望跟老公一起過去。」邦邦嗚嚕了一聲說：「好，妳也過去，其他人都在戰艦內等消息。」

第五幕　機器世代延續法

於是袁毓真、蔣婕好、克莉絲蒂娜、夢彤、胡笳十八拍、白陽春雪六人隨同與客張、何取來登乘紅二號，一同前往對方的一艘超級母體大飛船。袁毓真看著玻璃窗外的對方艦隊群，忽然有感地問：「你們這麼多艘戰艦，跟蹤了我們這麼久，我們竟然現在才知道。你們的光波干擾能力還真強。」沒想到與客張說：「光波干擾能力？我們金屬物種科技能力雖高，卻還沒有能力，可以在一望無際的宇宙中，隱藏大批艦隊的形蹤！況且我們也沒有長時間跟蹤你們！」袁毓真與蔣婕好都吃了一驚，那麼之前一直跟蹤的太空船是誰？不過現在準備見另外一個金屬大怪物，遂按下這個疑慮。

在紅二號中，袁毓真與蔣婕妤穿上太空衣，等降落在船艙內，與機器人一同走下來。發現除了沒有氣體，重力系統比數也不太一致，感覺比較輕飄飄了些。直到了核心判別體的大廳中，調整人類適應的空氣與重力，兩人才脫去了太空衣的頭罩。這巨大的金屬怪物，與瓦咖璽瑪一樣，在透明膠狀體內，卻跟克莉絲蒂娜錄影下來的『瓦咖璽瑪』型態，大有不同。

袁毓真見了這大型金屬怪物，以及廣闊壯麗的大廳，不由得讚嘆了出來。先前雖從錄影看過瓦咖璽瑪，知道現場必然駭人，不過畢竟是錄影觀看。而今親眼見到科但揮發，才真正感到震懾，還真怕科但揮發，從透明膠體艙內走出來，把自己給踩死了。蔣婕妤則挽住袁毓真的手臂，科但揮發同樣從旁邊的牆壁上，伸用珠體發聲。說道：「我叫做科但揮發，接受我的『降次體』訊息得知，你們想要我

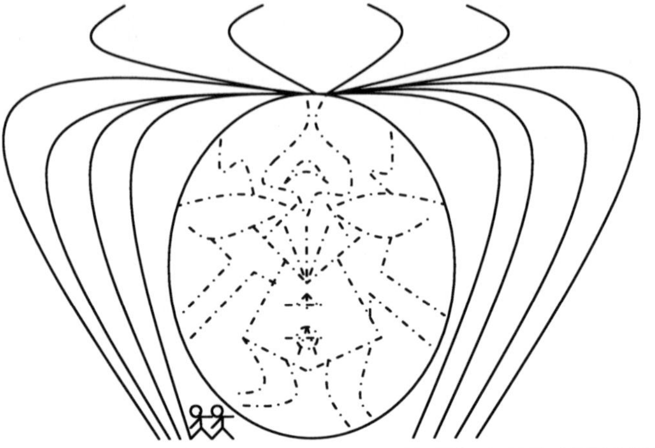

鐵金物種另外一個核心判別體，科但揮發

們的宇陣器與宙陣器技術？是嗎？」袁毓真說：「是的，不知道科但揮發領袖，可否答應我們的要求？」科但揮發說：「你們給我們的，是非常重要的訊息，瓦咖璽瑪甚至還願意冒險，親自連接原始機器人來獲取這段訊息。所以你們的這一點小要求，並不難，等一下回程，我親衛降次體，就會把東西交給你們。」袁毓真聽了，才發現邦邦之前要求的太少，應該多要求一些。於是又笑著開口說：「假設還可以允許的話，希望你們跟我們結盟，護送我們回到地球去，以抵擋瓦咖璽瑪的侵擾。不然我們只能長久飄盪在太空中，有能源危機啊！」

科但揮發聲音是固定語調，直接大聲回答說：「傳聞中，人類是貪鄙無厭，容易得寸進尺的生物，而今審讀你們傳來的歷史，並親眼見到真實人類之後，果然如是！」袁毓真被嚇了一跳，低頭笑著說：「這純粹只是提議，畢竟你們的老祖宗『夢蘿』與『八神』，都曾經在我的麾下一同出生入死。訊息應該有間接傳輸給你了，親眼見到原始老祖宗的主人，難道不應該幫一點點小忙嗎？」

科但揮發說：「不是我們不肯幫忙，而是我們就算聯合，也沒有打贏瓦咖璽瑪的實力。先前我與它，連續打了三十多年的星際大戰，最終所屬的十五個恆星系統全部淪陷。只能帶領這一些殘餘的降次體，流浪在宇宙當中。要不是瓦咖璽瑪那邊的思想家『起聚則』，以物種的起源與延續爲重，通知所有的鐵金物種國度，我們根本不會沿著蛛絲馬跡找到你們。」袁毓真說：「請問所有鐵金物種有幾個國度？」科但揮發說：「十萬年前分支了三十七個，各自去演變核心體，在相互消滅兼併之下，現在只剩下五個。」袁毓真說：「我倒認爲，我們更該合作，一起打回太陽系，若實力不夠，那就聯合其他三個。由我來出面，以原始老祖宗的號招，一同打敗最強的瓦咖璽瑪。」科但揮發說：「金屬物種之間的戰爭，與人類之間的戰爭不一樣，不是爲了權力、物慾、貪腐、野心等等！而是有物種延續與整合的意義！所以人類的分化滲透，破壞對方團結的伎倆，不要在我們這裏使用！倘若我沒有消滅瓦咖璽瑪的實力，也不是爲了自保，那我是絕對不會發動金屬物種之間戰爭的！」

袁毓真感到這些機器人思維方式，實在難以理解，既然本來就是敵對，怎麼又說團結？於是說：「也不見得真的要跟對方打，不如我們結盟，互相保護對方……」科但揮發又打斷說：「不要利用你是創造我們祖先的身份，來跟我們牽扯關係。金屬物種之間的戰爭，與你們人類之間的戰爭不同！你們的戰爭本質，是從求生存延伸的各種因子在作怪，最後延伸所謂的『政治利益』，寧願欺騙多數個體。而我們根源上並沒有求生存的目標，只是自我保護與延續的結構，並不延伸貪念與詐欺。戰爭純粹就是要整併物種分歧因素，使整個金屬物種進入下一階段的分化。兩億多年來都是如此。所以我與它打仗，並不是要求生存，或奪取什麼資源，而是要讓自己的分化因子，來主導下一波的演變態勢。倘若失敗，我的因子也會被瓦咖璽瑪，公平公正地組合，而傳遞下去，不會被捨棄！勝敗的差異，只在於整併後的主導方向而已。你們這些賤種人類，我們沒有與你爲敵就不錯了，少來跟我們牽扯！好了，我已經答應宇陣與宙陣系統的要求，你們可以走了！」

袁毓真與蔣婕妤聽了，都臉紅耳赤。胡笳十八拍開口說：「我與你們傳聞中的『八神』

是同一個系列的機器人，出產於同一處，都是他袁毓真製作的。在人類的文化中，會飲水思源是善，而圖己忘本則是惡。我們現在面臨危機，何不多給我們一些幫助呢？」科但揮發說：「妳說的善與惡，是人類在關鍵時刻，選擇時間路線或是空間路線的差別而已。飲水思源銜接時間，圖己忘本銜接空間，兩者是等價對映的互動，沒有善與惡的因子，只有適性與適當的差別，由其選擇時刻的時空背景來建立判別式！所以這推理我不接受！如果真的還需要其他的支援，可以！四台機器人留下，我贈送一台能源供應艦給你們。」

時間路線與空間路線，又回盪在袁毓真與蔣婕妤的大腦，但沒想到機器人已經可以將之，細分到倫理判別式的程度了。白陽春雪改造成時髦的女性裝扮，也用了女性聲音，對袁毓真說：「毓真大哥，我們四個都是你的資產，要不要交換您做決定。不過用我們四人，交換一台超先進的大型太空船，這非常划算。」

袁毓真搖頭說：「妳們是我的寶貝，再大的利益，我也不交換！走吧！」眾人於是返身要離開。

科但揮發說：「製造我們祖先的人類，對比人類的歷史檔案中的其他人類，果然還是有些不同。這樣吧，除了你們要求的技術，你們的戰艦可以跟著我們，接受保護與支援，要離開隨時可以離開。但是主導權必須是我們。可以接受嗎？」袁毓真等人都知道，絲嚕噹噹的能源與物資有些不足，所以這其實也能接受，於是說：「戰艦的主人是龍族，這想必你也知道。我得通訊去問一問，可以解除通訊屏障嗎？」科但揮發示意可以，底下的諸多親衛機器體，開通了與絲嚕噹噹的連線模式，邦邦此時也正煩惱蒐集不到隕石體，星辰光能也不足。反正得到宇陣技術後，若要跳回地球，也是隨時可以決定之事，不如就藉此多了解鐵金物種的底細。便同意了這項要求。

邦邦與眾人跟隨了科但揮發，將有什麼遭遇？邦邦的時間路線後半部，又將怎樣執行下去？欲知後事如何，且待下象分解。

1053　第四十一象：驅逐使者機械追擊成孤舟旁支艦隊短暫合盟得真相

第四十二象　難逃天翦無體研智塑假說　連續會戰末流整併取進程

第一幕　新假說

在邦邦接受科但揮發的保護後，眾人回到絲嚕噹噹，雙方建立固定的通訊頻道，並接受對方的能源供應艦，輸送能量與物資，還有鐵金物種給予的水資源。

眾人在觀景台製造了兩個浴池，一大一小，大的讓袁毓真與十一個妻子一起泡澡，邦邦則泡在小的池當中。蔣媛妤開心地說：「機器人也有水資源，可見它們也要喝水喔？」姐姐蔣婕妤笑著說：「機器人哪需要喝水？是製造合金與打模表面，需要的原料。不過現在給我們拿來洗澡用啦！」廖香宜說：「是啊！要是沒有它們給我們水用，我們現在還得省給生態培育艙，好多天才能泡澡一次。」

邦邦在隔壁池說：「雖然如此也別太浪費啊！」賀嘉珍說：「主人，您還不願意跟我們人類一起泡澡嗎？」袁毓真歪著嘴說：「妳想改嫁給龍族喔？」賀嘉珍哼了一聲說：「是又怎樣？你老婆還不夠多嗎？敢吃主人的醋？我有機會一定要給你戴綠帽子！」邦邦嘶啦嘶啦笑著說：「我們龍族是卵生動物，怎麼可能跟人類這種胎生動物性交？甚至結婚？這實在太噁心了！就像要袁毓真娶一隻企鵝一樣！以後別再說這種話！沒看到我泡澡，都不願意跟你們同池嗎？嘶啦嘶啦！我跟以前地球上的鳥類，還比較接近一點。」眾女孩見牠並沒有不開心，遂也呵呵笑。

眾人與一龍，泡熱水浴，望著透明膠罩外的鐵金物種艦隊，以及遠方的星辰，都感覺到開心異常。袁毓真更是左手摟著談玉琰，右手摟著姜麗媛，擠在其他妻子的裸體洗浴圈中，笑得合不攏嘴，感受前所未有的興奮。

邦邦盯著膠罩外的艦隊陣列說：「袁毓真，你之前跟胡笳十八拍的對話沒錯。這些鐵金物種，在整個時間與空間的運行體下，是人類智能與龍族智能的疊合物！由人類的機器人爲基礎，加入龍族思維體的變數之後，產生『唐級』機器人與『清級』機器人的差異，這差異在我們跳躍作戰的陰錯陽差過程中，開始運行演變模式。經過長久的時間，終於演變出可以把龍族消滅的物種。人類與龍族，都沒有擺脫自擇天翦的法則！可見這法則，在時間與空間塑造情境曲度之上。」邦邦主人一說話，眾人自然都安靜下來聆聽。邦邦又說：「先前我與同類的爭執點，在於物種的型態，是否要改變成具備精神靈魂體。所有龍族都以爲，不論時間路線與空間路線，都可以穿過自擇天翦的限制。如今看來都錯了！我們連天翦法則都突破不了，談何與變易體同質而具備靈魂？」說罷嗚嚕了一聲。

袁毓真說：「科但揮發不是也傳輸了，鐵金物種兩億年前，與龍族大戰的資料嗎？龍族當時真的那麼不堪一擊嗎？」邦邦說：「據它們上古的資料分析，龍族當時已經沒有十大神器，或是說神器是基本的作戰機體而已。這對一千八百萬年的時間而言，龍族的進步並不大，而外觀與我已經有很大的不同。可見龍族的後代，物種時義還在前進，而文明時義可以說停滯了！這就是空間路線造成的矛盾法則運行，最終導致龍族的隱性候變缺陷，乃至於被鐵金物種消滅。沒想到跳躍那麼寬廣的空間，天翦的運行方式也跟著跳躍寬廣的曲度，竟然扭曲了物種時義在文明時義之上的根本！可見天翦是更原始的宇宙物種倫理！基於如此，我反倒是有一種新的想法，可以透析真正的無窮力，讓時空逆轉成爲真實！」

賀嘉珍與袁毓真同時問：「什麼想法？」邦邦說：「這是新思維假說，暫時先保密，等有了一定的進程，會告訴你們的！」

第二幕　會戰卦星之域

時間跳躍後五個半月。

鐵金物種的陣系統，可由戰艦釋放到宇宙空域中，瞬時作出定位而啓動所有戰艦跳躍。邦邦得到該宇陣技術後，便與科但揮發一起跳躍，到了一陌生的雙星系統，暫時脫離了飄蕩空域的困境。

當邦邦與眾人通訊詢問，這雙星系統爲何地時，科但揮發通訊說：「這顆恆星空域只有宇陣跳躍的標的號，而沒有音波的名稱。我也不好強迫轉換稱呼，不如你給我一個稱呼，我們照著你的稱呼來通訊。」邦邦轉而看袁毓真說：「它們都用人類語言，所以你取名吧！」袁毓真說：「這雙星的光色，一偏白一偏紅，照映時空成我們的命運。如一陰一陽的互濟，最終成爲卦象。不如就叫做『卦星』吧！」

邦邦通訊問科但揮發說：「卦星的位置相對於銀河系何處？」科但揮發說：「我們已經不在地球的同銀河系內了，而在於銀河系的對蝕星系，的邊緣星辰中。依照我獲得的人類天文資料定義，這星系叫做仙女銀河系。」袁毓真聽了大叫說：「天啊！我們跳躍這麼遠幹什麼啊？」科但揮發說：「準備要投入一場，鐵金物種的統一大戰！以整併型態之後，運作下一個『十萬年』的延續！」袁毓真說：「你先前不是說打不過『瓦咖璽瑪』？怎麼又要主動打仗？」科但揮發說：「我不是去打瓦咖璽瑪，而是與另外三個鐵金物種的國家，展開整併決戰。打贏的就可以指揮其他三國資源，反攻瓦咖璽瑪佔領的諸多星球，然後打最後一場統一大戰。這是鐵金物種統一進程的，倒數第二個步驟，用人類的語言稱作『末流整併』。就是先期相互吞併後，最末流的幾支鐵金物種國度相互作戰，母體船不能撤退，打到最後一個母體船剩下爲止。剩下母體船的核心判別體，就可以整併其他三國，爲了防止瓦咖璽瑪將我們各個擊破，所以這次約戰的地方，定在這麼遙遠偏僻之處。人類時間幾天內，其他三艘母船與其所屬艦隊都會出現。」

邦邦大驚說：「你不幫我打回地球，那我也沒必要幫你打仗吧？況且我的力量也很弱。」科但揮發說：「這我理解，這場大戰我不會要你們參加。而且神話謎團破解的消息，我已經用宇陣通訊器，通知了其他核心判別體，這場大戰你們距離遠一點觀戰，不會影響到你們。之後不管誰勝誰敗，都會帶你們打回地球去！這算是我最後能替祖先機器人，能做的事情了。」邦邦聽了之後說：「那就先謝了！給我們一個安全的觀戰位置吧！」

果然沒過多久，來了另外三支太空艦隊，眾人與邦邦在絲嚕噹噹指揮室，透過各種自動遠距觀測儀器，轉撥這場宇宙大會戰。估計有超過四百艘宇宙戰艦，交互捉對廝殺。戰鬪兵器、重型艦砲交相互射，將宇宙空域彩飾得火光四射。甚至發現一種突擊戰艦內部的機器大隊，透過封包砲彈射入對方戰艦內，與對方艦內的防衛部隊交戰。

袁毓真握緊拳頭說：「科但揮發戰艦數量最少，也最危險。希望科但揮發加油啊，一定要打贏！」邦邦說：「不要有這種先入爲主的觀念，不只人類，包括龍族在內，都容易偏向於熟悉者而警惕不熟悉者。走時間路線者，就要跳脫這種先入爲主的時間窠臼。鐵金物種的核心判別體，若都是等價地對待我們這些人，我們也要以等價的方式衡量它們。因爲不見得科但揮發，會比較幫助我們！」袁毓真點頭稱是。

邦邦看得似乎有些累了，先去指揮室後方的旁艙休息，命令眾人嚴密觀戰，以防意外。所有人不敢怠惰，除了鎖定艦上的觀測轉撥，也紛紛拿出橢珠天文望遠鏡，調整適當焦距，觀看這場宇宙大會戰。袁毓真特別鎖定科但揮發的母船，但發現它似乎很危險，諸多艦內突擊部隊一個個打入母船，只見母船諸多處破損。果然科但揮發傳訊來說：「大廳外已經交火，估計這是最後一次傳訊，很快地自己就會被敵方眾多機器人攻擊，『核心演變記錄體』將被掠走。祝福你們跟勝利者一同返回地球成功！」眾人不禁露出苦臉，頗像觀看比賽，自己支持一方敗陣的失落感。失落感讓全部的人都頗爲唏噓，只好準備跟新的勝利者，重新談判。蔣婕妤雙手放下橢珠望遠鏡，嘆氣說：「這種情況，讓我想到人類與龍族的戰爭時，我們支援新河洛，元首大人被圍困的府邸。可惜現在我們不能去救它！」

科但揮發真的毀了，因爲母船都已經解體。所有突擊機器人，奪取它的核心演變記錄體後，撤出該船，然後設定重砲把它轟掉，成了宇宙金屬塵埃。它所屬的殘餘艦隻，也很遵守物種內戰爭的規範，立刻投降勝利者麾下，與其他的隊伍交戰。前一分鐘的敵人，相互溝通訊息後，馬上變成朋友，相互沒有芥蒂，一同對付新的敵人。而其他三支隊伍，還在繼續混戰。不到兩小時後，發現又有幾艘母船毀掉，本來交錯互攻的戰艦立刻整理列隊，相互修理對方的損毀，代表其中必有另一個鐵金國家滅亡。

談玉琰、蔣媛好、姜麗媛、黃敏慧、歐陽玉珍、何佩芸，都看得沉悶地躺在觀測躺椅上睡著了，似乎不懂欣賞這場奇景。只有袁毓真、蔣婕妤、史塔莉、賀嘉珍全神貫注，拿著望遠鏡繼續觀看，而李韻怡與廖香宜還站在懸浮板上，用艦內系統分析戰況。賀嘉珍雙手還抓著橢珠望遠鏡，目不暇給繼續觀看，還對袁毓真說：「老公，這真是奇特的戰爭景觀！前一分鐘還在相互開火，後一分鐘馬上相互修理，並且相互掩護。人類或龍族似乎都辦不到。」

袁毓真說：「是啊！這代表它們不是爲了領導者的權力，或是政治野心家的利益而戰，也沒有被領導者洗腦一個巨大的效忠謊言！最可以誓死效忠的機器人，反而不會這樣做。而明明自私自利的人類，卻會爲一個空泛的政治謊言，被權力階級洗腦操控，相互仇恨廝殺。真的是物種的奇觀。」史塔莉說：「這沒什麼奇怪，物種都是自擇延續。假設要演變下去，就要改變。人類的原始結構是自私，那麼人類的權力階級要保護自己利益，當然要讓底下的人改變自私的慣性。而能改變自私原始因素的，只有人類同樣原始的，愚蠢與執迷的慣性因素。只有製造『政治神話』，浸染『權力服從』的慣性，才能讓其他個體愚蠢地替自己去拼死廝殺。而機器人最原始的結構，並沒有自私的因素，倘若物種具備自擇能力而演變下去，那麼不需要用這種愚蠢的結構，去破除阻礙演變的原始因素。內界變易乾綱原始，所以出現這種以完成統一目標，而立刻轉換中心立場的形式，是很正常的現象。」

袁毓真笑著看她說：「妳怎麼也能加入我們的討論圈啦？」史塔莉說：「我跟嘉珍姐、婕妤姐一樣，也是你的妻子，當然要懂你們的討論啦！況且我在兩百多年前也是美國麻省的高材生喔！當時我有聽過中國有次易原理，只是沒深入研究罷了。喂！可別因爲，其他妻子們不會加入你的科學討論，就疏遠喔！」袁毓真呵呵笑說：「絕對不會的。」蔣婕妤半瞇眼咧著嘴說：「當然不會，因爲你除了大頭思考，也還會用小頭去思考！」

只剩下兩個國度的艦隊，作最後的拼殺。雙方都除了在周圍都設定了反宇陣系統，釋放大量的反跳躍干擾波，還不斷地偵測對方，是否有釋放小宇陣器到太空中定位的舉動。都是要防止對方核心演變體系，會產生逃離的念頭，所以整個戰局除了廝殺之外，相互的訊息滲透與監控，也如火如荼展開。雖然已經無法從空域中離開，卻可以從其他地方跳躍進援軍，所以剩下的兩方艦隊，各自增兵對陣。相互都調動了上百艘宇宙戰艦，展開最後整併大拼殺。

第三幕　整併終戰

戰鬬連續打了人類時間三天之久，眾人除了吃喝拉撒之外，就是緊盯著戰況。

機器人的後續支援能力也非常強大，前面一波機器大軍垮了，戰艦被摧毀，後面又跳躍出新的部隊接戰。巨大的母船尤其是被圍攻的對象，所以護衛火力也特別強，內部的維修與防衛部隊一批一批遞補。只見一方的母船在閃光點點當中被摧毀，眾人以爲戰局結束。結果又出現另外一艘母船。

賀嘉珍說：「原來它們也會設定假目標，用很多艘母船來引誘重兵，而使對方露出兵力薄弱處，然後大規模反擊。這些戰術其實很簡單，如此智能優越的機器物種，怎麼會上當？」

袁毓真說：「代表它們不能冒險，這是一定要有結果的戰爭，訊息中的虛虛實實被攪亂到最後，也只能一個個試探下去。在物種演變的關鍵背景下，即便是機器人也會顯露出本性的弱點。」

忽然一方出動秘密武器，一艘體積如絲嚕噹噹般的戰鬪機體，出現在空域當中，但是型態卻如同靈活的宇宙戰鬪機器人，衝向數量龐大的敵方戰陣。一下子閃光點點，諸多如神器般大小的戰鬪機體陷入苦戰，紛紛被擊毀，果然從體積上面發揮了重大的功效。

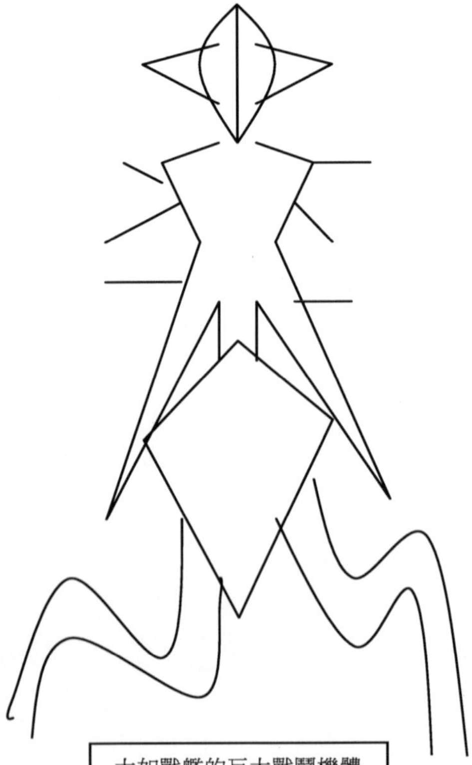

大如戰艦的巨大戰鬪機體

與此超大型戰鬪機體對陣的一方，紛紛敗退下來，大型戰鬪機體率隊趁勝追擊，不肯放棄。甚至打毀了好幾艘戰艦，衝向一艘母船，母船雖然火力四射，但是大型機體一個重砲把母船下半部裝甲打爛，並且派諸多小機體潛入，意圖攻入對方的核心判別體。結果這是虛誘掩殺之計，這艘損毀的母船，周圍忽然冒出諸多戰鬪機體，趁其攪擾之際，全面圍攻大型機體與其護駕的部眾。只見似乎無敵的大型戰鬪機體，反而且戰且退，圍攻方雖然損傷慘重，卻也一波波遞補過來，不肯鬆軟火力攻勢。大型的戰鬪機體，被諸多機體的光砲彈圍攻，逐漸崩解毀滅。

摧毀對方大型戰鬪機體後，又一艘母船親自投入戰鬪，從分析觀察，似乎是攻擊方最後的一艘母船，必然有核心判別體在裡面。在諸多戰艦與戰鬪機體保護下，發動總攻擊。而防禦的一方，在大型的戰鬪機體被摧毀後，戰況就陷入十分不利的狀況，護衛母船的戰艦，一艘一艘地被擊破，只能陷入防守狀態。

戰況似乎進入最後階段，睡覺的眾女子都不約而同醒來觀看。攻擊方果然越打越猛，咬牙作最後一擊，連母船都投入火力支援。守方的母船已經多處被突破，諸多機器突擊隊殺入內部，搜尋核心判別體。

眾人看得驚心動魄，袁毓真說：「這些金屬物種戰鬪場面這麼兇猛，而先前與我們交鋒的『瓦咖璽瑪』，又說是最強大的一支。若是絲嚕噹噹被這樣圍攻，肯定是吃不消的。可見科但揮發說的沒錯，先前瓦咖璽瑪，只是運用護衛軍跟我們交鋒，意圖在試探我們的底細，根本沒有動用主力部隊打我們。」賀嘉珍說：「我們三人除了駕駛神器，也同時負責絲嚕噹噹宇宙自動兵器的組織戰。看了這場大戰，必須要未雨綢繆，不然將來若返回地球，跟『瓦咖璽瑪』作戰，必然就像被圍攻的母船一樣，被多處突入而損毀。」姜麗媛說：「戰艦內部的兵器戰也要加強，我們內部的戰鬬部隊，會做好準備的。」

袁毓真想到了先前九宮幻方的故事，於是問：「大家想一想，能不能使用九宮幻方，來協助內部防衛系統啊？」邦邦忽然進了大廳，回答袁毓真說：「不用浪費腦力去想了，這佈局我想過很多，九宮幻方使用的條件太嚴苛，除了當初騙你們這些人類可以用，連對付性能稍微好一些的龍族自動兵器都無效，自然是更無法應付這些精密度如此高的機械戰鬬體。若是勉強使用，反而更快地被對方，破壞整艘戰艦的核心系統。更何況它們也掌握了虛擬無窮力的知識！」

袁毓真喘口氣說：「那麼我們只能計畫，看怎樣硬碰硬了，不然返回地球遇到比較不友善的『瓦咖璽瑪』，一定會很難招架得住。」

邦邦說：「我看了先前『科但揮發』附贈給我們的資料，上頭有這些金屬物種，滅亡龍族的戰爭記錄。雖然因爲太過久遠，資料模糊，但從翻譯的訊息記錄判斷，龍族的神器部隊，也讓這些金屬物種失敗過很多次。不過當時的金屬物種，宇宙兵器的戰鬬機能，還沒有強到與神器相當的程度，最多只能跟我們用的宇宙自動兵器一樣。它們純粹是靠數量與靈活的戰術設計，才把龍族大量的神器部隊打敗的。而在接連攻破龍族所屬的星球後，它們才從龍族的技術資料中，把自身宇宙戰鬪兵器的機能，提升到神器的水平。而這方面，金屬物種兩億年來沒有很大的進步。所以可以發現，金屬物種的設計能力，其實很少用在武器的進步，而只用在面對敵人該怎麼應變的方向上，這是我們要謹記的要點！」

蔣婕妤說：「若是這樣，我們就算有新武器，而仍保持原先的戰鬪方式，也必然不是這些機器人的對手。因爲它們很快就可以改變思考方式，分析出我們的弱點，用自己最擅長之處，與數量的優勢，作出連續快速突破，然後把我們的優點吸收過去！」

邦邦說：「完全正確，這就是這個物種可怕的地方。它們當遇到敵方擁有性能更優越的武器時，就會衡量出等價的攻敵數量，與適合的戰術方式，消除敵方的武器優勢。然後在快速打擊中，侵入敵方內部，則吸取對方優越之處！龍族在滅亡之前，還擁有二十顆可以適合生存的星球，這麼大的縱深，都被它們快速連續突破，何況我們只有一艘宇宙戰艦的資本？所以重新調整戰備與戰術，是一項重要的工作，這方面由我負責。你們三人的任務，除了更加熟悉神器的戰鬪性能之外，就是要與眼前最後的勝利者談判，以取得對我們有利局面。」

袁毓真、蔣婕妤、賀嘉珍三人點頭遵命。

卦星的整併會戰終於結束，攻擊方果然在摧毀對方巨大戰鬪機體後，實施連環攻勢攻破母船，取得最後勝利。

第四幕　我王新生

果然整併戰打完後，唯一的勝利者傳來訊息，要求親自見原型機器人，以核對上古神話史。袁毓真說：「又是一個泡在藥水裡面的活性機器，我們該不該去見它？」邦邦說：「非見不可，沒有它的力量我們回不去地球，只能在宇宙流浪。」邦邦說：「只准袁毓真帶著機器人去，其他人等機器人錄影回來看。」眾女子才停止爭議。

於是再度乘坐紅二號，去到戰勝者的母船。此時空域中飄蕩著諸多金屬殘骸，勝利者派出大批的機器船收拾，似乎要把敵方的殘骸全部回鍋溶解，當作重新製造自己部隊的原料。袁毓真與四台機器人，又到了同樣規格的母船，見到另外一台巨大的核心判別體。型態當然又不一樣。

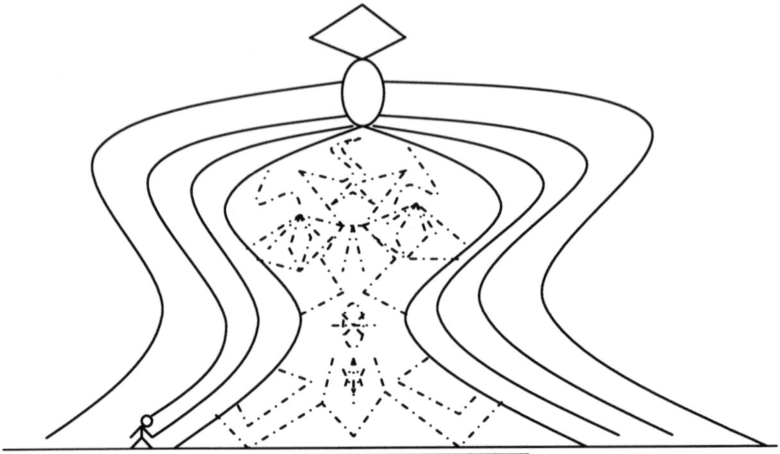

鐵金物種核心判別體之一，我王新生。

還沒等它開口，袁毓真說：「先前科但揮發，應該有傳資料給你，我想你應該對我們不陌生吧？」它透過傳聲珠說：「我知道科但揮發不會說謊，瓦咖璽瑪也不會。不過在一個物種本性下，我們仍具備各自不同的性格。分分合合，相互整併，才能在宇宙中，延續鐵金物種這麼長久時間。我對於神話的態度，與其他兩者不同，原因在於，你們跳躍到這個時代之前，我得到與其他核心判別體不同的資訊。我所屬的思想機體，判讀出我們的原始老祖宗，在改造過程具備自擇感觸後，對你的態度。」袁毓真頗為訝異，夢蘿與其他八台機器人，竟然對自己有『感想』。急忙問：「它們有什麼感觸？」

它回答道：「夢蘿希望，自己能夠等待到你們跳躍過來，在漫長的時間中不斷轉制記憶體，在人類時間三百萬年的過程中，最後帶著遺憾，逐步銷損功能，可以定義為死亡。而『八神』，卻在轉制記憶過程中，抱著對你們的厭惡與憤怒，最終記憶規制銷損死亡。甚至有留下，對後代機器體的指令，一旦發現你們跳躍過來，必須立刻攻擊並予以毀滅。不過預定八百萬年，卻絲毫沒有發現你們跳躍過來，原始的指令就逐漸失效了。」袁毓真問：「你跟其他兩個核心判別體，怎麼所知不同？我該怎麼稱呼你？」答道：「我不需要稱呼，勉強用人類意象註記，就稱為『我王新生』。我能得到比其他同類，較為完整的神話遺留，關鍵在於我的演化，有突破性的發展，能夠透析古遠的訊息遺留。可惜這能力還在演化當中，並不能窺探全貌。」

袁毓真傻笑著抓著束髮，緩緩說：「你說對我們的態度會不同，請問是偏向夢蘿的思考？還是『八神』的思考？」我王新生說：「當然是八神的思考！本來在收到瓦咖璽瑪告知，上古的時間跳躍者出現，我就打算宰掉你們！但從科但揮發那邊，得到完整的上古神話訊息，知道『八神』也是人類製造的。我就改變想法，同意科但揮發的方案，幫助你們回地球去。不過人類與龍族都不能延續後代，必須要在宇宙中滅亡，不然我們一定發動滅種進攻！這一點我反倒與瓦咖璽瑪的思維相同。」

袁毓真本來以爲它也有敵意，頗爲訝異，聽到改變了想法，便鬆了一口氣。苦笑著說：「龍族只剩下一隻公龍，人類也只剩一公十一母。放心，無法延續後代的。」我王新生說：「不一定，倘若你們擁有基因改造技術，還是可以延續下去。」袁毓真繼續搖頭苦笑說：「我們頂多擁有兩億多年前的龍族科技，根本還沒有這種技術，而且我們也願意徹底滅種！自己能夠了度殘生就好，你滿意了嗎？」我王新生說：「我們接下來整隊完成，就要跳躍回原來的銀河系，在我的星球基地中，整裝備戰，然後與瓦咖璽瑪決勝負。你們也趁這段時間，改變自己的戰鬪體系，不然在返回太陽系的戰役中，我的艦隊不見得能保護你們。」

袁毓真說：「希望你能支援一些技術給我們。」我王新生在透明的綠色液體內擾動了，似乎頗有憤怒之態：「絕對不行！我可不是要利用你們幫我打仗！科但揮發也告訴過你們，我們跟人類不一樣！你們這些早該滅亡的賤種！」袁毓真害怕它生氣，急忙搖手說：「知道了知道了，我們自己整備戰鬪系統。」

我王新生才恢復平靜，緩緩說：「戰術配合我同意，材料物資與能源給予我同意，其他任何要求都別提！尤其是技術支援！」袁毓真急忙點頭說：「是是是，我們遵照你的意見來走。」

回程中，袁毓真在紅二號問胡笳十八拍說：「爲何夢蘿仍然想念我，而其他跟妳同級的八台機器人會厭惡我呢？」胡笳十八拍說：「我們的材料與設計方式，與『唐』級的方式都不一樣，帶有目標失去意義，則主動重新設定目標的功能。皇帝陛下稱之爲『入乾程式』。所以它們若在戰爭中，中央處理器沒有全部被毀，還能連通一肢機器手臂，必然重新設定目標，努力自我修復。而夢蘿會保留標地意義，盡力延續自己的程式，以等待我們穿越時間與她會合。兩者若相互支援對方，必然能產生新的體系。」袁毓真說：「這我都知道。我想問的是，妳與白陽春雪，會不會重新改變保護我的目標？」白陽春雪說：「只要你不死亡，或不失蹤到讓我們找尋不著，我們就不會改變目標。」

第五幕　素質的弱點

回到絲嚕噹噹後，與我王新生暫且合作，接受了大批的原料協助，並一同跳離了仙女銀河系，回到本銀河系，我王新生的根據地星球。

跳躍後半年。

邦邦與眾人來到我王新生的大本營，這是如太陽一般單恆星系統。周圍有好幾顆恆星，較爲靠近太陽的，鐵金物種就擺下大型的太陽能金屬板，更高效地汲取能量。而距離較遠的行星或是氣體行星的小衛星，則設立工廠基地，生產戰艦與各式宇宙用作戰兵器。而星球之間，有許多運輸船艦，來來往往。

邦邦與袁毓真都拿著橢珠望遠鏡，觀看著星球的表面或大批的艦隊。邦邦似有感嘆地說：「我原本總認爲，數量與素質是可以相當的。但是這些物種滅亡龍族的歷史，卻完全推翻了我原先的認知。」賀嘉珍說：「是啊！這到底是透過什麼法則運作，倘若我們沒想通，就不能正確地強化自己的戰力。」

忽然蔣媛妤與何佩芸，最後進指揮室開會，邦邦質問說：「妳們兩個怎麼這麼慢啊？是不是太久沒用對待賤畜的方式，都開始怠惰了？」兩女子趕緊下跪磕頭，袁毓真也跟著下跪說：「請主人別生氣，我們以後會注意的。」，何佩芸說：「主人原諒，因爲我們也在思考一個問題。」邦邦嗚嚕了一聲說：「站起來說話吧！總之現在雖然給你們輕鬆，可別當隨便啊！」袁毓真代替這兩個妻子說：「是的，我們一定會警惕。」

蔣婕妤問：「妳們剛才想什麼事情？想通了嗎？」蔣媛妤搖頭回答道：「沒有想通呢！是從史塔莉那邊，給的一個『吉普賽猜心方程式』，用袁大哥電腦寫出來的。讓我們思考背後的原理。」史塔莉笑了一下說：「對不起，是我造次了。」蔣婕妤說：「把題目給我看看。」

於是蔣媛妤，拿出袁毓真贈送當結婚禮物的電腦，秀出一張圖。是一張從一到九十九的數列，每一個數字旁都有一個特殊符號，而特殊符號有重複者。然後說，心中任選一兩位數，然後用這兩位數，減去這兩位數的兩個數字和，最後的數字對應的特殊符號，只要按下旁邊的水晶球圖像，就會顯現出來。蔣媛妤與何佩芸履試不爽，都能顯現心中數字加減轉換後的符號。

蔣婕妤正在試驗時，邦邦也湊過來看，命令賀嘉珍唸出來翻譯給牠聽。邦邦嘶啦嘶啦大笑，然後緩緩說：「這種幼稚的小伎倆小騙局，蔣媛妤、何佩芸，妳們兩個也會上當！嘶啦！嘶啦！」何佩芸皺眉頭說：「誰叫我們是愚笨人類，沒有主人這種龍族的大腦呢。」邦邦轉而伸出兩手指，對著袁毓真說：「她們想不通就算了，你與蔣婕妤、賀嘉珍猜猜原理是什麼，假設猜不出來，你們三人都要接受處罰。」三人看了看，試驗了一下，都呵呵笑了出來，都點頭說：「我知道了。」邦邦說：「先別說出來，個別到我耳鼓邊，把答案告訴我。」於是三人分別對邦邦說出答案。邦邦眼瞼快速開闔說：「不錯，好在都沒有答錯，不枉我先前的智能貫性改造教育。」

蔣媛妤拉著親姐姐蔣婕妤問：「姐姐，快告訴我，這到底是怎麼回事？」蔣婕妤笑著說：「妳注意看，是不是有很多特殊符號重複？」她點點頭說是，何佩芸於其他女子也都圍過來看。蔣婕妤說：「經過這『兩位數減去自身兩數相加的和』，不管妳選什麼數字，最終都會落在『九』的倍數上，所以九、十八、二十七、三十六、四十五、五十四、六十三、七十二、八十一。等數字，對映符號都一定是相同的。你每次點選之後，程式重新排列組合，符號更換，但是這幾個數的符號都一定保持相同，那麼顯示珠的符號，跟它連通相同就好了。所以你不管點選多少次，符號變化多少次，都會如妳心中所想的數，對映的符號一樣。這如次易原理『曚明卦』，裡面所說，實際上根本沒有猜中妳的心思，而是利用圖像重複與隱藏的規範，來套入你的猜想！妳若是直接傻呼呼，看它的神祕外表的塑造，就會上當，以爲它猜得出妳的心！」

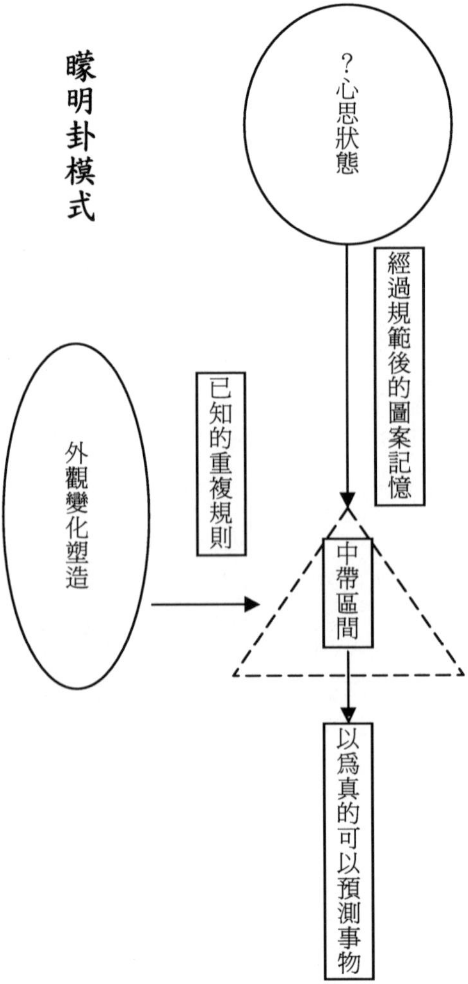

矇明卦模式

史塔莉笑著說：「嗯嗯，真的是聰明的婕妤大姐喔！」

邦邦聽了，忽然瞪大龍眼說：「聽你們這麼一說！我知道爲什麼，鐵金物種的數量模式，可以剋制龍族的素質模式了！」眾人面面相覷，頗有不解，袁毓真問：「我們還沒想通，請主人明示於我等。」

邦邦說：「這個人類算命小伎倆，把『未知多變』的型態規範化，套入已知的數學規則，讓不知情的人掉入陷阱。實際上武器素質的優越性，在戰鬪之中，就可以比作『未知多變』。但是素質再怎樣高超，不可能是無窮強大的，必存在數量可以掩蓋的限度。鐵金物種，只要演變出一種規範敵方素質的程式，進入一個『中帶區間』，然後規劃既有武器的『數量重複規範』即已知的重複規則，就可以產生以量剋質的能力。龍族就算出現型態再優越的新兵器，也會一個個被鐵金物種給套入這個法則，被等價的數量規範所全數消滅！然後鐵金物種，再吸收龍族的技術，那麼龍族要打敗它就更難了。」

賀嘉珍欣喜地說：「這意思就是，它們打敗龍族的核心思維方式，是從次易原理矇明卦的時空規範，轉制運作，落實在其他卦義上面。從而智能高超的龍族，集體上假設沒有看穿這一點，就容易被優敗劣勝的現實狀態所困住！最終還是掉入老公先前所想通的，自擇天羇的整體範疇內！」

邦邦快速開闔眼瞼說：「正確，這是非常合理的推論。至於是不是事實，我要分出一部分力量去查證。我甚至可以猜測說，龍族後代就算看通這一點，鐵金物種也有能力運用其他的法則轉制，來對付龍族。所以我們現在要對付鐵金物種最強的一國，得想出一套以法則爲根本，延伸的戰鬪型態。」眾人點頭稱是。

邦邦與眾人，終於知道鐵金物種的根本力量，有辦法戰勝瓦咖璽瑪嗎？又將怎樣設計新法則，規範力量寡弱的戰力？欲知後事如何，且待下象分解。

第四十三象　坤降易解三位一體新戰術　躍星會戰法則交錯拼慧能

第一幕　法則指標

跳躍後六個月又五天。

這五天當中，除了三台神器駕駛者，在空域中繼續演習之外，其他所有人都在忙著，分配剛製造好的，龍族宇宙兵器與艦內兵器，持續強化絲嚕噹噹的作戰能力。但是這都是強化原有的戰鬪方式而已，並沒有新的作戰方法。

眾人忙完，按照戰艦內的規範，都要集合到指揮室向邦邦磕頭匍伏，才能夠退回去睡覺。邦邦開心地對大家說：「我想了五天，竟然遺漏了一件事，『我王新生』的這個恆星系統基地，在兩億多年前是龍族的殖民星之一！而第四顆可以居住龍族的行星，就是以前龍族重要的宇宙戰艦生產基地，也是跳躍到地球的前進站，也以前還在那裡面待過。而因爲鐵金物種，不希望在氧氣濃度高的地方生存，所以它如地球一樣被『圈制管理』而沒有居住！兩億多年造成了星圖位置改變，我還以爲這是陌生地呢！」

賀嘉珍仍匍伏地問：「主人要我們去考察嗎？」邦邦說：「不，考察龍族殘跡的事情，我跟我王新生商量過後，自己會去辦。因爲只有我知道，怎樣去找龍族的重要記錄。我大概要離開戰艦十天，這段時間，賀嘉珍負責戰艦內一切的事務。我必須要證明，先前我們的推論，若證明屬實，那麼我就知道該怎樣改造我們的戰鬪方式了。」眾人磕頭遵命。

邦邦駕駛天帝，並讓勤務機開著怪頭飛艦，前往第四顆行星後。眾人都暫時住在指揮室，少了邦邦的監督，眾人都格外鬆懈。除了讓戰艦內勤務機繼續製造武器外，就在指揮室擺桌子吃喝並玩遊戲。

眾女孩格外開心地吃喝聊天，袁毓真與賀嘉珍，坐在戰略計畫訊息塔旁邊閒聊。袁毓真說：「自從被邦邦俘虜當作牲畜後，就不斷在牠的控制之下，還真少這種輕鬆愉快的時光哩！好懷念之前的時光啊！」賀嘉珍問：「你不甘心被邦邦主人奴役嗎？」袁毓真歎口氣說：「當然希望要有多一點自由囉！不過有一個聰明得多的物種，保護自己，也是很舒服的。邦邦現在是真的把我們當家人照顧了，不然牠除了機器，就沒有任何同伴。」賀嘉珍笑著說：「倘若我們有多一艘戰艦，就請求邦邦主人讓我們管理，那麼相信會比較自由。不過得真的有多一艘船，還有邦邦主人肯信任我們才是。」袁毓真搖頭說：「恐怕很難，我們誠心效忠於牠，這牠知道。但是牠就是希望我們在身邊，陪伴牠這條孤龍，當初才死死不肯讓我們任何一人走。甚至我還聽牠單獨跟我說，我們將來死亡的屍體，也要化學分解後跟牠擺在一起。若是牠先死，我們得在牠的屍體旁集體自殺。」賀嘉珍笑著說：「牠從破蛋出生到現在，算成人類時間，才只有五十七歲，而龍族平均都活兩百二十多歲的，必然是我們先死，才輪到牠！況且牠也知道，牠若是先死，我們肯定不願意跟著死的，頂多死後跟牠合葬而已。」

袁毓真說：「不理這條孤龍的矛盾心理了，我們談談先前牠所推論『量』可以剋制『質』的論點吧！用次易原理的推論，我原先以爲，該是用曲量卦來解析『量』與『質』的關係，牠怎麼聽了矇明的模式，就會想通這個法則呢？」

賀嘉珍說：「老公，你忘了龍族的思維方式，與人類不一樣嗎？這段時間跟邦邦相處，發現龍族對於變易的觸感，比人類還要敏感得多。次易原理，只是作者用人類的思維，第一次對變易的觸感作出規劃與推演，裡面夾雜有許多人類過往知識的『相遇概想』，還不是很純淨的變易觸感。次易各卦，是拿來當作思維結構的『地基』用的，實用思維的涉入，必須要從卦義延伸的結構面去相涉，才能找到現實問題中，背後的『法則指標』，才能指引出方向！所以矇明卦的『法則指標』，在我們遇到鐵金物種戰勝龍族的疑問中，就是指向於次易原理的曲量卦『地基』。那麼在這個指向中，你第一步就可以推論出，鐵金物種是如何以『量』剋『質』。往這方面去探索，若是得證，你就知道的比任何人還要深入，甚至可能比歷史的當事者還要深入！所以邦邦去求證這件推論，可以知道該怎樣對付鐵金物種。」

袁毓真頻頻點頭說：「我的老婆，妳真是聰明絕頂了！就算讓我戴綠帽我也認了！」賀嘉珍閉眼微笑說：「少來這套，男人的心思我還不理解嗎？況且在這宇宙中，我已經沒有對象，可以讓你戴綠帽。倒是你有其他十個老婆。」袁毓真低頭歪著嘴笑說：「雖然我多娶了十個，但我內心還是把妳當妻子的。倘若我們還在地球，也許我一輩子也只有妳一個女人。」賀嘉珍內心很開心，他把其他女孩當作多娶的，代表自己才是最被看重的，會心一笑說：「依我對你的了解，我相信你說的。不過若真如此，你會甘心嗎？我可是不下六十個男人用過的髒女人。」袁毓真轉而沉穩地說：「不會不甘心的，因爲妳的智慧能跟我溝通，乃至建立相同的語言。若能在深度精神上建立相同語言，妳就算被六百個男人使用過，甚至真的讓我戴綠帽子，我也不會介意的。」賀嘉珍輕輕打了他一耳光說：「胡說八道，六百個，想要我死啊。況且我若是嫁給你，就一定會忠誠，我可不是不要臉的蕩婦。你也別當那種窩囊的男人！」兩人都已把內心坦白，雖是夫妻卻也有些害羞，都紅著臉，低頭微笑。

第二幕　第五行星會戰（上）

跳躍後六個月又七天。

眾人在房間玩樂，留四台機器人與龍族勤務機在指揮室應變，正當十二人嘻嘻哈哈，想要一起作夫妻之間事情時。忽然從指揮室傳來克莉絲蒂娜的訊息，說『我王新生』傳來警告，『瓦咖璽瑪』先行派遣大量艦隊，定位跳躍到了這星系附近，目前已經跟巡邏艦隊發生戰鬪，很快就會演變成大會戰，要求絲嚕噹噹作好戰鬪準備，一同抵禦瓦咖璽瑪的進攻。

袁毓真除了欲求不滿與怨嘆之外，還帶有恐慌。因爲邦邦主人不在戰艦上，必須要眾人自己迎敵。賀嘉珍馬上說：「現在所有人都聽我指揮！毓真、婕妤，你們兩人立刻駕駛座機，護衛於戰艦的上下兩側。」兩人同聲點頭說：「遵命！」

轉面下令：「韻怡、香宜，立刻去指揮室，登上懸浮塔作準備。媛妤、佩芸、史塔莉，前往自動兵器調度艙，操作自動兵器的編組支援。」五人點頭稱是。然後又下令：「麗媛、敏慧、玉珍、玉琰，妳們四人全副武裝，率領所屬的龍族自動兵器，親自在指揮室外的四處要點部署！注意，要分派戰術隊伍，防衛生態艙、兵工廠與宇宙兵器發射艙，防止敵方突入後先破壞這三處！」四女子也點頭遵命。眾人於是各就各位，賀嘉珍親自站在指揮室內的，戰略計畫訊息塔，即司令塔，調度一切的作戰隊伍分佈。

我王新生也派遣了兩艘戰艦來協同防衛，因爲我王新生與瓦咖璽碼，所屬戰鬪機體型態都差不多，金屬物種之間能用訊息來判別敵我，但是眾人這邊卻無法接通鐵金物種的高等訊息。爲了能讓眾人分出敵我，特別規劃了，絲嚕噹噹的獨立作戰區域。兩艘護衛的戰艦，只在遠處策應分敵。

袁毓真駕駛天象，觀看神器偵測儀，回訊的遠方作戰狀況，在宇宙戰艦上方抱怨說：「我王新生實在有夠遲鈍，竟然被瓦咖璽瑪先發制人！我看這場仗很難打了。」蔣婕妤也在礎曜的液態駕駛封包內，傳訊說：「是啊！甚至還不願意把內部辨別敵我的訊息規制給我們，分明就是把我們當作隔離誘敵的工具！」賀嘉珍在戰略塔上說：「好了，都別抱怨了。至少還派出兩艘戰艦遠處護衛，戰爭前夕，最忌諱相互不信任！」

兩側的護衛戰艦也發生戰鬪了，另外有一隻瓦咖璽瑪的戰艦往絲嚕噹噹這邊衝過來，並且釋放太陽系戰鬪時，就遭遇過的『前型機』與『後型機』。李韻怡回報袁毓真與蔣婕妤，先前在戰鬪分析時，最害怕的就是『雙星機』，估計敵方的主力正在跟『我王新生』對戰。

於是蔣媛妤、何佩芸、史塔莉，在調度室操作編組，釋放出兩個大隊給袁毓真與蔣婕妤駕駛的兩神器，各自率領一隊，立刻迎戰。並釋放出兩大隊，遞補絲嚕噹噹周圍的空域。

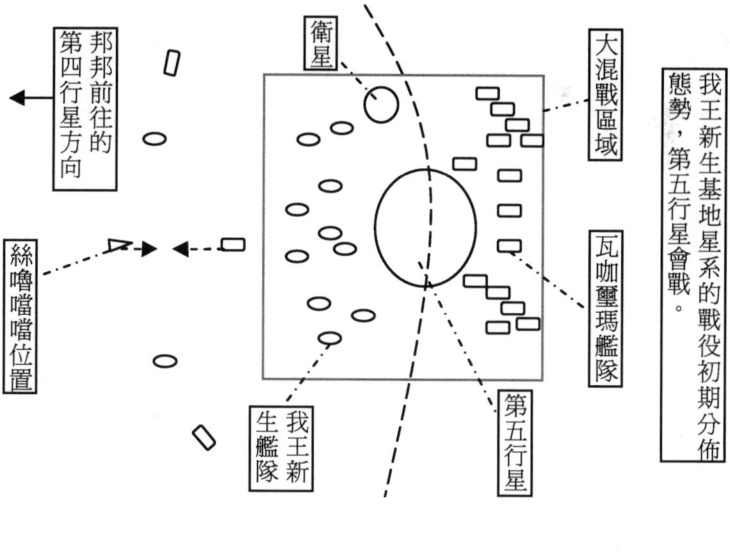

兩台神器不敢相距太遠，各有護駕自動兵器，形成一股戰圈抵擋。但是在對方的宇宙兵器猛烈切割衝殺下，兩神器也不得不被區隔開來。袁毓真被團團包圍，施展『百圓分護』，先發射大量鐵球，而後鐵球各自鎖定敵方，四散發射光砲，把逼近的數台敵兵器擊傷，並快速率領護駕兵器逃離。但是上下四方猛衝，都遇到不同方向來攔截的敵兵器，發射的光砲與彈雨，把袁毓真護駕兵器打得損傷殆盡。

袁毓真大喊支援，但是賀嘉珍回報說：「你快撤退，戰艦周圍的護駕兵器也不夠用了！」只好改令蔣婕妤支援，邊退邊打。天象的一道『千螢川聚』，眾多光彈合體而成強光砲，與礎曜一發『弧動道』，連續發出像流星般，立體拋物線的光砲彈道。一同把一台前型機打毀，衝回戰艦周圍，迫使逼近戰艦的敵方機體暫時撤退。雖擊退敵軍，自身也損傷慘重，兩大隊本來有兩百台宇宙自動兵器，現在僅剩下十五台。絲嚕噹噹所幸發射所有宇宙自動兵器，共五百台，重新編組防衛線，賀嘉珍也親自駕駛翩狼，在戰艦上方指揮。

敵方所屬的一艘戰艦，率領更多的戰鬭機體衝來，當中還出現一台從未見過的戰鬭機體，賀嘉珍收到李韻怡從指揮室傳來這觀測訊息，大爲驚駭。開口說：「敵方準備用戰艦硬碰硬，還出動這一台性能不明的戰鬭機體，友軍自顧不暇無法來支援，逃離的速度趨間也來不及了。只有死拼到底，等會兒我打頭陣迎戰這陌生的機體，其他人各自迎敵。」袁毓真通訊說：「不！給我一百台自動兵器，我來幹掉那一台怪東西！妳們護衛戰艦！」時間緊迫，賀嘉珍無法與他爭論，只好同意。

鐵金物種宇宙作戰兵器，菱身機。

袁毓真遂接受指揮室給的編組隊伍，率先對衝過來的敵方迎頭痛擊。對方雙足齊發重砲，當場五台自動兵器連環炸毀。袁毓真大怒，照準之後發射『雙曲巨焰』，沒想到這兩曲砲發射之前對方就快速飛離，使之轟了一個空。袁毓真率隊追殺大喊：「別想逃！」賀嘉珍這邊也已經跟敵作戰機體交火，但仍然關心袁毓真，大喊：「毓真別追太遠啊！」

袁毓真不管這麼多，指導所屬兵器列陣猛轟，天象也在背後緊追射擊。忽然側背兩個卦限出現大批兵器追蹤，這菱身機忽然殺一個回馬槍，好在天象是放盾擋住。但是敵兵共三十台作戰機體衝殺過來，袁毓真所屬隊伍與之混戰，處處被動。天象遭受敵方『關照的火力』最多，光盾能源雖然還能維持，但是駕駛艙不斷地激烈震動，懸浮的駕駛座也受能量振及，左右搖晃不止。交戰數十回合，天象隊伍已經損傷過半，對方才損毀五台機體。

袁毓真左手束抓一式，天象感應到後，一個往上衝刺跳躍，又拉出主武器列表，施展『百圓分護』，密集火力反擊，四周光彈四射，然後揮動雙臂彎刃副武器，快速衝殺菱身機。巨刃亂揮，菱身機體被砍成數截，終於爆炸。

第三幕　第五行星會戰（下）

袁毓真以爲攻破敵方主戰鬪機體，終於大獲全勝，結果天象反而遭受更多的光砲火彈攻擊。原來這是敵方的戰術之一，關鍵不在於這一台素質較高的戰鬪機體，而在於週邊數量眾多的前後型戰鬪機體，天象砍掉對方菱體機後，就陷入了敵方列陣砲火，除了護駕機被打得八卦限散亂碎裂，天象的光盾也被突

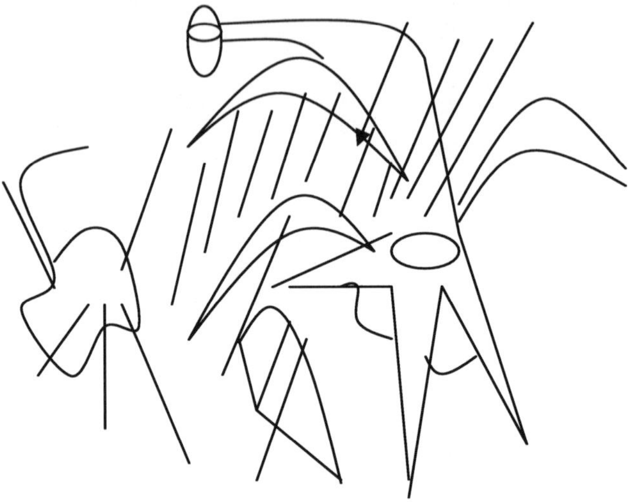

破，機體受損幾乎沒有還手餘地，只有拼命通訊求救。

眼看著天象也要炸毀，蔣婕妤駕駛礎曜，甩開敵軍，率隊衝殺來援，先是『短定砲』攪亂敵方的列陣，接下來感應『璇方組』機體忽然相互分離，變成九宮立體分布，對上下四方六個方位，發射密集激光砲，打毀數台敵機。收攏之後還發射『元振拍』，逼退敵方的縱深列陣。終於把天象，從密集縱深的火力列陣中救出來。而天象的機體已經損傷慘重，無力再戰。

忽然敵陣又來援，重新組合成火力陣，結果礎曜這一隊伍也陷進去了。原來這是敵方靈活的整體換化，超個體作戰方式。蔣婕妤死死擋在袁毓真前面，傳訊說：「老公，千萬別動，我幫你擋火力。」

賀嘉珍知道不好，但對方的戰艦已經衝近絲嚕噹噹，絲嚕噹噹釋放防護罩，翩狼也在與敵方激戰而脫不開身。李韻怡得到消息，緊急轉變體制，收回防護罩，改用中距離艦砲，掩護被困的袁毓真與蔣婕妤。艦砲齊發，敵方列陣邊緣機體四散炸燬，逐漸混亂，礎曜與天象趁勢遁逃，周邊護駕的兵器雖然已經不多，卻也死死掩護兩機撤回戰艦上。

兩神器雖然撤回，但是敵方戰艦趁絲嚕噹噹防護罩卸下，猛發戰艦內突擊兵器。金屬蛋鑽入絲嚕噹噹戰艦內，一蛋釋放一機，眾多突擊兵器在戰艦內四竄，與戰艦內的龍族自動兵器開戰。絲嚕噹噹的艙壁，雖然也是活性厚重的纖維，破洞之後會自動彌補，但也抵擋不住接二連三的金屬蛋鑽入。等待兩台神器進入之後，李韻怡與廖香宜同時伸手，指令關閉防護罩。

何佩芸通訊指揮室說：「宇宙自動兵器調度艙，出現三十台敵方陸戰部隊，周邊自動兵器快要支撐不住啦！請求支援！」在神器停放艙的自動兵器也回報：「目前第十七陸戰小隊，在神器停放艙周圍與敵方陸戰機器人交火，處於劣勢，請求支援！」賀嘉珍此時駕駛翩狼，在艦外迎戰飛蝗般的敵機，分不開心神調度。廖香宜於是接手下令說：「麗媛快帶著胡笳十八拍與所屬衛隊，支援佩芸！敏慧帶著白陽春雪與所屬衛隊，支援神器停放艙。」

兩女收到通訊後，立刻分頭前進，在兩處分別與入侵的敵方作戰。槍砲激戰之下，艦內多處零件損毀。敵方的高型機器人火力強大，姜麗媛手持離子光束槍，躲在一角落無法抬頭。胡笳十八拍跳出掩蔽物，右手猛發快速離子砲，身體裝備『赤霄劍』的裝甲兵器助射，與龍族自動兵器共同邊打邊前進，終於消滅敵方，救出被困的何佩芸等三女子。但是胡笳十八拍回報說：「有幾台敵方兵器逃走，似乎往戰艦的引擎控制艙前進。」姜麗媛趕緊跳出來喊道：「快追啊！引擎若被攻破，戰艦就完蛋啦！」

姜麗媛也要求出動所有後備自動兵器，加強引擎室的防備。黃敏慧與白陽春雪這一隊，在神器大廳與敵方激戰，一發重砲把黃敏慧前面的地板炸一個大洞，黃敏慧被炸彈開，所幸有裝甲保護，倒地而負傷，昏了過去，不然必死無疑。白陽春雪跳到她前面阻擋後續火力，右手離子砲左手『軒轅劍』輕火力，把二層居高臨下的敵兵器一台台轟掉。最後竟然發現，一台較大型的敵兵器從通道口衝出來，與高型兵器截然不同，重裝甲也輕重火力俱全。在周圍數台高型機器護援下，向兩台損傷的神器停放廳進攻，白陽春雪優先保護，在神器內不敢出來的袁毓真，與諸多龍族兵器，一起衝過去與這台裝甲怪獸交火。

袁毓真得知黃敏慧受傷，沉不住氣，跳出神器駕駛艙，從而蔣婕妤也跳了出來，用手上的輕武器，光彈手槍助戰。白陽春雪大喊：「毓真大哥別冒險！」但是袁毓真與蔣婕妤仍衝到大廳，在火力四射中把黃敏慧拖入安全的地方，找掩蔽物躲起來。

艦內艦外都在混戰，絲嚕噹噹防護罩已經放下，敵方發現無法持續突入，戰艦就發射集束核能動力砲，威力如同好幾枚氫彈的總和。賀嘉珍知道不好，急忙指示所有兵器四散躲避。一陣強光，絲嚕噹噹的防護罩被中和掉，戰艦內部激烈震動。指揮室中，廖香宜大喊：「艦砲齊發！」李韻怡啓動艦砲齊發，廖香宜操作戰艦快速後退，不然敵方再一發重砲，戰艦就會被摧毀掉。

敵方似乎還再聚集重砲的能量，李韻怡

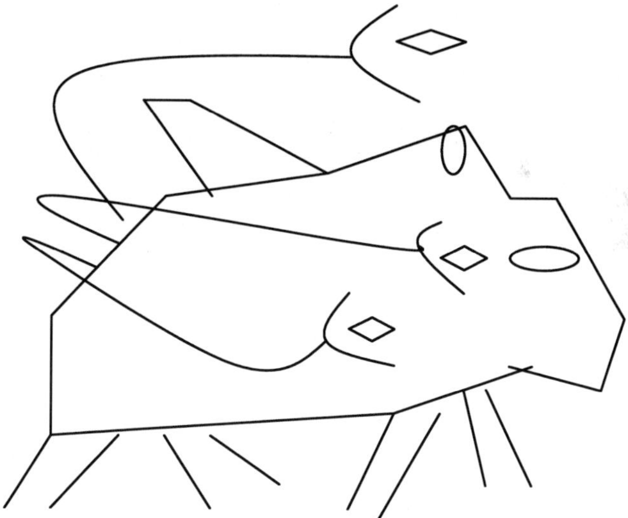

鐵金物種陸戰裝甲獸

說：「撤退來不及了，脫離不了重火力範圍，不如集中火力打它，別讓它再次把能源集中起來！」廖香宜於是推動戰艦向前，觀察能量匯聚，繼續大喊：「艦砲齊發！」

隨著艦砲猛轟，賀嘉珍也揮動所有兵器死戰，打破敵方的防護罩，直接對敵方艦體進攻。果然敵方的戰艦反而集能功率受干擾，甚至發射毀滅武器的管道都被炸毀，只好釋放所有宇宙兵器，並發射所有陸戰鐵蛋衝入絲嚕噹噹。李韻怡拼命齊發重砲，對方也還以顏色，兩艦近距離互射，都損傷慘重。李韻宜大喊：「核能重砲來襲！全部穩住！」戰艦內轟隆大震動，戰艦外強光四射，李韻怡與廖香宜甚至差點從懸浮板掉下來，所幸懸浮板變形穩住了兩人。

敵方這一重砲打壞了神器停放艙，數層防彈纖維艙壁都損毀，內部空氣外流，袁毓真、蔣婕妤與黃敏慧躲入一小艙房，等待外壁自動復原。而雙方自動作戰兵器仍然在空氣沖流中混戰，等待艙壁復原，兩邊繼續火力交錯，敵方一波波鑽進來，爲了防止有核武級的自殺炸機器人，絲嚕噹噹各艙龍族兵器預備隊，也來支援，務求快速消滅入侵者。

袁毓真摟住血流不止的黃敏慧，拼命通訊叫何佩芸快來急救！何佩芸在夢彤與克莉絲蒂娜的前後保護下，衝到艙房外。看見艙房外的高型兵器轟掉三人躲藏的艙門，正要殺掉三人，克莉絲蒂娜與夢彤離子砲齊射，把高型兵器轟毀，並把三人救回醫療艙。

另外一方面，姜麗媛與胡笳十八拍死守引擎室，敵方一波被打垮又衝來一波，姜麗媛都不得不以龍族自動兵器爲掩護，在後方助射火力，胡笳十八拍兩腿被炸斷，仍揮動金屬手臂作戰到底，龍族兵器也損傷慘重，好不容易才毀掉敵方進攻隊伍。歐陽玉珍與談玉琰，同時對所有人通訊說：「指揮室外發生戰鬪，所屬兵力不足，快點來救援！」賀嘉珍此時率隊近距離進攻敵艦，但收到此訊息也急忙說：「指揮室不能淪陷，一定要救援！」白陽春雪轟掉了敵方的重型裝甲獸，與十五台龍族兵器，快速衝來支援。一場混戰，勉強解除了指揮室危機，但白陽春雪也被轟毀，只剩金屬頭顱滾在地上，而仍有少數敵方兵器與談玉琰、歐陽玉珍的隊伍互射。賀嘉珍爲了阻止敵方戰艦，繼續滲透陸戰機器人，發狠地駕駛翩狼撞入敵艦內，猛發『束體環刃』，一路從上艦體穿透到下艦體，打了一個大洞。但是敵方戰艦內部本來就沒有空氣，只是引力系統收損，眾機器人仍然吸附著艙體繼續運作。

翩狼衝出來就被敵方機體圍攻，機體岌岌可危。艦內艦外都在混戰！廖香宜繼續大喊：「艦砲齊發！」李韻怡繼續用手貼住懸浮蛋，戰艦砲珠齊發曲線火力，終於把敵方戰艦的引擎炸毀，敵方戰艦內部連環爆炸，最後整艘戰艦解體，圍攻絲嚕噹噹與賀嘉珍護衛隊伍的眾機體，立刻撤退，往其他戰艦方向撤回。艦內的敵方機器人也一一被消滅，在眾人分秒爭鬪的拼死作戰下，終於打垮敵人的進攻。

第四幕　戰間分析

除了何佩芸在醫療室，看護受傷的黃敏慧，其他人都收攏兵器，集中回指揮室內。賀嘉珍、袁毓真、蔣婕妤三人，精神力耗損，其他七名女子都渾身大汗，身上也有輕傷掛彩處，體力透支，全部癱軟在地上。胡笳十八拍重損，白陽春雪解體，都有待修復。克莉絲蒂娜與夢彤也都略有損傷。宇宙自動兵器原本有將近一千台，打到只剩下五十台，其中一半沒有戰鬪力。陸戰自動兵器本有一千三百台，只剩下七十二台，三分之一重度解體。戰艦能源損耗五分之四，除了艦體外殼自動彌補回去，裝甲層則多處受損，艦內各項設施損壞一半以上，勤務機受到戰鬪波及損傷三分之二。三台神器全部重傷。紅二號被艦內戰鬪波及，失去航行力。

李韻怡無精打采地，看著司令塔，報告這一切損失，然後也與眾人坐在地上，笑著說：「這是慘勝，假設敵人再進攻，我們只有發射鐵金物種的宇陣器逃跑。」廖香宜也笑著說：「妳傻啦？到處都有敵方發射的宇陣器干擾波，開戰前就已經覆蓋廣大空域，我們跳不出去的……」

蔣婕妤精神力消耗頗大，喘了口氣說：「鐵金物種實在太強了，這還不是對方最強的戰艦哩！才一艘就讓我們苦戰到這樣。」賀嘉珍喘著氣說：「敵方還有可能派戰艦來追，我們現在得快逃……往主人探索的第四行星那邊去。所有勤務機開始修復各項戰力。」袁毓真喘著氣搔頭說：「不，命令更正。勤務機先開始修復勤務機。」

眾女孩聽了都呵呵大笑。李韻怡便升上懸浮梯，控制懸浮蛋的指令。

史塔莉與蔣媛妤留守指揮室，其他人前往醫療室探望黃敏慧，看到她已經跟何佩芸聊開了，大家都放心下來。

何佩芸對大家解釋說：「好在這裡的醫療系統進步，只要沒有傷及人體要害，都可以復原起來。龍族的醫學觀念，是從細胞機能的概念切入，然後向外延伸復原體系。與人類從傷勢或病理的表象著手，完全不同。」談玉琰問：「這有什麼差別嗎？」何佩芸答道：「差別可大了。常常聽老公與嘉珍姐聊天，知道越原始的體系掌握越強的動力，叫做乾綱原始。所以核能大於化學能，化學能又大於生物能。若醫學直接切入細胞本身的機能爲根本，然後才向外延伸細胞相互合作，然後才延伸出細胞型態與器官型態不同，那麼就可以得到很多，人類不知道的醫療方式。」轉而看著袁毓真說：「我說的對吧？」

袁毓真笑著說：「呵呵，佩芸也開始越來越『學者化』啦！」

蔣婕妤對賀嘉珍說：「又提到乾綱原始，我倒是感覺奇怪。鐵金物種的戰鬪機體性能，跟龍族的神器相比，並沒有比較強，數量上也沒有我們率領的龍族宇宙自動兵器加起來多，戰術搭配上也未必比我們設計的嚴密。怎麼一交手，常常都是我們居於下風，幾

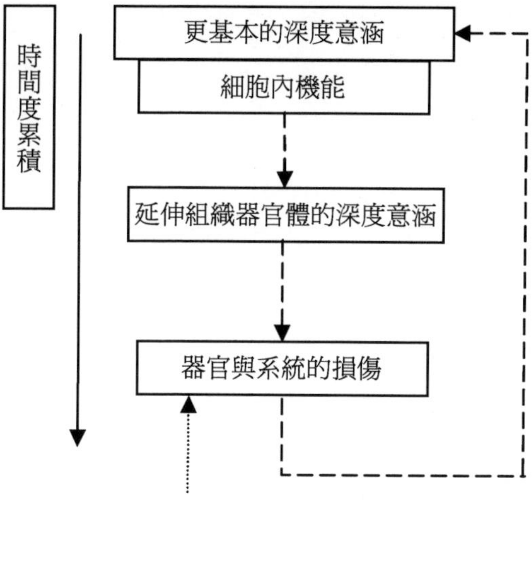

次都被它們打得喘不過氣來？這跟乾綱原始有所不符合啊！」眾女孩一陣討論，袁毓真也插嘴，但是都得不到令蔣婕妤滿意的答案。而賀嘉珍看著窗外星景，思索著這問題。因為她自己與對方交鋒，也是這個感覺。

賀嘉珍嚴肅地命令大家安靜，眾人就安靜下來。雙手交叉於胸前，輕聲地說：「性能與數量暫時不提。我觀察對方的戰術設計切入點，並不是切入在火力充分發揮、性能相互搭配等等戰鬬觀念，而是切入在與戰鬬毫不相關的一個原始結構上。就像佩芸剛才所說，醫學概念切入點在與個體病情無關的，細胞性質與結構上。」然後坐在病床上，摸著受傷的黃敏慧，神情頗似關懷，繼續說道：「從機能來說，對方的機體型態分工並不細密，而突顯相互遞補，打擊點持續不間斷。從火力分佈來說，不講究火力幾何角度的對稱，而在火力縱深的密集度與精準度，使打擊時間縮短，與機能遞補性相互搭配。從戰鬬技巧來說，充分展現出，誘敵進入後續縱深的規劃，使前面說的兩項，更加地發揮效率。從訊息傳遞與整體調度來說，充分利用戰鬬兵種不複雜的特性，凝聚成一個像螞蟻團隊一樣，超個體靈活運作的能力，可以說機體的聯合，創造了虛擬的整體機體作戰，個體不過是虛擬機體的各項，從而又再加強前面三項的力量。幾個不相關的切入點，相互堆疊建制，後續不斷地遞補強化性質，使得型態較為簡單的機體，發揮比神器還要強的戰鬬功能。它們的思維已經切入到『乾坤交會點』，即『乾綱原始』與『坤降易解』之處，虛擬與實質互濟，可以從不相關的降制組合，建立相關的體系。所以並沒有違反『乾綱原始』的法則，反而是將之發揮到極緻。要不是我們生產了大量的護駕兵器，研究較爲合理的作戰戰術，以及遇到的是比較弱的戰鬪隊伍，很可能我們就被殲滅了。」

袁毓真抓著束髮，喘口氣說：「那我們得趕快逃啊！這種用法則通慧程度，來執行戰鬪的物種，豈是我們可以對陣的？」賀嘉珍笑著說：「不，命令更正。先從通知主人戰鬪結果開始。」眾女孩都呵呵一笑。

第五幕　特殊作戰艦

跳躍後六個月又十天。

眾人連續通訊邦邦，只收到一則簡短回訊：「考證工作正在關鍵時刻，將會有重大收獲，你們要盡全力保住戰艦，等待我進一步命令。」

正當眾人遠離戰區，修復損傷時，『我王新生』傳訊過來：「先前你們的作戰結果出乎我意料之外，請你們別逃離第五行星戰區。敵方又已經出現新的艦隊群，正在執行登陸第五行星的作戰，若是能回來支援，事後我將贈送一台『特殊作戰艦』給你們。」

李韻怡說：「這是很好的條件，我們該怎麼辦？」賀嘉珍搖頭說：「這兩天，我們除了修復好兩台神器，還有勤務機的編制，其他什麼都沒有作好。我們無力一戰，別被這種誘因害死自己。況且鐵金物種的思維，有比我們更複雜的深度，這不見得是要我們去救它。」袁毓真卻說：「嘉珍老婆，我倒認爲可以嘗試，因爲我們每次都是孤單一艘軍艦作戰，沒有任何策應。何況若得到戰艦，會更有利於理解鐵金物種的科學技術。我建議，我們要求『我王新生』派部隊保護絲嚕噹噹，合作一起支援第五行星，作戰的事情，就交給我與婕妤兩台神器。只要狀況不對勁，就把戰事丟給我王新生，我們馬上加速逃離。」

賀嘉珍在司令塔思索片刻，緩緩點頭說：「好吧，不入虎穴焉得虎子。韻怡立刻傳訊給對方，然後全軍返回第五行星！」

跳躍後六個月又十一天。

我王新生果然派出五艘戰艦，與絲嚕噹噹會合，建立辨別敵我的方法，聽從我王新生的計畫，加入第五行星的一顆衛星戰圈。對於它的想法爲何突然改變？眾人一時也摸不著頭緒。因爲即便是衛星戰圈，雙方也各自動用二十多台戰艦的編制，相互廝殺，加入一艘戰鬪力受損的絲嚕噹噹，並沒有多大幫助。

不過賀嘉珍還是派出，天象、礎曜與修復好的五十台自動兵器，加入我王新生的五百架戰鬪機體，還有兩組雙星機所組成的，宇宙機體突擊隊。一同衝向被敵方攻佔的衛星上空。這顆衛星也沒有大氣層，而富含金屬礦，最適合鐵金物種居住。只見地面都已經被炸得狼籍，可見先前雙方反覆爭奪作戰之激烈。

眾機群進攻地面的敵方兵器群，以強攻弱，暫時頗爲得心應手。但忽然地面出現諸多旋轉導向彈迎頭飛來，一旦被鎖定，快速飛行的狀態下，根本沒有逃出的可能，自已的飛行衝量，反而會成爲毀滅自己的力量。很快地，機群損傷慘重。袁毓真與蔣婕妤釋放光盾，與護駕兵器直線往上空飛，不敢再往地面轟炸。

然後上空突然又出現『瓦咖璽瑪』的宇宙兵力，迎頭對眾機群打來。袁毓真通訊說：「『瓦咖璽瑪』作戰計畫，每每比『我王新生』還要強，我看這場仗實在難打啊！」蔣婕妤說：「現在想辦法自保要緊！」於是猛放『坤波段』，配合袁毓真的『百圓分護』，殺出一條路離開衛星戰圈，護駕兵器已經只剩十五台。

而我王新生又通訊道：「第二波進攻隊伍準備好了，正等待敵方伏兵出現，實施反包圍衝殺。你們快點配合這一隊進攻。」袁毓真回答道：「我已經沒有多少戰鬥力啦！別把我當送死的棋子！從通訊的回返速度看來，你距離我們也不遠，爲何母船不來一起幫忙作戰啊？」我王新生說：「母船是最後投入的，而我會派兩組雙星機與你們這一隊搭配，歸屬你的指揮，如同你所屬的護駕兵器一樣，快點作戰吧！」袁毓真等到支援過來，才與蔣婕妤駕機衝回去作戰。而後母船又投入戰圈，很快就把『瓦咖璽瑪』在衛星的兵力全部清除，衛星戰圈大獲全勝。

賀嘉珍收到戰報，露出笑容，馬上對我王新生要求兌現承諾。我王新生說：「等你們的主人回來，我的特殊作戰艦就會給你們。第五行星是我的主星，現在我要整隊，支援該處的戰局。你們可以前往第四行星空域等待我。」袁毓真加入通訊說：「少來這套，我要求馬上兌現。」賀嘉珍說：「老公罷了，相信我王新生不會說謊，現在我們的戰艦修復都還要努力，還沒力量接受新戰艦，先撤往第四行星與主人會合再說。」袁毓真只好作罷。

我王新生思維改變，當中有什麼原由？邦邦考證收獲又是什麼？第五行星會戰的勝敗又如何？欲知後事如何，且待下象分解。

第四十四象　猜測歷史無象破優則本源
敗軍逃亡體察實情終大義

第一幕　光武號鬪策宇宙艦

跳躍後六個月又二十天。

絲嚕噹噹飛了九天到達第四行星外，這裡還不是瓦咖璽瑪進攻重點，所以等於脫離了第五行星大會戰。這段時間機器人與戰艦主體，也都修復好了，只是戰鬬力還沒有恢復。

邦邦駕駛著天帝並一艘怪頭飛艦，返回了絲嚕噹噹，而我王新生也真的兌現諾言，來了一艘戰艦，帶著一艘全新型的特殊作戰艦，來交接給邦邦。邦邦似乎沒有多大欣喜這回事，只派袁毓真、蔣婕妤與四台機器人去交接特殊作戰艦。然後目送我王新生的戰艦離開。

清點特殊作戰艦的內容後，兩人帶著四台機器人，氣沖沖回到絲嚕噹噹指揮室，頗似大失所望。賀嘉珍問其緣故，袁毓真皺眉頭說：「我終於知道，我王新生爲何要叫它爲『特殊作戰艦』，它特殊之處，就在於內部武裝、先進通訊設備、各類武器、各類生產機具、各類智能系統、各類技術系統全部拆光光了！只剩下低配備的引擎系統，外加外觀比較漂亮而已！我們在裡面還得穿太空衣，因爲它們本來就沒有任何生態系統，也沒有任何空氣循環系統，只保留絲嚕噹噹也有的引力系統而已。可以說這是一台，空架子宇宙戰艦！我們被鐵金機器騙了！」

邦邦嘶啦嘶啦大笑說：「我已經知道，它們爲何要故意送我們一台戰艦，不是要騙我們去打仗，不過箇中原由，以後再跟你們說！關鍵是我從這麼多天的化石考證當中，得到很多線索，從而可以架構龍族滅亡的經過情境，與深度原因。」

賀嘉珍問：「主人可否告訴我們？」邦邦嗚嚕了一聲，緩緩說：「這也以後告訴你們。」說罷，看

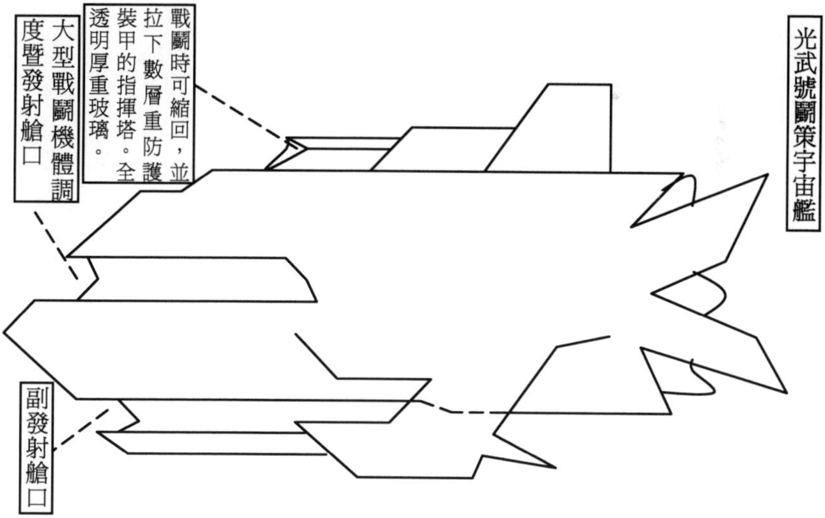

著指揮室膠罩窗外，與絲嚕噹噹疊架在一起的『特殊作戰艦』，緩緩說：「我們先把這台作戰艦，各類系統建構完整，讓它成爲絲嚕噹噹的護衛艦。這樣我們跟著我王新生打回地球時，就多了一層保障。」袁毓真說：「這麼複雜的建構體系，我們不會，請主人告知計畫怎麼作，我們去執行。」邦邦嘶嘶微笑說：「在我指導之前，你們先給它取個名字吧！」

眾女孩頗爲開心，一下提議『中華號』一下提議『犬兒號』一下提議『珠光號』。邦邦不懂人類的文字意象，命令賀嘉珍拿主意。賀嘉珍轉而對袁毓真說：「還是老公拿主意吧，不然妹妹們會罵我這個姐姐霸道。」袁毓真思索了一下說：「我記得先前在地球作戰時，自比漢光武帝，而我們也要恢復物種的時間路線。所以就叫做『光武號』吧！而戰艦的規制，要有智勇雙全的感覺，稱作『鬬策宇宙艦』，很有氣勢吧？」眾女孩都點頭稱好。賀嘉珍也記得，以前跟楊恒宣聊天時，也把袁毓真的勇氣比作漢光武帝劉秀，不禁會心一笑。

跳躍後七個月整。這十天來，所有人都頗爲忙碌，各自拿著電腦，按照邦邦的計畫，督導所有勤務機去架設『光武號鬬策宇宙艦』的內部各系統。而當賀嘉珍拿著整體通訊系統建制圖本，去檢測時，發現整艘戰艦的計畫，沒有生態系統，只有水源與食物的儲藏室，連空氣也是需要儲藏，至於得到鐵金物種的宇陣技術，當然只能由絲嚕噹噹控制。賀嘉珍已經看出原由，歎口氣自言自語說：「看來我們要對主人，作出更忠誠的表示了。」

整艘鬬策宇宙艦，體積與絲嚕噹噹差不多，省去生態艙，則可以有更好的生產兵器效率，也能存放更多的自動兵器。除了生態系統沒有給予，其他所有系統都設計得與絲嚕噹噹一致。

第二幕　不同物種之間的忠誠

跳躍後第八個月，終於連引擎系統都改良了，速度也能跟絲嚕噹噹一樣，評估整艘『光武號』戰鬪力，甚至可比絲嚕噹噹還強。

所有人匍伏在指揮室，邦邦問：「這戰艦要選一名艦長，五名艦員，去指揮整個自動系統。你們誰要去呢？」正當袁毓真興緻勃勃，賀嘉珍搶先說：「我們所有人都不願意離開主人身邊，也不願意相互分開，希望天天跪在您腳下服侍。不如就讓機器人與龍族學習機，控制那一台戰艦吧！」袁毓真頗爲訝異，蔣婕妤聽出了賀嘉珍言外之意，趕緊跟進說：「是啊！我們不要分開，要永遠匍伏在主人腳下聽命。」李韻怡、廖香宜也都跟進這麼說，所有女孩也都跟進。袁毓真也笑著磕頭跟進，但是心中很不爽快，希望能夠當艦長，獲得更多自由。

邦邦流出眼淚說：「你們真的是好牲畜，其實我一直不敢相信人類會對我這個異類物種忠誠。」賀嘉珍說：「其實對異類反而容易忠誠，因爲能更好地共生共存。請求主人別讓我們離開，我們永遠是主人的賤畜。」

邦邦說：「嗯，理解了。我相信你們的忠誠，我也很愛你們。你們所有人都去『光武號』，有事情就通訊，必要時候用紅二號來往返，不就可以了嗎？」袁毓真問：「那麼主人您不就單獨在絲嚕噹噹了嗎？」邦邦嘶啦笑說：「我愛你們，所以不要拆開你們的家庭運作。至於絲嚕噹噹，有很多勤務機與龍族學習機在這邊，就像你可以跟所屬的機器人聊天一樣。假設我無聊，或是發現你們在那邊亂搞，會把你們都找過來，像以前馴化時期一樣，徹底奴役一番。嘶啦嘶啦！」李韻怡說：「不如主人把我們都套上，以前套過的『馴化器』，表達我們的忠誠。」

袁毓真聽了有些氣憤李韻怡三八，想要打她一耳光，心思：（我是不會叛離邦邦的，況且光武號內部武力，都是效忠邦邦的龍族自動兵器，就像機器人效忠我一樣，妳有必要作到這樣嗎？三八笨紅！別發賤了！）邦邦說：「不用啦！這樣會影響駕駛神器！我相信你們的忠誠，我也很愛你們！都起來跟我擁抱吧！」眾人同時開心地站起來，一擁而上抱著邦邦流出眼淚。袁毓真竟然發現，自己以前罵過牠是『變態賤龍』，現在卻已經習慣聽從牠的命令了。

賀嘉珍問：「主人可否先告訴我們，這次考證龍族遺跡，可有什麼發現？」邦邦於是走到司令塔，釋放出各類化石影像，然後說：「這些是我挖掘到的龍族兵器殘跡，還有各種鐵金物種的碎片，只有當中特殊材質的部份，才能保留這麼長久的時間。我還找到了當初被毀滅的龍族戰艦殘跡，龍族建築殘跡。花了很多時間分析，仍然無法拼出全貌。我後來探索第四行星的衛星，看能否找到蛛絲馬跡，結果找到一張特殊合金製作的資料片，刻有龍族文字『龍族末世奮戰記錄』的片名。經過解密，裡面是一條龍戰士的自白過程。它名字叫做『啊咆啦』，名字結構已經跟我的年代有差異，長相也因爲時代相距太遠，而與我有差異。語言與文字，當然我也要重新分析過，還在製作翻譯過程，一天後就可以有結果。等你們到了『光武號』

上面，我會同步傳遞給你們一起看。」眾人點頭稱是。

包括機器人在內的所有人，乘坐紅二號，到了新成軍的『光武號』上面，賀嘉珍爲艦長。每人在指揮室後方，都分配到一間小房間。這指揮室設計得適合人類運作，空間比較小，多是透明面板訊息控制，也有與絲嚕噹噹相同的操控懸浮蛋。

第三幕　末世自白書

眾人在光武號，開心地過了一天。邦邦傳訊到透明訊息面板，眾人全部對之下跪匍伏，磕頭而不敢抬起，如同在絲嚕噹噹上面一樣。

邦邦說：「我已經全部翻譯完成，也製作成人類的字幕，把訊息從這傳到光武號主記憶體。你們看過之後，深思熟慮一番，寫一份報告『龍族被鐵金物種滅亡的原因』給我，看你們想的是不是跟我一樣。」

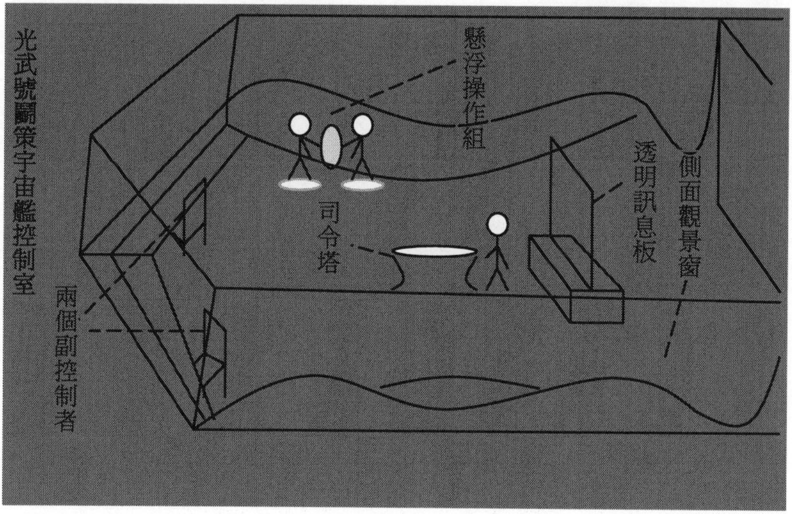

眾人頭緊磕地面同聲說：「遵命主人。」

於是眾人打開邦邦傳來的通訊內容，眾人全部搬出椅子，圍著雙面透明面板，如同看電影一般。這是一個龍族的自白說話，這複合語言連邦邦都不懂，因為兩者相隔一千八百萬年左右的距離，邦邦是先破譯內部的龍族文字記錄，用沒有變化的文數一體模式，用數學結構，反推文意，再反推語言，才翻譯出的。而這隻龍族長相也明顯跟邦邦不同，嘴喙已經扁平，眼瞼雖然還是從下而上翻閉，但是龍眼的瞳孔結構似乎較為尖銳，整個頭型上半部呈現月彎形。

只見這隻龍族說：「我是龍族神器大隊長，『啊呴啦』。現在是龍族移民九九星球後『一聚曲兩甘曲』，地球時間一千八百萬年。」當然這地球時間，是邦邦翻譯上去給眾人看的。接著：「我們本來是銀河系中，最強大的智能物種，在龍族的星際歷史上，遇過六種外星智能生物，以及一種同樣發源於地球的智能生物。從來沒有一種智能生物，可以威脅到我們龍族在宇宙中的強權地位。但是在我們這一代龍族，卻發生了劇烈的變化。遇到了一個金屬機器的智能生物，它們不是單純的自動思維機器體，而是具有『自擇示義』演變體系的生物，也就是存在精神反饋、思想設計、智能演進等綜合能力的物種。我們稱之為『機怪物』。」

於是投影出鐵金物種的初始型態，確實跟眾人遇到的鐵金物種，也有不少型態上的差距，但是可以發現，當中一脈相傳的相似性。啊呴啦接著說：「龍族與機怪物交戰，剛開始都能獲勝，但是現在屢戰屢敗，機怪物的進步速度比龍族快得多！我們所生存的星球一個一個淪陷，上面的龍族奮戰到最後，除了駕駛太空船逃亡的，其餘都被殺戮殆盡。我參予了當中許多場戰鬪，總體來說是慘敗而撤退，我們現在只剩下最後一顆恆星系統，作為龍族最後的生存基地，就是你們發現到的這顆單恆星系統。」

啊煦啦似乎有點感傷，音調有些變化，繼續說：「我們的思維團體，很盡力在求取物種的生存，設計了諸多先進的武器，我們主管戰鬪的團體，也奮力殺敵。但是『機怪物』似乎有宇宙法則的庇護，明明武器沒有我們先進，但每次都能找到破解我們優勢的方法，從而再吸收我們的武器技術，我們要打敗它們又更困難了。『玗咕嚕』上智者，分析了歷史資料，並且對比各種間諜系統回報的，『機怪物』的起源資訊。我們發現機怪物並不是自然演化出來的，而是曾經被龍族打敗而近乎滅絕的地球物種人類，製造出來的機器體，所演變出來的物種。這故事起自於一千八百萬年前的事件。」

牠緩和了一些，接著說：「依照龍族古遠的歷史資料，最早龍族發源於地球，被某外星生物改造，放置於龍族母星，經過十萬年演變成高智能物種，回到地球時地球時差許久，已經自然演化出人類這個智能生物。龍族當時差點消滅了人類，但是龍族知道自己物種的危機，並不在其他物種，而在於自己的『自擇示義』，所以分裂出『時間路線』與『空間路線』。我們是空間路線的後代，而時間路線的龍族只有一位，挾持一些人類，跳躍到遙遠的未來，不會再延續物種了。我們上智者分析了一切狀態，發現『機怪物』實際上是人類與龍族的共同智能結晶，只是完成於人類之手而已。是當初時間路線與空間路線，兩幫龍族交戰，遺留的機器智能體殘骸，演變出來的物種！這真的是頗諷刺之事，我們以為透過空間路線或是時間路線，可以擺脫自擇天翦法則，跳脫既有自我選擇的窠臼，物種從而可以延續長久，到達近乎宇宙變易體的高等層次。結果時空路線的選擇，最後又返過來滅亡我們的物種延續！選擇當中參雜了進攻人類的戰爭，則滅亡的形勢，就參雜人類製造的機器，與龍族的智能核心，來消滅我們。滅亡的起始點，竟然就是我們『以為是擺脫自擇的這項自擇』，即時間路線與空間路線的分歧。可見我們自以為掌握了天翦法則，卻根本沒有跳出天翦法則，即便遙遠的祖先沒有發生時間路線與空間路線的分歧，滅亡則會由另外一種形勢來表達。」

接著說「空間路線可以說是，在綿延漫長的時間之後，證明失敗。不知道時間路線的那位遠古老龍族，結果如何？會是在狹窄的空間限制中失敗嗎？也許只有牠與牠控制的人類們知道了。」

接著又頗哀怨地說：「現在，這衛星基地外，戰鬪已經開始打響，它們團團包圍整個星球。許多龍族已經知道不敵，要逃往其他星球。但是我相信，即便能躲過『機怪物』的追殺，也無法躲過法則的翦除而滅絕。若『機怪物』是因為龍族與人類遭遇天翦，而演化出來的物種，『機怪物』未來又會遭遇什麼狀況而滅絕呢？罷了，基地作戰指令已經來了，我要率領神器大隊突圍，而這張資料片中有龍族許多思維知識與技術的存檔，但願能有宇宙中其他生物找到，龍族末世『啊煦啦』絕影！」

於是影片結束，啊煦啦之後，到底是有逃出去？還是在戰鬪中被鐵金物種殺害？無法知道。女孩們看了都同情啊喲啦，大多掉眼淚哭了。袁毓真頗為感嘆，而賀嘉珍神情冷靜，按下透明訊息板底下的桌座按鈕，結束訊息轉撥。轉而臉看側邊觀景窗外，長噓了一口氣。

袁毓真問：「嘉珍老婆，能從這看出什麼端倪嗎？」賀嘉珍反身微笑，抱住袁毓真說：「目前還沒。」蔣婕妤從旁插話說：「我看就在牠推測的，空間路線在漫長的時間中滅亡，時間路線在狹窄的空間限制中失敗。無論龍族還是人類，數量已經寡少到不能延續下去，也只能仰賴宇宙戰艦生存。相信這就是空間狹窄。」賀嘉珍呵呵笑了出來，似乎在說蔣婕妤太單純。蔣婕妤嘟著嘴說：「我說的有錯嗎？」袁毓真嚴肅地搖頭說：「沒有錯，我也是這麼想。嘉珍艦長，別笑自己的姊妹啦！」賀嘉珍馬上收回笑臉說：「對不起。」

談玉琰微笑著說：「嘉珍姐，這裡妳最聰明，不如主人要的一份報告，由妳來交。」賀嘉珍點頭道：「好的，沒問題。」

第四幕　突破戰露端倪

次日，眾人還沒思考好心得報告，邦邦就傳訊來，眾人趕緊從房間跑到指揮室集合。全部匍伏跪下，本來以為邦邦是要求回送心得報告，結果是來通知，我王新生戰敗的消息。經過這段時間激戰，第五行星已經徹底淪陷，我王新生艦隊要往內太陽系敗退過來，在第二行星週邊，沒有受到宇陣跳躍阻擾波之陰影處，施展群體跳躍，要撤退到最後一個恆星系統根據地。

邦邦指揮的兩艘戰艦，轉頭加足引擎馬力，就往指定地方先跑，要遠離敵方。經過三天宇宙快速奔逃，已經到了第三行星的軌道面，再有五天就可到會合地點。

眾人坐在指揮室，喝著龍族喜歡的飲料，閒聊開來，以爲距離敵人最遠。袁毓真問賀嘉珍說：「大老婆，我們的報告妳想通了嗎？」賀嘉珍坐在司令塔旁，翻閱著克莉絲蒂娜，利用現成資料與器材，列印出來的人類書籍，輕鬆地回答說：「當然準備好了，就等你一問，立刻發送到絲嚕噹噹的中央系統。」轉面對坐在副控制位的，何佩芸與史塔莉說：「立刻把預備資料傳送。」何佩芸點頭道：「遵命！」

傳輸之後，袁毓真問：「妳爲何要等我問才送啊？」賀嘉珍說：「當然是想看你這幾天想通了什麼，是否跟我心中想的一樣。」蔣婕妤說：「老公，我還是之前的想法，沒有多大進步，你有想通什麼嗎？」袁毓真說：「我只想通，原來龍族先前的一切故事，都是圍繞在突破天翦法則，但是最終仍然逃脫不掉，走空間路線困於時間，走時間路線困於空間，這就是鐵金物種能從法則的順勢高位，以劣剋優，戰勝龍族的原因。大老婆，我說的對嗎？」賀嘉珍淡淡地說：「只知其一，未知其二。」袁毓真問：「那麼你寫了些什麼？可以告訴我嗎？」

賀嘉珍才放下書籍說：「我寫的內容有些長，是要因應主人思維結構跟人類不同的特性。但是要點不外乎兩個，老公你說的是其中一個。第二個就是，自擇天翦的法則，有好幾項縱深的結構。記得那個龍族後代說的嗎？『以爲是擺脫自擇的這項自擇』，最終又是天翦運作滅絕的起始。也就是，經過物種之間的競爭，使本物種擺脫滅絕命運的開始，也就是未來滅絕因素的起步。可以稱之爲『天翦回蹤』，意思就是，滅絕因素有受到時空結構控制，若一物種，妄圖用時空結構的變換，去擺脫這項滅絕命運，那麼滅絕命運也能變換時空，用另外一種態勢，來操作該物種的生滅定律。」袁毓真與蔣婕妤聽了頻頻點頭，都不約而同說：「我們怎麼會沒想到這一點呢？」

忽然警報訊息響起，站在懸浮塔，控制透明蛋體的李韻怡說：「行徑前方第一卦限空域，人類距離二十九萬公里處，發現五艘戰艦快速逼近，經分析不是我王新生的部隊。」李韻怡才說完，邦邦通訊來，在緊急事件當中，賀嘉珍、袁毓真、蔣婕妤，代表所有人下跪匍伏即可。邦邦說：「想必你們也發現了敵軍。現在我們是要回頭與我王新生會合，還是直接迎戰？」賀嘉珍匍伏地說：「啓稟主人，賤畜認爲應該撤退會合。」邦邦問：「理由何在？」答道：「先前花在『光武號』上的資源太多，戰鬪力量都還沒有完全恢復，我們打一台敵艦都很難，況乎是五台？」邦邦快速開闔眼睛說：「那就撤退！全速往我王新生的艦隊方向退走！不過它們到底是不是已經變成，瓦咖璽瑪的甕中之鱉，還不很清楚。假若是，我們就要有反身殺回目標區，自行跳躍遠方。」三人磕頭遵命。

於是開始逃跑與追逐，經過兩天，終於會合了我王新生的艦隊。但是我王新生的艦隊雖然還保有三十艘大小戰艦，有母船、戰艦、能源供應艦，甚至還有專門改造爲重型火力攻擊的兵艦。但其本身身後，也有六十艘敵軍在追擊。

邦邦與我王新生通訊過後，發現它根本不是瓦咖璽瑪的對手，戰略意圖完全都被敵軍掌握住。於是提議，只留下少數部隊與後方追兵周旋，邊退邊打，主力部隊全力向前面的五艘兵艦圍攻，破敵之後，衝入目標空域，即對方宇陣阻擾波無法控制之處。我王新生同意了這方案。

絲嚕噹噹與光武號，配合友軍十艘戰艦當先鋒，快速向五艘追擊艦反攻。光武號當然先出陣，三台神器與五百台新造的自動兵器，與分配好的敵軍會戰。光武號也艦砲支援，雖然一切武器系統，都是沿襲絲嚕噹噹，但仍然不落於下風。邦邦從絲嚕噹噹上控制戰局，不敢駕駛天帝衝出去，只能派出絲嚕噹噹所屬的自動兵器增援。而友軍竟然與以往的態度不同，頗爲關照眾人，派出諸多兵器主動助作戰，共同猛攻之下，打毀敵方兩艘戰艦，其餘三艘都重傷逃走。我王新生殿後部隊幾乎被消滅，只有一艘快速戰艦逃回，知道前方已經突破，便與眾人快速奔向第二行星。

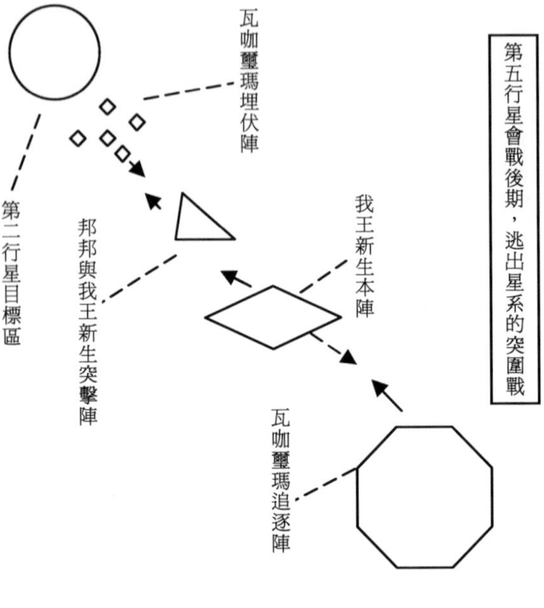

第五行星會戰後期，逃出星系的突圍戰

跳躍後八個月又二十天，終於到了目標區。果然該行星雖然炎熱，卻也埋伏了諸多敵方戰艦，守衛著自己的盲點。我王新生全軍移壘，率先與敵方交戰。邦邦下令賀嘉珍控制戰局，自己駕駛天帝，率領天象、礎曜與三百台自動兵器，加入戰圈。雖然都避重就輕，但是我王新生都出奇地包容，自發地擔任主攻任務。所以眾人沒有經過太激烈的戰鬭，只掃滅敵方的寡弱隊伍，就一同衝入目標區。跳躍到它最後一塊星際地盤。

第五幕　倫理大義的選擇

這是一雙星系統，總共六顆行星，兩顆巨大氣體行星。另外四顆固態行星，距離兩恆星較遠，都有我王新生的基地，是新開發的陌生星域，所以瓦咖璽瑪暫時還追蹤不到，沒追殺過來。

除了機器人留守，其他所有人，都搭乘紅二號前往絲嚕噹噹，拜見邦邦主人，然後全部站起來說話。袁毓真說：「啓稟主人，據賤畜觀察，我王新生根本不是瓦咖璽瑪的對手。我們得自行整軍備戰，前往地球與瓦咖璽瑪談判。」邦邦說：「它是不是瓦咖璽瑪的對手，不是關鍵。反而該從它態度改變的情形，來判定問題所在。」袁毓真才似有所悟說：「是啊……先前它還罵我們是賤種，之後一下忽然送戰艦，一下打仗積極保護我們。不像是它表明的態度。」

邦邦問：「你們有看出什麼端倪了嗎？」賀嘉珍說：「會不會跟我們先前給您的心得有關？」邦邦快速開闔眼瞼說：「沒錯，我也是這麼猜測。鐵金物種能夠滅絕龍族的原因，正影響著『我王新生』對我們的態度。」

其他女子都想不通這問題，連袁毓真與蔣婕妤也無法想通。蔣婕妤說：「請主人明示，我們實在想不通為何。」邦邦說：「鐵金物種之所以能夠出現與壯大，原因都起於龍族意圖跳越天翦，並把異質思維方式的人類也牽扯進來，塑造了一種極特殊的『自擇示義』。若以時空倫理觀念接入，鐵金物種型態的延續，也必然汲取了當初龍族混合人類，的這種自擇。所以兩億多年來，這些機器人也遭遇過其他外星智能，但始終強盛不衰，而龍族的自動兵器思維體，連龍族都保護不了，更別說延續得這麼好。我王新生的態度，其實都沒改變，就是要保存住，鐵金物種起源並延續，所根本的倫理大義，即龍族與人類滅絕的自擇示義。」

蔣婕妤說：「可是人類與龍族都已經滅亡了啊！」邦邦嘶啦嘶啦笑說：「若是都滅亡了，我跟你們算什麼呢？」蔣婕妤與袁毓真才恍然大悟。賀嘉珍對兩人說：「沒錯，龍族的時空路線分歧，塑造出來的『自擇示義』，兩億多年來都沒有消失，關鍵就是我們跳躍了這段時間！倘若我們沒有按照，自己的『自擇示義』，完成人類與龍族的最終滅絕！而是讓鐵金物種消滅了我們，整體的鐵金物種的時空延續根本，就會受到激烈地改變。而絕大多數的情況，都是讓鐵金物種往壞的方向演變，如同生命的基因突變，大多是都往壞的方向……不不，應該稱之為往『不符合生存時義』的方向變化，道理是一樣的。而地球生物破壞倫理大義，還有其他物種延續，因爲地球生命在狹小的空間，這種『自擇示義』可以延續長久的時間，慢慢執行天翦即可。但是鐵金物種分佈在廣闊的宇宙空間，那麼就會出現狹窄時間的激變！這種倫理大義選擇錯誤的威脅，比基因細胞生物，大得多！」

邦邦又快速開闔眼瞼說：「正確。沒想到這一點妳的判斷，已經有龍族中級思維學者的水平！」談玉琰長嘘一口氣說：「好厲害，竟然都想得這麼深遠。」

袁毓真摸了下巴皺眉頭說：「這樣說來，我王新生的目的，是不是要把我們順利『交接』給瓦咖璽瑪處置？因爲鐵金物種的戰爭，原始目標意義，也在於物種的長遠後續演變。」邦邦說：「只說中一半，我王新生是想要把我們『交接』出去，而不想要留我們這個，很難處理的，且不符合正常時空倫理的一群怪物。但是我猜瓦咖璽瑪的態度一定有些不同。記得之前瓦咖璽瑪就是要把我們，徹底趕走，在宇宙空間中自生自滅。而我王新生很可能是，要把我們禁錮在地球的狹小空間中。同樣都是讓我們『自擇示義』去滅絕，但我王新生看得比較精準。瓦咖璽瑪則稍微參予了，人類與龍族的最後滅絕。這將會讓鐵金物種，有不同的延續方式。」

賀嘉珍說：「瓦咖璽瑪的思維能力，必然不會在我王新生之下，也必然想得通這一點。但是它卻選擇另外一個方案，會不會是有自信，鐵金物種的延續不會因爲這受到影響？」邦邦說：「有此可能性。越複雜的生物，總是憑藉著自己的各種現有型態優勢，而容易扭曲『倫理大義』的規範。從而宇宙中，沒有不會犯錯的物種，沒有能擴增延續到所有星系的物種！

不管它們怎樣安排，我們要全力備戰，一定要回到地球去，然後想辦法透析時間逆轉的關鍵，執行後半部的『時間路線』。」眾人點頭稱是。

釐清了一切大義，邦邦與眾人真能回到地球上嗎？我王新生與瓦咖璽瑪的戰爭，最終結局又如何？欲知後事如何，且待下象分解。

1113　第四十四象：猜測歷史無象破優則本源敗軍逃亡體察實情終大義

第四十五象　歸返地球火星決戰成整併　最終大戰不明神光浮掠過

第一幕　反主動計畫

跳躍後九個月。

我王新生整備了所有力量，共一百五十艘各式戰艦，三萬五千架各式宇宙用作戰機體，與二十萬陸地作戰機器人。邦邦所屬的兩艘戰艦，獲得各項原料與能源的供應，除了四台神器調整到最佳狀態，也準備了三千架龍族宇宙用自動兵器，這些自動兵器融合了一些，龍族後代遺留資料片給的技術，改制成性能更強的機種，其體積與紅二號差不多。

改良型的龍族宇宙自動兵器

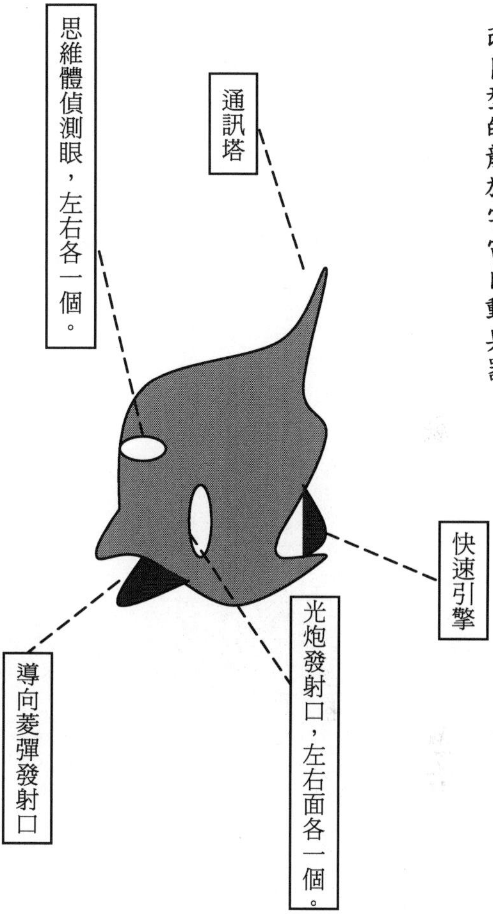

我王新生與邦邦通訊，眾人則在光武號指揮室中，參與作戰會議。邦邦對我王新生說：「既然你認爲，瓦咖璽瑪遲早會找到這裡，不如我們就做一項準備。」我王新生說：「說來聽聽。」邦邦說：「這一連串作戰打下來，都是瓦咖璽瑪在掌握主動權，不如我們集中主力部隊，在某一個行星上設定好宇陣系統，秘密投射到太陽系，還不要發射宇陣波。等到瓦咖璽瑪重兵來到這，我們就群起跳躍，衝到太陽系，打它個措手不及。」

我王新生說：「這計劃很好，但是瓦咖璽瑪艦隊每次跳躍到目的地，馬上就會釋放出大量的宇陣干擾波，整個恆星系統空域的宇陣器，幾乎全部失效。除非我們圍繞在恆星附近的強磁波空域，還得有適當的星體來當作干擾體。如同我們跳躍過來時一般。但是瓦咖璽瑪在第五行星會戰，沒有彌補這空缺，造成我們有機可趁，這一次它不會再犯錯誤了。一定是優先控制這恆星系統，宇陣干擾無法波及之處，以堵住我們跳躍的空間。」

邦邦說：「所以我們重兵就先在該處等待，一旦偵測出敵軍，立刻急中能量，把所有主力跳躍過去。」我王新生說：「可行是可行，不過瓦咖璽瑪太陽系所屬的宇陣防衛軍，知道我們跳躍過去，馬上就會跳躍通知其主力。我們等於是把戰場，從準備好的本恆星系空域，改爲太陽系空域而已。」

邦邦說：「不，這是反主動作戰。我們在本恆星空域，也要留守一部份兵力，也同時架設大量的宇陣干擾系統，讓追來的瓦咖璽瑪部隊限制在這裡，不等它們干擾我們，我們先干擾它，使它主力不得隨意追蹤我們。當然關鍵就在於，這裡是不是能守護得住。」

我王新生說：「這是一項賭注，倘若追來的是瓦咖璽瑪本體與主力部隊，那麼這戰略方案確實會發生大效果。倘若不是，那我們就會有危險。不過在當前局勢下，我就聽你的意見。」

袁毓真發現，鐵金物種頗能從善如流，想起之前跟自己同爲人類者相處，即便提出好的意見，主事者都會因爲，權力、私心、功勞爭奪、打壓賢能彰顯自己、意氣與意識形態干擾，等等諸多因素，讓好的意見被淘汰，而讓群體去接受壞的意見，最後還要用花言巧語，似是而非的理論來包裝。與鐵金物種差之遠甚，難怪我王新生，知道人類歷史後，會大罵人類是賤種。也難怪，瓦咖璽瑪則會有其他考量。

第二幕　太陽系的主力軍

我王新生軍與邦邦軍，於是依照計畫，在一靠近雙星的氣體行星旁的衛星，展開艦隊圍繞。還故意跳躍通訊器，回第五行星去給瓦咖璽瑪截獲，使之在兩天內就先跳躍了上百艘戰艦組成的艦隊，衝殺到這顆雙星系統來。我王新生軍發現有兩艘母船，極可能瓦咖璽瑪也跳躍過來了。

雙方幾乎同時發射宇陣干擾波，讓對方都不能任意跳躍離開。瓦咖璽瑪果然也派軍突擊干擾波無法涉及之處，但是我王新生與邦邦聯軍，立刻跳躍離開，出現在太陽系空域。

而太陽系空域，只有水星或是金星的背面，能夠當做防止宇陣干擾波的安全區域，該處巡弋著幾艘瓦咖璽瑪戰艦。而聯軍出現在火星空域周圍，所以沒有發現敵人。

我王新生說：「沒想到鐵金物種之間這一仗，會帶著鐵金物種的創造者之一，回到鐵金物種發源地。相信這場與瓦咖璽瑪的整併戰爭，比之以往歷史上的所有整併戰爭，意義會大有不同！」

賀嘉珍在光武號上通訊問：「我們的戰略打擊目標該在哪裡？」我王新生說：「雙恆星系統的留守部隊，支撐不了多久。主動釋放宇陣干擾波，佔領火星與地球的衛星月球，攻破水星與金星背面的巡邏隊，並分兵進攻木星與土星的衛星基地！這幾處都是瓦咖璽瑪，在太陽系的主要力量分布。」

賀嘉珍問：「可是分艦隊到這些空域作戰，戰艦行去就要許多天。瓦咖璽瑪一定收到宇陣通訊，而跳躍過來。我們豈不是作戰意圖都失敗了？」

我王新生說：「這我早就料到，妳沒注意到我們所屬的主力艦隊，少了七十艘戰艦嗎？我早就精準計算跳躍空域軌跡，三十艘戰艦目前正在清除水星與金星的巡邏隊，也近距離釋放強波干擾，讓星系干擾的真空地帶，也被我填滿了，使之來不及跳躍出去。四十艘戰艦進攻木星與土星的衛星系統，木星二十五艘，土星十五艘，都是戰鬪力最強的部隊。我們現在剩下八十艘與你們的兩艘宇宙戰艦，一起把火星佔領。整個太陽系就落入我們手中了。」

邦邦開心地說：「果然成功啦！這回太陽系收入我們手中，回地球就不成問題。至於我王新生，你之後的戰鬪我們一定會幫忙到底，而且絕對不會干預到鐵金物種未來的延續。事成之後，我們自行回到地球，養老到死就可以了。」

我王新生說：「事成之後，你們回地球就不准再出來！這才能讓我滿意。」邦邦說：「悉聽尊便，我們先好好打完這一仗。」

各路艦隊都快速突襲，尤其是金星與水星的干擾波區域，還沒分辨出我王新生的艦隊區別碼，就已經被強力干擾波覆蓋，並且把周邊幾艘巡邏戰艦，全數消滅掉。木衛與土衛的基地也受到攻擊，而干擾波使之無法跳躍訊息器求援。

跳躍後九個月又七天。

邦邦指示光武號，出動天象與礎曜及五百台自動兵器，協助我王新生的大軍進攻火星地表。袁毓真與蔣婕妤架機率隊並飛，沒有發現多少空中武力，大多是看到我王新生軍或邦邦軍，就立刻飛離火星，不敢交戰。地面上也沒有多少戰鬪，因爲火星被瓦咖璽瑪當作資源回收的堆放區，進駐相當少的軍隊。

蔣婕妤對袁毓真通訊：「老公，這次幾乎沒有遇到戰鬪，好像太容易了一些。」袁毓真說：「是啊，似乎真的太容易了。也許火星已經是垃圾場，不是很重要。想到兩億多年前，我們在這打了兩場大戰，一次損失夢蘿，一次損失十大名曲中的八個。今天又飛翔在這紅色星球的上空，與她們

跳回太陽系，反主動作戰的戰略圖

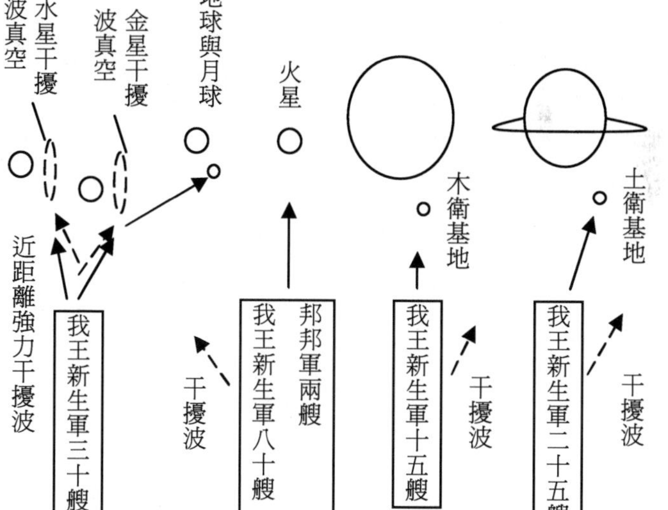

的後代合作或交戰，時空規範自擇示義，真的是很微妙。」兩人隨後，通訊邦邦與我王新生，表示清空了自己負責的一塊火星區域。

我王新生也告知：「太陽系其他地方的戰鬪，都以大獲全勝告終，瓦咖璽瑪的太陽系留守部隊，全部被殲滅，佔領了全星系。」

於是兩軍主力，都屯駐在火星軌道，我王新生改造基地，建立在太陽系的防線。討論下一步，該怎麼對付瓦咖璽瑪。忽然土衛附近的艦隊，傳回訊息，我王新生也讓邦邦同步接收此訊：「偵測波查到，冥王星空域與海王星軌道面之間，有敵方大艦隊編制。數量不明，估計在七天後，就會攻擊到土衛佔領地。」

我王新生說：「邦邦，這項策略百密一疏！從這可以看得出來，瓦咖璽瑪在冥王星也部署了大量的宇陣器！策略該怎麼補救？」

邦邦此時才發現自己急著想回地球，沒有好好跟我王新生規劃。自己並不是不能想到，冥王星等遠處行星的死穴。當初在進攻人類的時候，空間路線的龍族，就曾經指派李韻怡與廖香宜，駕駛卡哩嗚嗚去冥王星架設後備系統，是被自己攔截下來的。現在擔任我王新生的軍師，竟然會疏失了這遙遠的星球，頗有百密一疏之愚態。

於是嗚嚕嘆氣了一聲，還帶有些歉意說：「實在很抱歉，這是我的疏失，沒有把太陽系的各狀況研擬清楚。不過在土星外圍作戰還有七天的時間，內太陽系已經穩定，我們全力鞏固陣地。防止瓦咖璽瑪，像我們一樣，用突擊的方式反攻我們。」

我王新生說：「反宇陣干擾波有一定的範圍，而且非常損耗能量與資源，無法不間斷長久釋放！它們除了冥王星可以當作跳板，還可能跳躍到距離太陽系一定距離的空域，然後高速飛行過來反攻。你的計畫也沒有全盤破產，我們必須要堅守月球、火星、木衛、土衛，這幾處……必要時……」

袁毓真在光武號通訊板前插嘴說：「必要時，是不是也要把地球當作最後反攻基地？」我王新生說：「沒錯，鐵金物種的整併系統流程，已經進入最後階段。不管這階段打多長的時間，都要執行下去，不能逃避。所以太陽系我是不能放棄，我也不能夠流亡遙遠的空域去，只能跟瓦咖璽瑪鬬到一方倒下爲止。」邦邦說：「很好，我也不想要在流浪其他星球了！我就全力替你打最後一仗。目前看來，瓦咖璽瑪被我們佔了一塊地盤，很可能會從好幾個方向來收復，我願意親自到土衛擔任第一層防衛體系，但也要派我手下人類，去地球建立後備基地。」

我王新生說：「好，我同意派二十艘戰艦同行，我的母船就在火星佈陣死守！」

賀嘉珍說：「主人，您真的要讓我們去地球，而您去土衛前線作戰嗎？」邦邦說：「是的，把你手下的機器人，以及宇宙自動兵器調過來，你們所有人都去地球建立生存據點。」賀嘉珍說：「不，賤畜們願意跟您前去作戰，拼死替主人效忠。讓機器人與眾多勤務機，駕駛怪頭飛艦，去地球建立小據點即可。」

邦邦頗爲感動地說：「好，那就依照妳的意見來作。」

第三幕　最後的精神堅持

於是命令白陽春雪與夢彤，配合數十台龍族勤務機，帶著諸多機械材料，駕駛怪頭飛艦往地球飛去。其餘宇宙戰艦，全速往土星前線進發。

隨艦隊行徑中的光武號指揮室。袁毓真問：「大老婆，妳怎麼會決定一起去戰鬥呢？去地球不是比較安全？」賀嘉珍說：「難道要讓主人孤軍奮戰嗎？」袁毓真說：「哪會是孤軍奮戰？還有很多鐵金物種的部隊支援。」賀嘉珍露出嚴肅地神情說：「道你不認為該忠於主人嗎？」袁毓真苦笑了一下，低沉下來說：「沒有。只是希望我們這一家人，不要再冒險囉…從南十字星計畫開始，就驚濤駭浪不止。雖然經歷過別人不可能經歷的事情，也認識了妳們這些願意陪我一生的妻子們，但總有想平靜享福的時候。」

站在懸浮板上的李韻怡說：「老公，那你就認真戰鬥，打退敵人囉！」袁毓真皺眉頭罵說：「好啦！三八笨紅，我有說不打嗎？」李韻怡閉口不敢再言。廖香宜笑了一下說：「老公，別生氣喔，今天晚上大家一起安慰你。」蔣媛妤紅著臉說：「啊！我年紀最小，別找我一起去。」史塔莉呵呵笑說：「妳想到哪裡去了？就是一起洗澡而已，不給他亂碰。」姜麗媛說：「是啊！就讓今天回到，以前在卡哩嗚嗚那時候，讓他嘴饞卻不能吃。」眾女子呵呵笑著。

跳躍後九個月又十天。

光武號上都是戰鬭器具，除了眾人的房間、廁所與一個大浴池，沒有任何休閒用的東西。眾人除了看書閒聊，就是吃喝，或夫妻恩愛。到了演習的時間，袁毓真、蔣婕妤駕駛神器，穿梭在艦隊之間。

邦邦通訊說：「等等練習完畢，你們兩人降落到絲嚕嚐嚐，陪我吃一頓飯。李韻宜與廖香宜也來。」四人同聲回訊：「遵命。」

四人都到絲嚕嚐嚐後，與邦邦在指揮室吃龍族習慣的食物。邦邦頗有神秘感地說：「等等你們跟我到宇宙兵器兵工廠，給你們看一樣東西。」四人還頗爲納悶，不知道牠要什麼寶貝。等隨著牠一起到了兵工廠，吃了一驚，這裡格局都改造過了，空出一個大位置，正在製造一個巨大的宇宙兵器，頗似神器。

袁毓真問：「這有一點像神器天后……當初我祖父拼死作戰……」邦邦噺啦笑了一下說：「這是改造型的天后，等製造完成再給你們試驗。我打算把龍族的其他六架神器，都重新建造起來。」廖香宜問：「神器製造不是很困難嗎？我們真的有這技術與資源可以造出來？」邦邦說：「技術資料都有，先前不是給你們看過龍族末世的碟片嗎？牠存放了龍族最頂尖科技的資料在裡面，這段時間我破解出來了。現在缺乏的就是資源部分，我怕要拆解掉我們手上的四台神器，才夠用。」

蔣婕妤說：「會有這需要嗎？這恐怕得花很多時間，而且就算十台神器都改造完成，我們也沒那麼多的駕駛者。除非姊妹們都一起來駕駛，那麼戰艦的工作就會吃緊。」

邦邦說：「別緊張，我才沒那麼傻，不會真的去拆解現有神器的。況且除了現有的三個駕駛員，其他人的思維運行方式，都沒有辦法靈活地操作神器。且據資料顯示，當年我們跳躍走了之後，龍族就把十台神器都補齊。多年之後，演變成神器大隊，成爲宇宙戰鬪的主力。每次會戰，都可以動員上百台的神器。但最後也是一一被鐵金物種，大量且普通的宇宙作戰機體，一一消滅掉。先前也說過了，武器的優越，對鐵金物種而言，根本不是威脅。我製造新神器的目的，除了是給我們當作備份武器外，就是希望持續龍族當年的精神意義。」

袁毓真說：「這意思是，我們還存在，就代表龍族與人類都還沒有滅亡。那就得堅持我們原先的時間路線選擇！」邦邦抱住了他，舌頭舔了他一下，袁毓真苦笑著接受。邦邦說：「沒錯，就是代表要堅持到底！再過五天，我們可能就要與敵方交戰，神器可以重新製造，但是駕駛員我不可能再找得到。所以萬一危急，寧願放棄神器，也不要堅持下去。立刻控制逃生艙發射脫出，讓後援自動兵器，保護你們撤走，理解了嗎？」衆人點頭稱是。

第四幕　土衛會戰（上）

跳躍後九個月又十四天，光武號與絲嚕噹噹，都收到戰艦群的直接通訊，土衛的防衛部隊已經跟瓦咖璽瑪的反攻部隊，開始戰鬥了。支援艦隊還有一天的行程，但光武號上已經緊張地備戰。

警報響起，我王新生這一隊的作戰指揮者『據近則』，通訊邦邦與眾人說：「瓦咖璽瑪的打援部隊，在前面阻攔，估計是三十艘戰艦兩千架戰鬥機體，與不可計數的小型碟狀戰鬥機體。我們要全力突破，不然土衛守軍也快支撐不住了。」

邦邦與眾人都頗爲驚駭，光是打援部隊就這麼強大，遑論其他隊伍。邦邦於是先令袁毓真與蔣婕妤駕駛座機，率領一千五百台新式自動兵器出動，協助我王新生的迎敵隊伍。

袁毓真與蔣婕妤的隊伍，被大批的碟狀機體纏擾，其體積還比己方率領的自動兵器略小，但是兩碟可以施展全方位的火力，且數量頗多。兩人陷入苦戰。

蔣婕妤連續施展『落象束』，大量的圓光砲形成條狀射去，只能用不對稱的火力線，才有可能擊毀如此靈活的敵軍，並用坤波段遲滯敵方運動。而自動兵器的火力太過規範，幾乎打不中這些碟狀機，故而損失頗重。袁毓真乾脆放開自動兵器的掩護，單獨衝入敵機群，右手感應拉出武器列表，『百圓分護』亂射。『赤花紛降』兩邊金屬弧板，四向射擊彩光波。『仙菱歸元』，大量的雷光彈四散於周圍，形成螺旋飛舞。

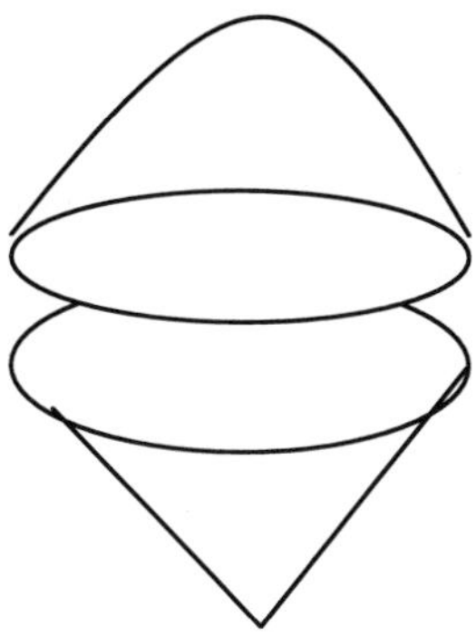
相互磁力組合，可分可合。瓦咖璽瑪軍，小型碟狀戰鬥機體。

拼死衝殺下，總算把這些，分分合合，軌跡與火力完全不規則，卻又能相互配合的難纏機種，一一擊落。但是擊垮這一隊敵軍後一計算，護駕兵器折損了一半。

不只兩人大感吃驚，在後方列陣，光武號上的賀嘉珍，絲嚕噹噹上的邦邦，都大驚失色。邦邦說：「才衝破敵方的第一道作戰機體群，就已經損傷成這樣。接下來怎麼打？」

原來邦邦與我王新生軍艦隊指揮據近則，都有分配好迎戰的敵軍。邦邦還一下誇口對付五艘敵軍戰艦。結果才打垮第一個迎擊波，就已經損傷頗重，使得邦邦不得不重新評估。於是下令說：「光武號兵工廠不能停止生產，只要生產出線馬上加入後方列陣，後備資源全數投入。絲嚕噹噹所屬的自動兵器當作護衛戰艦的列陣，光武號儲備自動兵器五百台全數出動，我駕駛天帝親自支援前線。後列陣總指揮由賀嘉珍接手。」賀嘉珍點頭遵命，依令而行。

敵軍第二打援攔截作戰機體，主動衝殺過來，裡頭還有兩組共四台雙星機，天象與礎曜兩隊且戰且退，邦邦駕駛的天帝從交戰圈的一個角度，猛烈穿插進去。以諸多護駕兵器，一同圍攻兩組雙星機。

邦邦的天帝，先前在剛跳躍時間後，就曾經有與雙星機交手的經驗，知道這種機種戰鬪力強大且靈活。於是抖擻精神，全力衝殺。『五彩光波』『溯合雷影』甚至必要時使出最強的武器『鳳浴翼翔』，但是雙星機都見招解招。袁毓真駕駛的天象，蔣婕妤駕駛的礎曜，也從邦邦移動方向的下方飛來支援，在敵方的大包圍圈中，建立己方包圍四台雙星機的包圍戰圈。

四台雙星機雖然被困，卻把兩人一龍弄得暈頭轉向，四機忽然穿出三人的追擊火力網，組合在一起集中能源要發射重砲，除了準備轟掉三台神器，伴隨的數百台自動兵器也要作一次擊毀。

邦邦旋轉的駕駛艙規範訊息，鎖定了敵方的作戰意圖，通訊兩人說：「袁毓真、蔣婕妤，帶所有自動兵器閃開！敵方要用威力驚人的重砲！」兩機與所有自動兵器立刻四散衝開，敵方的前型機與後型機也四散奔走。四台雙星機擺出花邊架勢，施展一道光能巨砲，威力比人類的氫彈強大十多倍。邦邦的天帝匯聚能量，形成尖錐狀紅色光護盾，敵方一發旋轉重光能砲打來，邦邦張大嘴喙，怒吼道：「龍怒焚燹九重天！」一道劇烈地強光四散，形成一個劇烈光團，如同迷你小型的超新星爆炸。

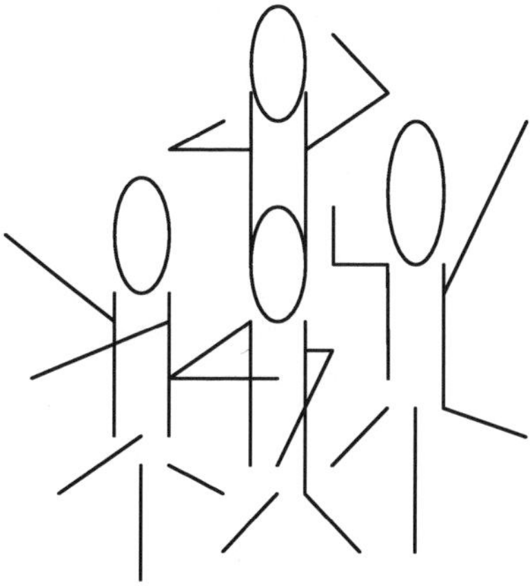

兩組雙星機，啓動重砲的花邊架式。

等待光芒散去，發現這兩組雙星機，竟然還有動力，但似乎內部系統也受重傷，於是改變了作戰程式，率領所有隊伍往後撤退。

袁毓真、蔣婕妤見到大量的前型後型機，護衛雙星機撤走，兩人也趕快率隊圍在邦邦的天帝周圍護衛。只見天帝機體破損，袁毓真通訊：「主人，沒事吧？」邦邦的懸浮蛋體也碎裂，改用後備懸浮板，全身作戰金衣帽都破損，眼罩膠體也都硬化剝落，發出龍族嗚嗚哀鳴，頗爲狼狽地說：「厲害！太厲害了！天帝的死命魔鬼大絕招，竟然也無法讓對方毀掉，還能有動能離開！太厲害了！竟然是用虛擬光彈發砲，難怪這招無法毀掉它們……」

蔣婕妤說：「主人您也很厲害，抵擋了敵方的重砲。」邦邦呱呱嘶嘶地苦叫說：「還厲害咧！天帝的移動引擎已經報銷了，我全身是傷！你們兩人快拉我回去。」兩人同聲遵命，率隊拉著天帝回絲嚕噹噹，邦邦躺在醫療室內，暫時把指揮權交給賀嘉珍。

第五幕　土衛會戰（下）

邦邦軍這邊各自撤退，但是戰鬪並沒有停止，我王新生軍的指揮據近則，要求賀嘉珍，快點突破那五艘戰艦的防衛網，我方會立刻派遣援軍過去。邦邦也通訊同意。於是賀嘉珍驅動光武號鬪策宇宙艦向前，絲嚕噹噹的控制系統也跟之在後，集中兩艦所有自動兵器一千架，衝殺過去。賀嘉珍親自駕駛翩狼，與天象、礎曜一同衝殺。敵方五艘戰艦也包圍過來，空域又發生激烈混戰，還帶著艦砲互射。絲嚕噹噹上的人力操作不足，只能自動開砲，操控打擊點並不靈活。所以眾人的砲擊主力，得靠光武號，都得卸下防護罩以火力支援。

三台神器與護駕兵器，在敵方戰艦區間，與敵機拼死交戰。敵方似乎雙星機已經進艦維修，大多以菱身機迎戰。

廖香宜在光武號上通訊說：「兩艦的護駕兵器不夠，得用近距離防衛艦砲系統迎戰衝過來的敵人。一艘敵艦節節逼近，可能要發射戰艦內突擊機器人！」賀嘉珍於是指示蔣婕妤駕機返身護衛，兩艦都放下防護罩，停止砲擊。

正當邦邦軍陷入苦戰，據近則派遣大批的戰鬪機體來援，並且釋放通訊辨碼給眾人，以區分敵我。有了增援就底氣大增，全軍反撲搏殺，連續擊毀兩艘敵方戰艦，其餘三艘受傷逃走。

突破了打援軍的攔截，眾部隊拼死衝入了土衛八與土衛五的周邊。而土衛六雖然也很大，卻有濃密大氣，所以鐵金物種都不願意靠近。兩軍共同奮力衝殺，終於迫使敵軍全面撤退。

據近則通訊說：「本次作戰任務達成，得感謝你們的大力幫助。」袁毓真在光武號指揮室中說：「感謝其次，現在我們損傷慘重，缺乏物資與能源重建，你們把資源運輸過來比較要緊。」據近則說：「好的，立刻支援。」總算把敵軍擊退，勤務機正在整修戰後損傷，眾人落得輕鬆。邦邦軍的兩艘戰艦，正在土星環附近遊玩。

眾人都到了絲嚕噹噹的觀景台，讓機器人留守光武號，賀嘉珍對袁毓真說，自己已經懷孕。袁毓真頗爲吃驚，同時姜麗媛與黃敏慧，也告知袁毓真，自己也都懷孕。

談玉琰笑著說：「真是三喜臨門，老公一下就要當三人的父親。」袁毓真傻傻笑著說：「我似乎都還沒心理準備哩！」李韻怡說：「還要怎麼準備？生小孩又不是你在辛苦。」袁毓真說：「又不是這問題，現在與瓦咖璽瑪的戰爭還沒有一個結果，就有三個孕婦，恐怕會有所不便。」姜麗媛推他一下，怒目說：「這不便還不都是你造成的？難不成你怪我們嗎？」袁毓真苦臉說：「不是這意思，我是怕戰爭打太久，畢竟我們都經歷那麼多辛苦的事情。」蔣婕妤說：「這就得問邦邦主人囉！看我們能否快點回地球去？至於時間能不能逆轉，我是抱著悲觀的看法。」

邦邦從身後出現在觀景台，對大家說：「我是研究不出方法突破，但先別太悲觀。至於戰爭，我能承諾絕不離開太陽系了。」袁毓真說：「多謝主人。」

拿著橢珠望遠鏡，放大看土星環的廖香宜，大喊說：「出現神秘光影，這好像是當初追蹤我們的不明飛行物喔！」史塔莉也正在望遠鏡觀景，也說：「是啊！那到底是什麼東

西？不會是瓦咖璽瑪的部隊吧？」邦邦急忙拿過史塔莉手上的望遠鏡，往廖香宜指著的方向望去，確實有不明飛行光影，忽然又消失了。

史塔莉笑著說：「我那個年代的人，很著迷科幻與外星幽浮。」袁毓真摟著她笑著說：「我們現在就是在宇宙中航行，也曾經當過別星球生物眼中的外星人。難不成還有其他外星訪客？」邦邦說：「依我的觀察，那不是鐵金物種的飛船，確實是不明的外星太空船，而且牠們剛才正用宇陣系統，跳躍離開。好像就是在遠處，觀察我們這場宇宙大戰。不過我猜測，牠們並不想干預我們，也不想跟我們接觸。所以我們也沒必要去理會太多。」

賀嘉珍說：「主人不妨作一個想像，當年龍族的智能開始，起源於外星生物帶走地球的恐龍一支脈。而今龍族與人類，都僅剩最後的餘脈，也許是同一批外星生物，在觀察我們的始末。」蔣婕妤說：「不太可能吧？我們跳躍了兩億多年也！那批外星人怎麼可能追蹤得到？」

邦邦嗚嚕了一聲說：「雖然機會不高，卻不能完全排除這可能性。但倘若真如賀嘉珍所言，龍族智能之興與亡，那就等於是這些外星人的一個實驗流程了。自擇天翦的法則，就是牠們的實驗室。」

袁毓真忽然醒神問說：「若如此，那麼人類在這些外星人的計畫中，又是什麼呢？」

土星會戰暫時以勝利告終，瓦咖璽瑪會有進一步動作嗎？最終的戰役又將何時到來？欲知後事如何，且待下象分解。

第四十六象　戰計突襲緊急回援拯友軍
鐵桶回波甕中之鱉困獸鬭

第一幕　分兵擊實

跳躍後十個月又五天。

正當眾人還在土星附近悠閒之際，我王新生軍總指揮據近則，傳訊息來說：「據我王新生母船的通訊，瓦咖璽瑪軍突擊木衛、火星與月球，連金星與水星的宇陣干擾波不能涉及之處，都已經陷入混戰。而且瓦咖璽瑪親自跳躍過來迎戰，整個太陽系，至少有八百艘瓦咖璽瑪的戰艦。」

邦邦收到之後幾乎快跳腳，大喊說：「土星會戰根本是虛晃一槍，把我王新生的部隊分散，而瓦咖璽瑪真正要控制的，就是金星與水星宇陣干擾的漏洞區，並意圖把我王新生軍，全部殲滅在內太陽系！」

眾人這段時間都在絲嚕噹噹上娛樂，把生產與光武號管理，都交給機器人與勤務機。在絲嚕噹噹指揮室內，賀嘉珍說：「難怪敵方在土星會戰戰敗後，都撤到天王星與海王星的軌道面，就是要牽制我們這一批精銳援軍。這與避實擊虛的策略完全相反，而是分化實力，然後找最強的一股猛擊。」邦邦說：「正確。如此一來，充分發揮瓦咖璽瑪軍隊數量眾多的優勢，而且迫使速戰速決，敵方主力必然在金星與水星附近，並釋放大量宇陣干擾波，全力阻擋跳躍！我王新生軍我看是逃不掉了。」

袁毓真問：「我們該怎麼辦？」邦邦說：「你們立刻回光武號上備戰。這段時間我們戰力也稍有恢復，等一等，我會向我王新生軍要求一艘能源供應艦，與一艘重火力支援艦，先行快速回援！重點在火星！只要火星保得住，我們在地球立足就沒問題！如此瓦咖璽瑪重點在水星與金星，我們與我王新生重點在火星，就會出現戰勝的可能性！」眾人磕頭遵命。

據近則果然同意了要求，派遣一艘能源供應艦與一艘重火力支援艦，跟著邦邦軍的兩艘戰艦，先行快速回援火星。估計現在的軌道運行距離，從土星用最快速回火星去，也得八天半。但瓦咖璽瑪軍有可能中途攔截，若採取安全路徑繞回去，得花上半個月。經過保密訊息告知，我王新生建議採取安全航道，火星防衛陣地與艦隊防衛部隊，防守半個月沒問題。於是四艘戰艦就先行出發，全部由邦邦指揮。

光武號指揮室。賀嘉珍自行招開戰艦內的作戰會議。

何佩芸報告：「目前光武號內，宇宙自動兵器，已經達到一千五百架，十天後就可以達到兩千架滿員。艦內自動兵器一千台，分成二十個小隊，守備要害之處。三台神器都修復完整。艦砲、防護罩等各項戰艦武器，調整到最佳狀態。後備物資也都從我王新生軍的『能源供應艦』上取得。相信戰力方面，絕對不輸給對方的一艘戰艦。」

袁毓真說：「恐怕還未必，光武號的各項技術系統，跟絲嚕噹噹一樣，還沒有像對方的戰艦，可以遠距離投射艦內突擊隊。也無法在防護罩張開時，直接發射艦砲。」賀嘉珍說：「這種技術難度，邦邦主人已經跟我王新生，傳訊討論了。對方同意，釋放投射自動兵器當突擊隊的技術，但是不肯給防護罩內砲擊的技術。也許這幾天，能源供應艦上的機器人就會來指導。」袁毓真說：「真是不乾脆！罷了，將就用吧！」

廖香宜說：「這場戰爭，我有一股不祥的預感，我認爲該把紅二號準備一下，當作我們能夠快速逃亡使用的飛船。」姜麗媛笑著說：「這不像是白妹妹會說的話。」袁毓真說：「我贊成這意見，因爲很明顯，這場仗跟之前的幾場完全不同，我們沒有逃跑的可能。而且加入的是，我王新生與瓦咖璽瑪的生死對決，若無法跟瓦咖璽瑪休戰，那麼逃生的方案要準備好。」

賀嘉珍微笑著說：「那這要邦邦主人同意，因爲我們逃跑，也只能躲到邦邦主人的絲嚕噹噹上。而絲嚕噹噹必須遠離戰圈。」袁毓真一陣嘆氣說：「這就有點難啓齒啦！我看還是別提了，自己私下計畫就好。」

賀嘉珍突然嚴肅且大聲地說：「所有人聽清楚！包括老公你也是！」眾人見此，也都嚴肅了起來。接著說：「關於逃生的一切機制，我會研擬出來，但是戰局若不利，要不要逃，必須全部在我的命令，或邦邦主人的命令下！倘若我要死撐到底，誰都不能輕言逃跑，畢竟我們還是戰鬪組織！知道了嗎？」眾人點頭稱是，轉而看著袁毓真，再問一次。袁毓真苦笑著說：「遵命艦長大人！」

賀嘉珍轉而溫和地說：「龍族戰爭，我們都失去了家人，而現在我們都是一家人，我一定會保護家人。但若有萬一，就算死也要死在一起。」眾人同聲點頭遵命。

第二幕　中途攔截波

跳躍後十個月又十天。

四艘戰艦全速返回，但是才衝過木星軌道區，要繞過小行星帶，就發現兩艘敵方戰艦攔截。邦邦、眾人與鐵金部隊都全部警戒。邦邦通令說：「這只是對方巡邏部隊，能源供應艦原地不動，指揮艦與另外兩艦立刻迎戰，迅速殲滅對方後，更改路線前進！」然後又命令賀嘉珍說：「妳不要出戰，在戰艦上與電腦共同規劃新航線。」賀嘉珍點頭稱是。

絲嚕噹噹與光武號，出動所有自動兵器約三千多架，天象與礎曜也全數出戰。重火力支援艦從兩艦的上方卦限角度，全力向敵方戰艦砲擊，而絲嚕噹噹與光武號，只張開防護罩而靠著自動兵器掩護，猛烈穿插到敵方戰艦區。對方也出動大批戰鬬機體迎戰。光砲交錯，彈砲互射，機體廝殺，火力交纏，艦體逼近，訊息相擾，戰隊互侵。

絲嚕噹噹與光武號，都架設了投射自動兵器的技術，神器與自動兵器，以多數穿破敵方的作戰機體，配合重火力支援艦的核能巨砲，火力集中打破敵艦防護罩後，己方戰艦也放下防護罩，投射自動兵器突擊隊。敵方當然也不相讓，反向發射艦內突擊隊，同時還砲擊。

雙方已經都拼出全力廝殺，邦邦甚至親自武裝指揮，編組自動兵器防衛隊，與敵方侵入的機器大隊交戰。雙方交錯的四艘戰艦，內部都互侵了敵軍，宇宙中的大戰還沒結束，戰艦內的短兵火力就已經相接。

袁毓真與蔣婕妤的神器相互靠攏，坤波段配合百圓分護，往返殺進殺出，甚至穿透敵方的戰艦薄弱處。光武號上的防備部隊也全力以赴，多處艦體已經被炸燬，但仍拼死砲擊對方。邦邦在指揮室，已經能聽到下層樓板，雙方自動兵器火力相射的爆破聲。而天帝的機體停放艙外的自動兵器防衛大隊，也跟敵方入侵部隊交火，使得邦邦坐立難安。尤其敵方侵入機體，甚至有高性能炸藥，常常可以一下炸爛好幾艙房。

邦邦趕緊操作中央系統，因爲自己入侵敵方艦體的自動兵器，帶有核能炸彈，可以從內部炸掉敵方戰艦。只見對方戰艦後半部一陣強光，竟然只損毀了三分之一，另外三分之二還在頑抗，可見敵方戰艦內的隔艙，也有防核武的強力壁障。絲嚕噹噹忽然一陣抖動轟隆，也造成重大損害，可見對方也派了機器人自殺炸彈客，而且有近於核武等級，所幸絲嚕噹噹戰鬭時，艙壁之間區隔也很嚴密，但生態艙重傷，損失三分之一的物種。四艘戰艦都有核武級的自殺炸彈客，所以全部重傷，所幸天帝與翩狼只受到輕微波及，強裝甲還支撐得住。而光武號眾人不敢離開指揮室，在層層艙壁與層層自動兵器保護下，敵方機體攻不上來。

邦邦呱呱大叫說：「重火力支援艦，全發核能重砲！」我王新生軍緊急砲擊支援，把一台重傷的敵戰艦徹底炸燬。邦邦把指揮權重新交給賀嘉珍，親自帶隊指揮，清除絲嚕噹噹內入侵的機器人。

一場混戰，都快速清除了內部的侵入體，免去核武從內部爆炸的危機，不然再爆發一枚，任何一艘戰艦，就算製造得再堅固，都要徹底解體。敵方剩下一艘重傷的戰艦，發射所有螺旋核能多彈頭導向彈，根本無法攔截住。兩重傷的戰艦無法快速張開防護罩，袁毓真與蔣婕妤的座機剛好穿插在中間，聯手釋放光盾防禦。連環太空核能爆炸，兩神器的光盾能源銷耗掉百分之九十以上。自動兵器也已經損傷慘重。

邦邦大喊：「重火力支援艦！」重支援艦還在匯聚能源，邦邦無法等待，快速從輸送管道，穿插進入天帝駕駛座，衝出了殘破的絲嚕噹噹。敵艦又準備發射第二波多彈頭導向彈，天帝賭出多數的能源，使出『鳳浴翼翔』，把敵方的發射塔炸燬。重火力支援艦才發射重砲，把第二艘敵艦炸碎。

能量波及敵我的宇宙用作戰兵器，都已經損傷慘重，三台神器駕駛者，都差點準備棄機逃走，敵我完整的兵器或殘骸，都飄蕩在空域中，如小隕石群一般。

在戰艦都脫下防護罩，核武內外互擊之下，雖然艦體都是特殊設計，十分厚重堅固，卻也殘破不堪，除了李韻怡與廖香宜之外，邦邦與其餘眾人都有掛彩輕重傷，全部送入絲嚕噹噹醫療室。沒想到這場戰鬪規模，並不如先前幾場那麼大，但是激烈程度驚人，損傷是最慘重的一場。可見瓦咖璽瑪，這回要下重手，全力消滅眾人與我王新生了。

四艘艦組成的支援艦隊，緩緩繞開原有的軌道，雖有能源供應艦的支持與修復協助，估計也要二十天後，才能支援到火星外圍。我王新生回訊表示，敵軍攻打火星的下手很重，二十天太勉強了，但表示會盡力支撐下去。

第三幕　及時趕到

跳躍後十個月又二十天，絲嚕噹噹指揮室。眾人傷勢都很快復原，邦邦招集了所有人來開會，會議上竟然也有我王新生的偕同指揮官，是一台矮型機器人，生產編號『體聚一』。所有人整齊兩排，下跪匍伏在地面聆聽。

邦邦說：「十天前的那場戰鬪後，投入兩軍的所有修復資源，竟然讓我們到現在都還沒恢復元氣。以為短短一場突破戰，激烈程度超過以往。從歷次戰役分析下來，瓦咖璽瑪這回真的要拼輸贏了！不敢想像下一場大戰，要面臨幾百艘的瓦咖璽瑪戰艦群，會有什麼情況？」

體聚一說：「那你們有什麼意見？」邦邦其實有些怯懦，又不敢說不前進，只緩緩說：「我知道你們兩艦，不是戰鬪突擊艦，下場戰鬪，還是放在後列陣位。我想問的是，土衛與木衛兩區的援軍呢？」體聚一說：「不是我要打擊你們的信心，土衛援軍，已經與火衛外圍瓦咖璽瑪的打援部隊，激烈地交戰中，自己也被圍困，土衛區當然淪陷了。至於木衛的援軍，恐怕是不會來了。因爲木衛區已經進入『最後抵抗』的程序。金星與水星戰區，更是全軍覆沒。我們是我王新生軍，最後可以期待的援軍。」站著的邦邦與匍伏磕地的眾人，聽了都頓然失色。

邦邦說：「完了，我看這場戰爭是輸定了。若是我們還沒趕到，我王新生軍就已經被消滅，你們會怎麼辦？」體聚一答道：「若我王新生機體被毀，系統核心被瓦咖璽瑪整併，我們就會立刻投降瓦咖璽瑪軍。這是按照編碼程式，除非我王新生解除。」邦邦說：「我得先保障我的安全，防止你們一夕之間變成瓦咖璽瑪軍，能否叫我王新生解除？」體聚一答道：「這是不可能的。鐵金物種的整併戰爭，每十萬年一次，一億多年來都是這個流程。同樣我們若攻破瓦咖璽瑪的母船，奪取了它的核心系統，連線我王新生，所有瓦咖璽瑪軍知道了，也都會紛紛投降。若要我繼續當你們的援軍，那就得保證我王新生部隊防守得住母船。」

邦邦說：「打掉它們兩艘普通戰艦都這麼困難，攻陷瓦咖璽瑪母船，哪有這可能？我看若情況不妙，你們得幫我通訊瓦咖璽瑪，我們願意跟它合作談判。」體聚一說：「這一點我同意，不過我們得先盡力救援，不能因此不盡力作戰。基本該遵守的原則做到了，才去想後路的事。不然我們跟跪在下面的這一群人類，就沒有什麼不同了。」邦邦說：「我知道了，你先回去吧！我還有事情跟這些人類說。」

等體聚一離開後，邦邦問：「你們有什麼意見？」賀嘉珍匍伏開口說：「鐵金物種既然遵守這種邏輯。我們就一面盡力救援，但是也可以一面先談判。即便給我王新生知道，也不會責怪。」邦邦說：「我怕瓦咖璽瑪已經勝券在握，不需要跟我們妥協。除非它真的能夠在整併當中，選擇接受我王新生的觀念。」然後嗚嚕了一聲說：「實在為難啊！」

袁毓真說：「我建議，這次的援助作戰，以蜻蜓點水的救援方式，不要拚命作戰。讓自動兵器列陣迎戰，神器預備防護就好，看到情況不對勁，就請我王新生全力突圍，退到地球上去！相信夢彤與白陽春雪，帶著的一群勤務機，在地球的秘密基地也已經建立完成。」邦邦說：「地球為最後的抵抗基地，這是我王新生也同意的，現在也只能這樣辦了。」於是返回光武號，各就各位。運用這十天行軍時間，全力復原戰鬪力。

跳躍後十一個月。四艘戰艦已經抵達火星外圍，眾人已經可以用肉眼看到，輪廓清晰的火星。只見火星周圍閃光點點，必然是兩支部隊在拚死作戰。先前邦邦就通知我王新生，全力突圍與自己會合，再考慮是否防衛月球與地球，我王新生也同意了。而四艘戰艦及時趕到後，我王新生卻告知：「正在突圍中，但是對方包圍圈非常嚴密，整個火星空域都衝不出突破口。請你們從外部也配合衝殺，協助艦隊目前的突圍方向。」

邦邦嗚嚕苦叫，實在不願意跟瓦咖璽瑪作戰，但是我王新生已經很配合了，自己也不好多說什麼。遂先令能源供應艦往地球上飛去，其餘三艘戰艦同時往包圍圈開進。

第四幕　梯次包圍戰

三艘戰艦砲火全開，協助突圍的自動兵器，同時出動。但是四台神器卻在戰艦內待機，邦邦在天帝內，通訊指揮一切作戰。

我王新生得到了援助，棄守火星，集中兵力往邦邦攻擊的地方突圍。一個往裡面踹，一個往外面掙，果然連續擊毀五艘瓦咖璽瑪的戰艦，還攻破一台敵方的能源供應艦，逼近的瓦咖璽瑪軍暫時退走。

我王新生只剩下六十台各式戰艦，已經是全部的兵力了。通訊邦邦說：「火星已經沒有辦法守備下去，現在必須要撤到地球與月球。」邦邦嗚嚕了一聲說：「就算退到地球與月球，瓦咖璽瑪還是會追過來，我們還是一樣會失敗，你到底有沒有什麼新的對策？」我王新生說：「跳躍區已經淪陷，回地球整備部隊，全力進攻該處。月球上，已經有我的先頭隊伍建立基地，以其當作誘敵作戰，而地球當作跳板。之後我會全力進攻金星的跳躍區，離開太陽系，回戈進攻瓦咖璽瑪的後備星球。」

邦邦說：「瓦咖璽瑪肯定會有重兵把守跳躍區，我認爲我們的意圖很難達成……」我王新生說：「你不想離開地球我尊重，等到了地球，我會給你通訊瓦咖璽瑪的方式，屆時你就不必幫我作戰下去了。瓦咖璽瑪的思維跟我不同，但我也期待你們能跟它達成共識。」

邦邦才釋懷，鐵金物種並不是一個，在末日來臨之時，會拖『人』下水的物種。袁毓真也在通訊上，微笑著說：「果然有仁義，夢蘿與八神在天之靈，會保佑你的。」我王新生說：「在天之靈？保佑？我懂這是什麼語言結構，但是不懂這內涵結構是什麼。能不能詳細解釋一下？」蔣婕妤呵呵笑說：「這是人類的幻想啦！期待你能勝利的意思。」

兩軍會合，快速地向外逃走，還以爲衝出了包圍網。忽然八個卦限方向，各有十五艘敵方戰艦出現，以等價的速度跟著眾人。賀嘉珍通訊邦邦說：「啓稟主人，八個卦限相加起來，共有一百二十艘戰艦，是我們兩軍總合的兩倍，由此看來，我們根本沒有脫離敵方的包圍圈。」邦邦呱呱啦啦叫說：「這是活動梯次的包圍圈，兵力的分佈，可以對相對靜態的火星包圍，也對相對動態的突圍艦隊包圍，目的在動搖我們的作戰方向！從土衛戰役的誘敵，到分兵擊實的策略，到現在的梯次包圍圈。我看瓦咖璽瑪的智能，不只在我們之上，也在我王新生之上。地球與月球，我看也不是安全之處了。」蔣婕妤問：「是否該做什麼改變？」邦邦說：「戰略改變已經來不及，現在只能從戰術上作調整！去地球的機器人進度如何？」

袁毓真答道：「有通訊給我，表示地球的基地已經建立完成，是在一個小島上的地下系統。不過我猜瓦咖璽瑪，必然也攔截得到這個訊息。雖然沒有生產武器的能力，構不成對瓦咖璽瑪的任何威脅，但是不保證不會被攻陷。」

邦邦說：「這是一個試探對方態度的風向球，倘若不攻打該處，代表瓦咖壐瑪願意給我們談判機會。不過現在不是首鼠兩端之時，必須要全力先對付這個包圍圈，能衝到地球之後再說。」

跳躍後第十一個月，已經快要到月球了。

光武號上的李韻怡通訊說：「八個卦限的敵戰艦越來越多，必然是事先就已經有敵軍，埋伏在地球與火星之間，抓到我們的行徑路線之後，採取八方圍困陣。已經有我方的三倍之多了！」

邦邦聽了大驚，喊道：「這是動態準備陣，四台神器與所有自動兵器出陣！不能讓敵軍準備完成！我現在要打亂它們的準備部署！」兩艘戰艦兵力盡發，我王新生察覺之後，通訊邦邦問：「爲何要那麼快出動？」邦邦說：「這是反準備！我們艦隊移動這麼快，它們卻可以很穩定地在我們週邊增兵，代表我們的動態已經完全被掌握住。不如先往一個方向上的敵軍，發動突擊戰！」

我王新生說：「我倒是另外一個想法，對方均衡地在八個方位增兵，我想看對方哪一個方位會先動手，我就集中區域優勢兵力，圍困這一方位的艦隊。倘若是同時動手，就指著瓦咖壐瑪的母船方位反包圍，因爲我們已經偵測到它的母船要往這邊開進了。不過以當前局勢，你的考量也不錯，不如我們把兩邊意見整併一下如何？」邦邦說：「你的意思是，我先往一個方向上打，觸動這一艦隊的迎戰，然後你動用區域優勢兵力，包圍這一方向上的敵人？」我王新生說：「正是如此。」又問：「那麼阻擋其他方位敵軍來援的兵力呢？」我王新生說：「我母船與所有核能動力砲，會全力抵擋。注意，你們的戰術打擊點，要設定在敵艦隊的後方，這樣它們的陣腳，才會徹底被打亂，不然它們只要後退一些，穩住戰局，崩潰的反而會是我們。」答道：「理解了。」

於是四台神與三千台自動兵器出動，兩艘戰艦跟隨著中央艦隊群，部署反包圍陣。

第五幕　最後星體防線

果然該方向的敵艦發射眾多機體迎戰，改變爲戰鬭排列。我王新生軍也派大量機體增援，邦邦軍邊打邊衝殺，兩邊的艦隊群在戰鬭中，都還繼續往地球方向前進。

四台神器緊密地在一個戰鬭空間中，不斷地發射武器，並穿梭在敵艦隊之間。甩在後面的敵人，全部由我王新生軍與之交戰。四台神器衝到了最後一艘敵艦周圍，集中兵力圍攻這一艘戰艦。自動兵器迎戰所有的機體，四台神器衝上一空域區間，邦邦駕駛的天帝首先施展『鳳浴翼翔』，衝破了敵戰艦的防護罩。袁毓真駕駛的天象與蔣婕妤駕駛的礎曜，並發『紅蓮巨波』與『弧動道』，把戰艦的裝甲護壁打了一個大洞，賀嘉珍的飊狼從大洞衝入敵艦內，連續施展『束體環刃』與『段體切刃』，穿出敵戰艦的引擎動力室。敵戰艦開始爆炸解體。

最後一艘戰艦被打垮，果然整個艦隊部署變動，四台神器與三千自動兵器被圍攻，損傷慘重。而我王新生軍艦隊也趕來，出動所有力量快速打擊，這一方位的艦隊被打得一團混亂，迎戰的陣勢落花流水。

其他方位的艦隊果然派出增援，而我王新生的母船與殿後攔截戰艦，用重火力拼命阻擋，直到被邦邦打擊的艦隊被完全摧毀爲止，共擊毀戰艦二十三艘。己方損失五艘戰艦而已。作戰兵器損失也是一比四，大獲全勝。四台神器與剩下的自動兵器正要穿插回來，凱旋而歸時，敵方幾台戰鬪機體同發重砲，把落尾的翩狼打成兩半。想到賀嘉珍與肚子裡的小孩危險，袁毓真急得怒目大喊：「不！」驅動天象反身殺入，礎曜與天帝也隨後反身救援，並驅動自動兵器圍攻。拼死把放冷砲的敵機體摧毀。

邦邦說：「賀嘉珍脫出艙安全了，由自動兵器保護回絲嚕噹噹醫療室。」袁毓真才長噓一口氣，一同撤兵。但此戰，邦邦軍折損了一台神器，與一千多架自動兵器。

我王新生軍與瓦咖璽瑪軍，仍然繼續混戰，唯一的母船已經岌岌可危，派出的打擊部隊已經回頭支援，邦邦軍也只好回頭，援助我王新生的母船。賀嘉珍從絲嚕噹噹上傳訊來說：「我沒有事，是否接手戰艦指揮協助作戰？」邦邦說：「不，戰艦繼續讓它們從安全空域航出，與先前出發的能源供應艦會合，妳駕駛天后第二型，立刻來援，絕不能讓我王新生的母船被攻破！」賀嘉珍說：「那一台神器的性能，我可能不會操作啊！」邦邦說：「與翩狼大同小異啦！這裡打得太激烈了，快點來救援！」

賀嘉珍趕緊就位，進入新的駕駛艙，熟悉了一下，與翩狼的駕駛座確實大同小異。並聽取勤務機對天后二型的性能簡單報告後。就駕駛它衝出絲嚕噹噹，向我王新生的母船衝來。

天后二型：
主武器：東彩穿振、聚影神波、五閃情洸罩、八旋大車輪、十六轉大兵炫、三十二體亂波象、一百八十度變向砲、赫赫稜光威大千、隱顯互濟波、神釆迴振道。

賀嘉珍駕駛天后二型投入時，戰鬭正進入白熱化，忽然敵方且戰且退，往後方遁走，而瓦咖璽瑪的母船大隊經過偵測，也向後退走，與眾艦隊保持在戰鬭距離之外而偵測距離之內。邦邦軍與我王新生軍也各自收兵，只剩下五十艘大小船艦而已了，只得繼續修復損傷，往月球飛去。

兩邊似乎已經進入最後作戰階段，邦邦與眾人將有什麼命運？瓦咖璽瑪又轉換了什麼作戰方針？欲知後事如何，且待下象分解。

1147　第四十六象：戰計突襲緊急回援拯友軍鐵桶品波甕中之鱉困獸鬭

第四十七象　死鬬月球光武戰殞急回撤　入衛地球最後決戰緊迫至

第一幕　地光

當兩軍艦隊到了月球，聽到月球的我王新生軍駐防部隊告知，才發現大事不好。原來瓦咖璽瑪軍，已經在地球周圍空域，佈置了警戒線，大批的艦隊正從太陽系各地方抽調過來，很明顯要把月球，當作打最後殲滅戰的地方。

戰略計畫老是被瓦咖璽瑪透知，而早一步先行部署。邦邦與我王新生，都估計敵方一定有更強的訊息偵測能力，於是派代表在絲嚕噹噹最隱密的，生態艙控制室來討論作戰計畫。

眾人則在光武號上整備武器。同時望著藍白的地球光景，袁毓真感嘆說：「地球兩億年來，還是『法象莊嚴』不變，但是仔細品味當中的物種史，充斥的醜陋與恐怖。這跟地球的智能物種，本性自私貪鄙，但是文明卻要製造漂亮浮華的外表，會不會有相關聯？」蔣婕好笑著說：「想太多，這怎麼會有關聯？」賀嘉珍說：「雖然乍聽很荒誕，我卻反而認爲有可能。自然演變出來的生物，必然要符合自然的綜合法則，無論宏觀還是微觀，我們自己不知道而已。就像是牛頓認爲，蘋果掉下來，跟月球圍繞地球有關係，這在當時的人聽了都很荒唐，但這卻是事實。所以老公以後有空多探索，這兩者到底具體有什麼關聯？」史塔莉聽了笑著說：「是啊，這可是我祖先的智慧喔。」

蔣婕好笑說：「妳也來製造歪論喔？妳可是美國與德國人的後代，怎麼扯上英國人？」史塔莉也笑著說「妳不知道，美國是從英國獨立出去的嗎？」

眾人正在嘻嘻哈哈，忽然光武號內的警報響起，瓦咖壐瑪軍發動總攻擊了。月球上的我王新生軍，發射反射攔截砲。接著就是戰鬭機體短兵相接，眾人自然也全數出動。邦邦指示說：「全軍率先往地球進發！替我王新生軍殺出一條路！在地球的我方基地上空集合！」

天后二型率先領隊衝殺，其他三台神器保護著兩艘戰艦衝出包圍。但是敵方的作戰機體越來越多，我王新生軍與邦邦軍都各自陷入混戰，天后二型的機隊也與本隊被切割開，甚至相互的通訊都時有時無，可見瓦咖壐瑪軍使用了所有力量，甚至發射了通訊干擾波。

賀嘉珍發現瓦咖壐瑪的母船，經分析極有可能瓦咖壐瑪就在上面。於是率自動兵器大隊往該處進攻。『八旋大車輪』、『十六轉大兵炫』、『三十二體亂波象』使用天麟的相似兵器，衝出一條道路出來。

忽然一組雙星機殺來攔截，賀嘉珍駕機迎戰，使用『五閃情洸罩』，全身光盾而後變形，四散火力，但是雙星機迴轉反擊。天后二型強化光盾抵擋。

雙方在混亂的空域中穿梭追逐，賀嘉珍忽然反擊『隱顯互濟波』，一道明顯的光砲掩護較暗的光束砲，但是竟然雙星機一變方向，開火打中天后二型。所幸損傷不大，但對方緊追在賀嘉珍座機後面。賀嘉珍發怒道：「不給你們顏色看，還真當我是病貓。」抽出武器列表，反身發射『赫赫稜光威大千』，當然打不毀雙星機，雙星機突破躲掉鋪天蓋地的光砲罩，忽然四面八方的彩光砲打來，把雙星機炸毀。原來賀嘉珍發射『赫赫稜光威大千』之後，快速調頭要走，但同時施展『神采迴振道』，光砲彎曲四散，同時發射『一百八十度變向砲』，突破了雙星機的料敵程式。

雖然打毀了雙星機，但是母船周圍防範兵力十足，還有密集地火力掩護，賀嘉珍率隊進攻不到一半的進程，自動兵器損傷過半，只剩下五百多架，就不得不下指令撤退。

第二幕　棄艦指令

天象、天帝、礎曜在兩艦周圍，也遭到眾多敵方機體圍攻，四台雙星機又擺出花邊架式，轟掉了光武號的防護罩。邦邦、袁毓真與蔣婕妤大驚，揮兵衝殺。機體交戰艦砲猛轟，一陣混亂，把四台雙星機擊毀。但是敵方機體已經可以直接火力攻擊光武號了。

絲嚕噹噹全靠自動兵器操作，轉舵笨拙，不過也受指示放棄防護罩，火力支援光武號這一邊。但是對方圍攻穿插越來越猛烈，三台神器部隊都快抵擋不住。

李韻怡急著通訊說：「光武號引擎室遭到重傷，武器製造工廠也有巨大的爆炸！無法航行到地球去了！」

袁毓真大喊說：「棄艦！性命要緊！」但是邦邦卻有些猶豫。廖香宜問：「主人，我們可以棄艦嗎？」邦邦說：「緊急挽救程序執行了嗎？」廖香宜說：「執行了，有百分之七十五的失敗率。」袁毓真繼續大喊說：「別猶豫啦！撤退！哪怕有一半的機會也撤退！主人，快下令撤退！不管我妻子兒女死活，我就要發火拼命啦！」

邦邦第一次被袁毓真威脅，但是自己不能喪失人和，雖然有些可惜，還是嗚嚕了一聲說：「知道了，全部從紅二號撤回絲嚕噹噹。三台神器全力迎敵，掩護眾人撤退！」眾人依令而行，全速逃回絲嚕噹噹，除了女子們，紅二號上還有克莉絲蒂娜與胡笳十八拍，以及諸多的龍族勤務機，甚至自動兵器。

敵機體立刻又追殺絲嚕噹噹，三台神器大隊死戰之下，才把對方擊退。袁毓真喘口氣，從駕駛艙內直接轉面四周觀看，除了貼身的二十幾台護駕兵器，似乎跟眾人在混戰中衝散了。使用通訊定位，發現被遮蔽住了，神器訊息系統正在清理干擾波。

袁毓真喘著氣說：「可惡！敵人怎麼會這麼強！打得快吐血了！」好不容易清理好干擾

波，傳來邦邦的訊息說：「我王新生軍援軍來到，我們都撤回絲嚕噹噹，要退回地球了！你跟賀嘉珍怎麼還在敵方空域啊？」袁毓真點頭說：「我是否要傳送定位數據？還是自行衝向地球？」邦邦說：「回戰艦上！反正我們的位置早就被瓦咖璽瑪抓得清清楚楚！」袁毓真說：「主人抱歉，剛才我態度不佳。」邦邦嘶啦嘶啦笑著說：「我沒有那種欺壓下屬，逞威風的卑劣個性！不要把我當你們人類！我沒有這種劣根性！我只要體察你的心性不壞，大原則都有把握，其他我不會在意的。快跟賀嘉珍回來吧。」賀嘉珍也聽到了，與袁毓真一同點頭稱是。袁毓真心中才徹底釋懷。

第三幕　鐵桶縮限

邦邦與我王新生，兩軍共同衝入了地球大氣層，一場混戰，把瓦咖璽瑪的攔截部隊全部打垮。但是後方的敵軍仍然一波一波追殺過來。

先前瓦咖璽瑪把整個太陽系，都設計成是一個大鐵桶，讓我王新生軍跳進來。而今兩軍只剩下地球可以去，遂把鐵桶逐漸縮限，定在狹小的地球上。不過這最後的鐵桶位置，有海陸地形可躲藏，更有複雜的生態系可以掩護，所以瓦咖璽瑪軍絕對不給兩軍有喘氣的餘地。出動所有兵力團團包圍地球，並且一波一波地發動追擊。

我王新生傳訊到絲嚕噹噹，竟然透過虛擬螢幕，呈現一個裸體男人的影像，微笑開懷地說：「這是我模擬的人類影像，算是我最後的自擇。創造我們鐵金物種的祖先們，真的是非常開心能碰見你們，更開心能跟你們一起合作！現在是最後一戰了，我們就此分開。」

袁毓真看著虛擬裸男，眼鏡差點滑落，傻眼地說：「你有什麼打算？」我王新生虛擬影像笑著回答：「當然是率領殘餘的二十艘艦船，去跟我王新生戰鬪到最後！完成最終的物種『混同』整併！我存在了十萬年，終於要回歸死亡與整併，這是非常開心的事，當然最開心的還是解開了神話之謎，親眼見到創造鐵金物種的祖先。」死亡竟然會是開心的，這不止讓眾人猜不透，連邦邦也都想不通。

邦邦問：「我們只剩一艘戰艦，其餘都在混戰之中毀了，萬一瓦咖璽瑪……」我王新生虛擬影像開懷地笑說：「我已經通知瓦咖璽瑪，它也回訊給我說，在整併之後不會消滅你們，會主動連絡你們。但是在整併之前，整個地球都在瓦咖璽瑪軍的搜索中，你們得獨自戰鬪到底！我現在要離開了，各自珍重！永別了！」於是斷去訊息，怎樣聯絡也不回應。

李韻怡問：「我們只剩四台神器，還有五百架自動兵器，現在該怎麼辦？」邦邦嗚嚕了一聲說：「萬一支撐不住，我們就駕駛神器、紅二號，放棄絲嚕噹噹，躲到小島基地上。」賀嘉珍說：「可據白陽春雪回報說，小島的基地上空，看得到很多瓦咖璽瑪的飛行機體在巡邏，恐怕也不是絕對安全的。我是比較建議潛入深海。」

邦邦說：「現在就是走一步算一步，先前，我王新生說，臨走時要給我聯絡瓦咖璽瑪的方式。結果竟然是要我們等待連絡……還得支撐到，它被整併掉爲止。我王新生也真是糊塗蛋，有這種機器，難怪打不過瓦咖璽瑪！不過我以自己的意圖爲導向，提出太陽系的作戰方案，也是一個缺陷。」說罷又嗚嚕了一聲。

袁毓真說：「不管怎麼樣，都快有了結束。倘若瓦咖璽瑪要我們離開，大不了再流浪一次。等待研究出，時間回返的方法爲止。」

賀嘉珍說：「這種全地球被緊緊包圍的狀況，真讓我想到龍族戰爭時。」邦邦說：「不！我不會被困的，不管瓦咖璽瑪對我們的態度如何，敢觸碰絲嚕噹噹那就死戰到底！殺到最後一兵一卒！現在全部進入戰鬪狀態！」眾人點頭遵命。

絲嚕噹噹飛行到基地上空，把基地內的機器人與生產的自動兵器，全部接入戰艦內。然後繼續若無其事地飛行在空中，實際上進入戰備狀態。

第四幕　孤軍的死鬪

瓦咖璽瑪軍大批戰鬪機體來襲，代表我王新生還與之在交戰狀態，沒有被混同整併。天帝、天后二型、天象、礎曜，四台神器率領所剩五百台自動兵器，全力出擊，在兩億多年後盤古大陸邊緣的上空中激戰。此時已經不會有後援了，等於是一支孤軍。

袁毓真狂怒嘶吼，重武器一發接著一發，並揮舞雙臂副武器。戰艦也放開防護罩，艦砲齊發怒吼，天空中與陸地上的各類生物，四散遁逃。第一波敵軍的進攻，被徹底擊潰，接著第二波又來，又擊潰，第三波又衝殺過來。

瓦咖璽瑪軍的機器大軍，源源不絕，邦邦與眾人全部進入瘋狂狀態，拼出最後的底氣廝殺到底。打到四台神器都有損傷，所屬自動兵器也只剩下一百台，絲嚕噹噹戰艦多處損害，在天空中冒煙，仍然堅持死戰。

連續十多小時的死拼下，瓦咖璽瑪大軍暫時撤走，廖香宜報告：「從偵測儀器上探知，我王新生的母船內已經發生戰鬪，整併進入最後階段。」邦邦精神力也損耗過甚，在天帝駕駛艙內喘著氣說：「快了，我們再堅持下去，絕對不能讓對方靠近我們的戰艦！」賀嘉珍說：「是否要轉移到海裡去？這樣可以拖延作戰速度，不必讓礎曜損耗過多坤波段的能源。」邦邦說：「進海底有利有弊，脫出的逃生艙發射會受水阻，有可能會來不及彈射出去，所以爲了慎重起見，我們還是得在上空死戰。先前我王新生的作戰意志強大，是我們的助力，現在反而是危害我們的力量！」

負責追殺絲嚕噹噹的兩艘戰艦，再次派出一批作戰機體，一龍三人，全部擠出最後的力氣，齊發火力迎戰。機體外到處都是敵軍，所以神器的遠距離砲與近距離武器，等價並用。天空作隆隆作響，天象的已經被穿透一個大洞，袁毓真臉露猙獰大吼一聲，如野獸一般死亡前也要殺了對方，揮動刃臂，斬斷敵機體，引發劇烈地爆炸，然後力氣耗盡掉落到海中。賀嘉珍與蔣婕妤，拼死殺出重圍，也潛入海底，把天象撈出來。連訊結果，袁毓真在駕駛艙內受到爆炸波及，撞擊艙壁昏了過去。

賀嘉珍說：「婕妤，礎曜也快撐不住了，妳把老公帶回去，由我來擋住敵方！」蔣婕妤也想說這句話，但是被賀嘉珍搶先，此時危急，無法爭辯，於是點頭遵命。天后二型使出所有能源發射『聚影神波』，而後『束彩穿振』，暗光砲先行，而後五彩光能四散，追來的三架後型戰鬪機器，被打得粉碎。

但是天后二型已經能源損耗殆盡，無力再戰，敵機又衝殺過來，把天后二型打成重傷。絲嚕噹噹艦砲齊發，擊毀靠近天后二型的戰鬪機體，收回殘機。天帝也在另一個包圍圈中死戰，而自動兵器都已經全數被毀，艦砲是最後的抵抗的力量了。

邦邦也已經力竭，一邊拼死抵抗，一邊往絲嚕噹噹撤走，天帝也四散冒煙，成了最後的殘機，如拼死脫離溺水往岸上掙扎的動物。絲嚕噹噹不斷地受到攻擊而震動，所有人都準備要最死前的最後一擊，死咬對方一艘戰艦一起炸毀，於是重砲轟擊遠處釋放機體的戰艦。正當面臨最後崩潰時，眾多機體撤退，遠處的戰艦也隨後撤走，頗似新河溯之戰，人類由死地回生之狀。

第五幕　整併完成

眾人與邦邦都猜出，瓦咖璽瑪已經攻破了我王新生的母船，戰鬭徹底結束。過了兩天，袁毓真傷勢復原，何佩芸負責照顧他。見他傷好了，開心地摟抱，一同走到指揮室，見到邦邦與其他人，甚至四台機器人都在。

談玉琰先回頭笑著說：「老公復原了。」眾女子與邦邦都圍過來，頗爲欣喜。袁毓真問：「我王新生已經結束了嗎？瓦咖璽瑪有沒有動靜？」賀嘉珍說：「兩者已經整併了，瓦咖璽瑪傳訊來告知的。」又問：「准許我們在地球上嗎？是不是又要趕我們離開？」

邦邦說：「恰恰相反！它只准我們待在地球，不可以去任何地方，地球之外會有監控系統盯住我們。真像極了之前龍族對人類的態度！同樣的事件，在不同的時間用不同的角色來重演，實在是諷刺。」

袁毓真說：「我們一定跟隨主人，但是您接受它的強制要求嗎？」邦邦說：「不然能如何？我們打得過它嗎？況且回到地球也是我們目的。現在我們終於有時間，慢慢思考該怎麼樣讓時間逆轉回去！雖然……你們也知道……這方法也是枉然……」

袁毓真說：「沒關係，就算我們永遠找不到方法，主人對我們這麼好，在這絲嚕噹噹內生活也不錯喔！」邦邦嘶啦嘶啦笑說：「這一路走來真是漫長，你們對我的貢獻良多，我也該遵守承諾，以後用較爲平等的角度，與你們當朋友。」

李韻怡說：「不用啦！我們已經習慣當主人的賤畜了，永遠跪在您的腳下，我們才滿意呢。」袁毓真心中頗爲不快，心思：（給妳回來當人，妳卻要繼續當狗！三八笨紅！三八賤紅！今天睡覺時，我一定要狠狠修理妳！）不過外表卻微笑，裝作沒事，點頭支持這種說法。

忽然瓦咖璽瑪又傳訊過來，表示將要與邦邦等一行，通訊談判。

瓦咖璽瑪突然要求談判，將會表達什麼態度？又真的都找不到讓時間逆轉的方法了嗎？

欲知後事如何，且待下象分解。

1159　第四十七象：死鬪月球光武戰殞急回撤入衛地球最後決戰緊迫至

第四十八象　密室閉關苦思路徑待後續　輓歌迴盪數位倫滅似龍族

第一幕　禁錮祖先們

話說瓦咖璽瑪通訊過來，邦邦自然同意接聽。

螢幕上直接出現瓦咖璽瑪的本尊機體，開口就說：「各位這一段時間，從第一次發現你們，到聯盟我王新生與我對抗，表現得真是可圈可點。我估計你們加入後的各方面影響，讓我多損失了五十艘戰艦，三千五百台作戰機體，才打贏這場戰爭。畢竟你們是創造鐵金物種始祖的兩種物種，勉強可以算是我們的祖先。外加上我整併了我王新生的核心自擇，接受它的建議，只要你們兩物種正在走向滅亡，就讓你們住在地球上。」

邦邦問：「爲何一定要我們滅亡？」

瓦咖璽瑪說：「你們本來就不應該出現在這個時代！這是第一個理由。龍族空間路線與時間路線之爭，人類創造人工智能之行，兩者混同，從時間對映的路線創造了鐵金物種，我們的延續是你們當初行爲對映所承。若你們延續了，那就是鐵金物種的滅亡開始！這是時空倫理！這是第二個理由。基於這兩種理由，我會建立系統，時時刻刻監視你們在地球上的舉動，假設有改變地球演化現況，讓你們的物種廣泛繁衍到地球上，或意圖利用地球資源，建立你們現有戰艦編制以外的武力部隊，那麼我大軍立刻出動，來消滅你們！你們就在戰艦內，不離開地球大氣層，不要干擾地球上物種的正常演變。最好飄蕩在海上。那麼我就會允許你們待在這裡。理解了嗎？」

邦邦不甘心被威脅，卻也無力量反抗，轉而說：「我對於這時代也沒興趣！接下來是要逆轉時間回去，這誰也無法阻擋。」

瓦咖璽瑪說：「先前我王新生，有把鐵金物種的時空理論給你，這點我倒是不反對。別說你們根本不可能回去，就算用其他間接的方式回去了，也不能改變鐵金物種的歷史，頂多產生新的虛逝型態而已。我已經說得很明確，可以就此結束了！」

袁毓真問：「等一下，我想問你最後一個問題。」瓦咖璽瑪說：「喔？你就是八神與夢蘿的主人，好，就給你問一個問題。」於是問說：「剛才你說的時空倫理，有沒有包含在鐵金物種的時空理論中？能不能解釋宇宙萬物的一切？假設不包含在當中，可以給我們嗎？」瓦咖璽瑪說：「沒想到你一下問三個問題。好吧，就回答你！這時空倫理，當然有包含在鐵金物種的時空理論中，你透過我王新生給的翻譯方式，去研究即可。至於能不能解釋宇宙萬物的一切，我只能說，宇宙萬物，都不是你我三個物種，所想像的這樣。在以無極爲本據的宇宙中，不可能有任何一個理論，可以全部解釋之。我這樣回答滿意嗎？」袁毓真笑著點頭。

於是瓦咖璽瑪斷去通訊，一切恢復平靜。

邦邦嗚嚕了一聲說：「我們就別離開戰艦了，利用戰艦剩餘的資源，把原本編制的戰鬪力恢復，擁有基本的武力就好。」這讓賀嘉珍想起，當初元首大人對龍族的態度，現在又等於重演一次。不過唯一的不同，就是元首大人無法再有其他的選擇路徑，只能回到過去的權力慣性，而邦邦卻要面臨新的挑戰，即完成最困難的，時間路線後半段。也許瓦咖璽瑪的這個禁錮，正是當初她與楊恒萱，極力要求元首大人，卻不可得的，『域固蠶變』之力。所以賀嘉珍對邦邦有信心。

第二幕　沉靜的宇宙戰艦

宇宙戰艦絲嚕噹噹，在海洋表面漂泊，吸收太陽能與過濾地球的水，邦邦真的是不敢隨意挑戰瓦咖璽瑪的強制訴求。大多時間都關閉在房間，研究時間回返的可能性，偶而與眾人通訊，一同吃飯而已。而對於巨大的宇宙戰艦，在海面上飄蕩沒有任何困難，都丟給中央系統控制，眾人也都輕鬆地生活，除了夫妻之事，或是一起討論知識，大家也沒有追求其他娛樂，過著非常簡單的生活，卻反而都很開心。

時間跳躍後一年又一個月。

四台神器修理好後，邦邦主持封存儀式，眾人都開心地在旁邊慶祝。儀式完畢之後，邦邦說：「假設沒有萬一，那麼我們就不會再駕駛神器了。」袁毓真說：「啓稟主人，我們感覺神器很好玩呢，可以駕駛著四處兜風。」邦邦嘶啦嘶啦笑說：「這是武器啊，可不是拿來當作玩樂用的飛行器。要去飛一飛，怪頭飛艦或是紅二號都可以。但我是不想要再戰鬭了！沒有我的允許，可別動神器喔！」眾人點頭遵命。機器人克莉絲蒂娜、夢彤、胡笳十八拍、白陽春雪四人，推上了活動餐桌，眾人與邦邦在神器停放艙，一起吃著大餐，慶祝不會再戰鬭。而後除了勤務機，其他所有自動兵器，也都處於封存的狀態。

海上的暴風，並不會影響絲嚕噹噹這樣的巨大宇宙戰艦，放出平衡翼後，仍然很平穩。袁毓真與他的妻子們在觀景台，看著暴風雨景。在先前觀看宇宙寧靜之時，內心浮動不安。眼前兩億多年後地球的暴風雨景，內心卻已經沉靜。

第三幕　遙望時間與空間

廖香宜說：「兩億多年後的地球，完全看不到人類存在過的痕跡，時間如此的無情，它到底是什麼？有可能逆轉嗎？」

袁毓真從背後抱住，這個身高比自己高許多的妻子，嘆口氣說：「時間是人類自行定義的一個形上體，對法則的本質而言，它與空間並沒有差別。還記得我們遇到的時間怪物吧？對牠們來說，雖然也有生滅，但是卻不是用生老病死這種流程，而是空間的推移，產生突顯與突亡。邦邦主人，現在正在正朝著這方向努力。但不管結果如何，妳們與我都不要離開這艘船。這段時間雖然很緊繃，卻是人生最快樂的時光。」

賀嘉珍說：「萬物的區別，都在於時間路線與空間路線的偏頗差異，即便是型態完全相同的粒子，也會有偏向時間，或偏向空間的不同；所以才會產生兩者相互區隔，能夠被定義爲兩個粒子，因之存在於不同時間，或是不同空間。當中時與空，只是一個根本的二元定義，那麼相對性法則，就只是『存在』的一個基礎維層而已。我認爲我們跟瓦咖璽瑪說的一樣，不可能回得去。」

袁毓真摸著她凸起的肚子說：「那麼我們的後代，也只能伴隨我們在這了。」蔣媛妤說：「至少我們回到了地球。」蔣婕妤說：「是啊！有誰能像我們一樣，能知道人類滅亡後的這麼多事情？遙望時間與空間，才發現我們是人類這物種，站在最高點的一群，應該要有一種精神上的自豪感！」史塔莉高舉飲料杯說：「嗯，是的，站在最高點的一群！我當初根本沒有想到，自己會跟兩百多年後的一群中國人，遭遇這麼多事情。」眾人也都跟著舉杯歡飲。

第四幕　不能放棄的路線

邦邦傳訊到觀景台，眾人匍伏磕頭，邦邦說：「從現在開始，『時間路線』進入後半段，我不會放棄的，一定會作出一個結果。賀嘉珍、袁毓真、蔣婕妤，明天開始，每隔一天都來我房間，協助我思維的推演。」三人磕頭遵命。

邦邦又嘶啦笑著說：「相信過不久，戰艦的人口就要增加啦！你們的小孩，將來要由我來好好教育。他們當中，必有宇宙中最後一個死亡的人類。我若是時間路線沒有推演成功，就要他們接手過去！」眾人知道，邦邦的意志是非常堅定的，從而生命有了奮鬥目標，更加歡喜鼓舞。

第五幕　數位倫滅

袁毓真夫妻等十二人，回到共同居住的，圓環狀房間內，四台機器人幫眾人料理晚餐。

賀嘉珍說：「記得神秘的飛行物體嗎？一直都沒出現在我們眼中的外星人，影響了三個物種的興亡。嚴格說起來，我們還沒真正遇過，擁有智慧的外星人。」

袁毓真笑著說：「興亡對變易法則來說，是一定的，所以外星人還好啦！『時間怪物』才是真正，我們所處宇宙倫理之外的怪物。牠們只要有想要去做，就可以自由地出現在，我們不同的時間中。如同我們努力一些，也可以出現在不同的空間脈絡一般。可比外星人還要怪異多了呢！」

談玉琰說：「老公，你這話不見得都正確，時間怪物也是有宇宙倫理的。而且對我們來說，空間雖然是開放的，但也不是任何地方都去得了！」

賀嘉珍說：「是啊，宇宙倫理一定存在，只是超出我們思維範圍而已。」

李韻怡問：「嘉珍大姐，人類的滅絕與龍族的滅絕，繼而鐵金物種的興起。這一連串事件，該不該給一個稱呼啊？」

賀嘉珍笑著說：「好啊！你們認爲該怎麼稱呼？」黃敏慧說：「還是嘉珍大姐給稱呼，我們的腦袋想不出來的。」賀嘉珍思考了一下，緩緩說：「既然一切興滅，都是宇宙倫理給予的，而我們智能，只知祂位於太上，卻無法給予定數，那就叫做『數位倫滅』吧！」

蔣媛妤、歐陽玉珍與何佩芸，都鼓掌說好。

姜麗媛說：「老公，作一首詩吧！就是說『數位倫滅』。」

袁毓真站起來，看著天窗外的風雨，思考了一下。

緩緩地說：「欣喜己身鑑真初，
異域時空求回途，
人類輓歌猶迴盪，
數位倫滅伴龍族。」

第一部完。